Essential Acoustic Playlist 2

Published 2003

Griffin House, 161 Hammersmith Road, London, W6 8BS, England

Editorial and production by Artemis Music Limited

Iow to use this book

ll the songs in this book have been carefully arranged to sound great on the acoustic guitar. They e in the same keys as the original recordings, and where possible authentic chord voicings have een used, except where an alternative voicing more accurately reflects the overall tonality.

'here a capo was used on the original track, it is indicated at the top of the song under the chord oxes. If you don't have a capo, you can still play the song, but it won't sound in the same key as e original. Where a song is played in an altered tuning, that is also indicated at the top of the song.

Jnderstanding chord boxes

hord boxes show the neck of your guitar as viewed head on – the vertical lines represent e strings (low E to high E, from ft to right), and the horizontal nes represent the frets.

A curved line joining two dots on the fret-board represents a 'barre'. This means that you flatten one of your fretting fingers (usually the first) so that you hold down all the strings between the two dots, at the fret marked.

E

7fr.

n x above a string means 'don't lay this string'.

o above a string means 'play this pen string'.

he black dots show you where to put your ngers.

A fret marking at the side of the chord box shows you where chords that are played higher up the neck are located.

'uning your guitar

he best way to tune your guitar is to use an electronic tuner. Alternatively, you can use relative ıning – this will ensure that your guitar is in tune with itself, but won't guarantee that you will e in tune with the original track (or any other musicians).

Iow to use relative tuning

ret the low E string at the 5th fret and pluck – compare this with the sound of the open A string. he two notes should be in tune – if not, adjust the tuning of the A string until the two notes match.

epeat this process for the other strings according to this diagram:

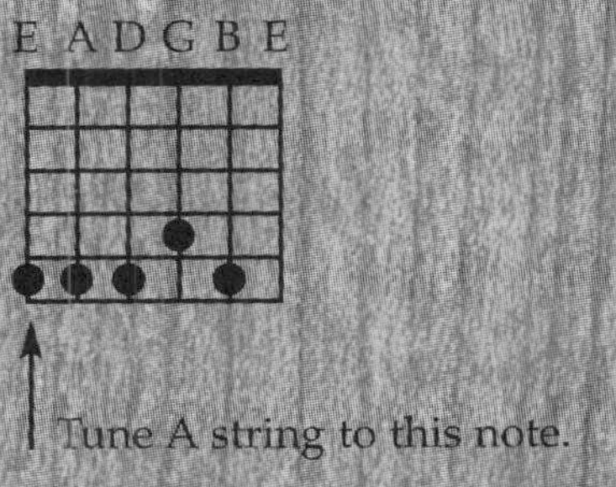

Note that the B string should match the note at the 4th fret of the G string, whereas all the other strings match the note at the 5th fret of the string below.

As a final check, ensure that the bottom E string and top E string are in tune with each other.

Contents

A Minha Menina

Words and Music by
JORGE BEN

G C7 Am7 B♭m7

Bm7 C D

♩ = 98

Intro

```
   G    C7  | G    C7  | G    C7  | G    C7  | G    C7
4/4 / / / / | / / / /  | / / / /  | / / / /  | / / / /
```

Chorus

```
| G  N.C.         | G    C7
    Ela é minha menina
| G       C7      | G    C7
  E eu sou menino dela
| G    C7      | G    C7
  Ela é o meu amor
| G            C7        | G    C7  | G
  E eu sou o amor todinho dela.     / / / /
```

Verse 1

```
|                          | Am7   B♭m7
  The silver moon is out of sight
| Bm7      C      D      | G
  And the golden sun has come:
|                        | Am7
  A beautiful new day is born
```

```
                |Bm7          |C
Scented like joy  'cause I fell asleep
                     |D       |     C
And woke thinking of her. ____/ /______
```

Chorus 2

```
N.C.                 |G    C7
Pois ela é minhaenina
|G       C7        |G    C7
   E eu sou menino dela
|G    C7      |G    C7
   Ela é o meu amor
|G            C7          |G    C7 |G         |Am7
   E eu sou o amor todinho dela.     / / / /    / / / /
```

Verse 2

```
|                                |     Bbm7
   The rose-bush has blossomed out______
|Bm7       C        D        |G
   And I've seen that she's my rose.
|                              |Am7
   For her I'll place my heart before
            |Bm7
Reasons,  I tell
|C                          |D          |      C
Everybody in the world that I love her.______/ /
```

Chorus 3

N.C. | G C^7
Pois ela é minha menina

| G C^7 | G C^7
E eu sou menino dela

| G C^7 | G C^7
Ela é o meu amor

| G C^7 | G C^7
E eu sou o amor todinho dela

| G C^7 | G C^7
A minha menina.

| G C^7
A minha menina.

| G C^7 | G C^7 | G C^7
A minha menina.______________ So!

Coda

G C^7 x8 G
‖: / / / / :‖ / ‖

Ain't That Enough

Words and Music by
GERARD LOVE

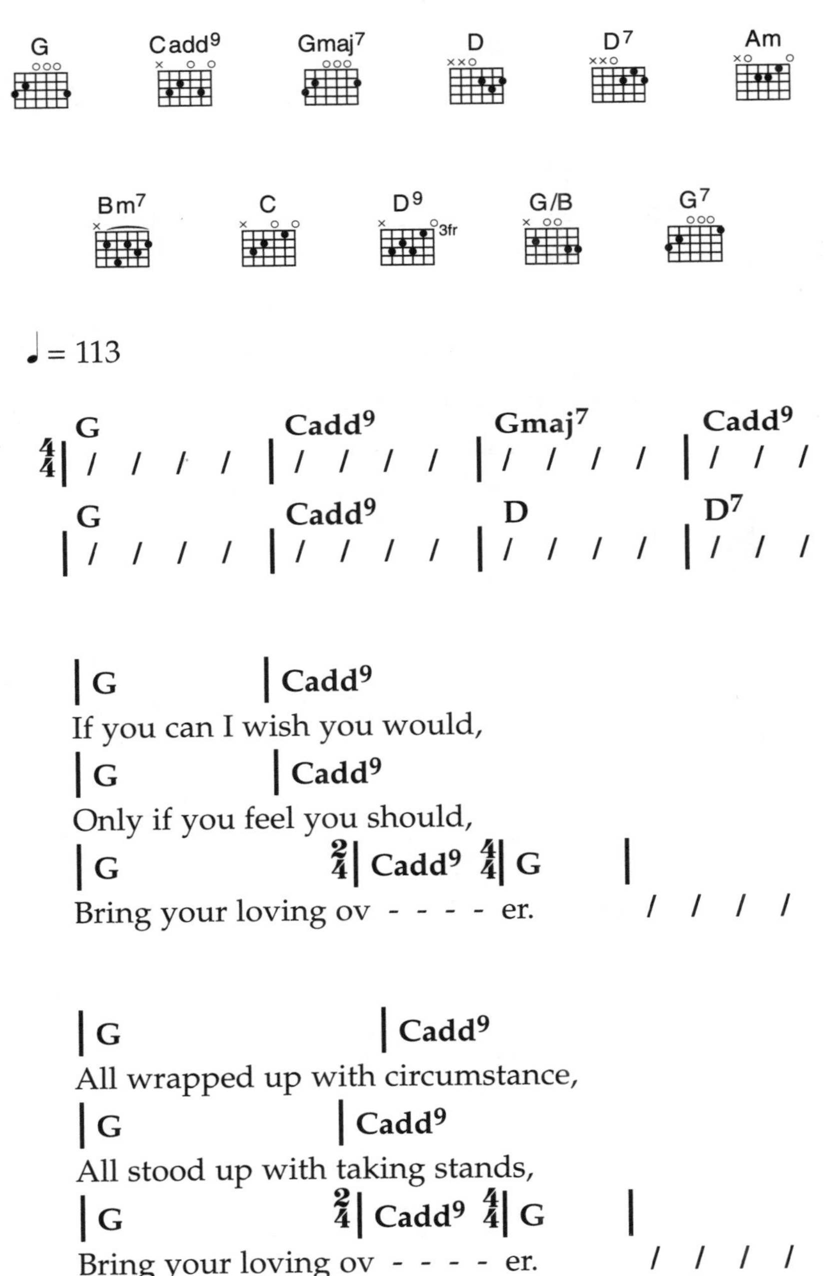
G
Cadd9
Gmaj7
D
D7
Am
Bm7
C
D9
3fr
G/B
G7
♩ = 113
Intro
G Cadd9 Gmaj7 Cadd9
G Cadd9 D D7
Verse 1
G Cadd9
If you can I wish you would,
G Cadd9
Only if you feel you should,
G 2/4 Cadd9 4/4 G
Bring your loving ov - - - - er.
Verse 2
G Cadd9
All wrapped up with circumstance,
G Cadd9
All stood up with taking stands,
G 2/4 Cadd9 4/4 G
Bring your loving ov - - - - er.

Prechorus

| G | Cadd⁹ | G | Cadd⁹
High-lights glisten, silence listens;
| Am | Bm⁷
Days that found you,
| C | D⁹
The grace that found you.

Chorus

| | G | Am | Cadd⁹
Here is a sunrise___ ain't that enough?
| | G | Am | D⁹ |
True as a clear sky___ ain't that enough? / / / /
| C G/B | Am D | G | G⁷
Toy-town feelings here to remind you.___ / / / /
| C G/B | Am D | G | D
Summers in the city, do what you gotta do. / / / /
|
/ / / /

Instrumental

G Cadd⁹ x3 D
||: / / / / | / / / / :|| / / / / | / / / /

Verse 3

| G | Cadd⁹
Time can only make demands,
| G | Cadd⁹
Build it up with grains of sand,
| G 2/4 | Cadd⁹ 4/4 | G |
Bring your loving ov - - - - - er. / / / /

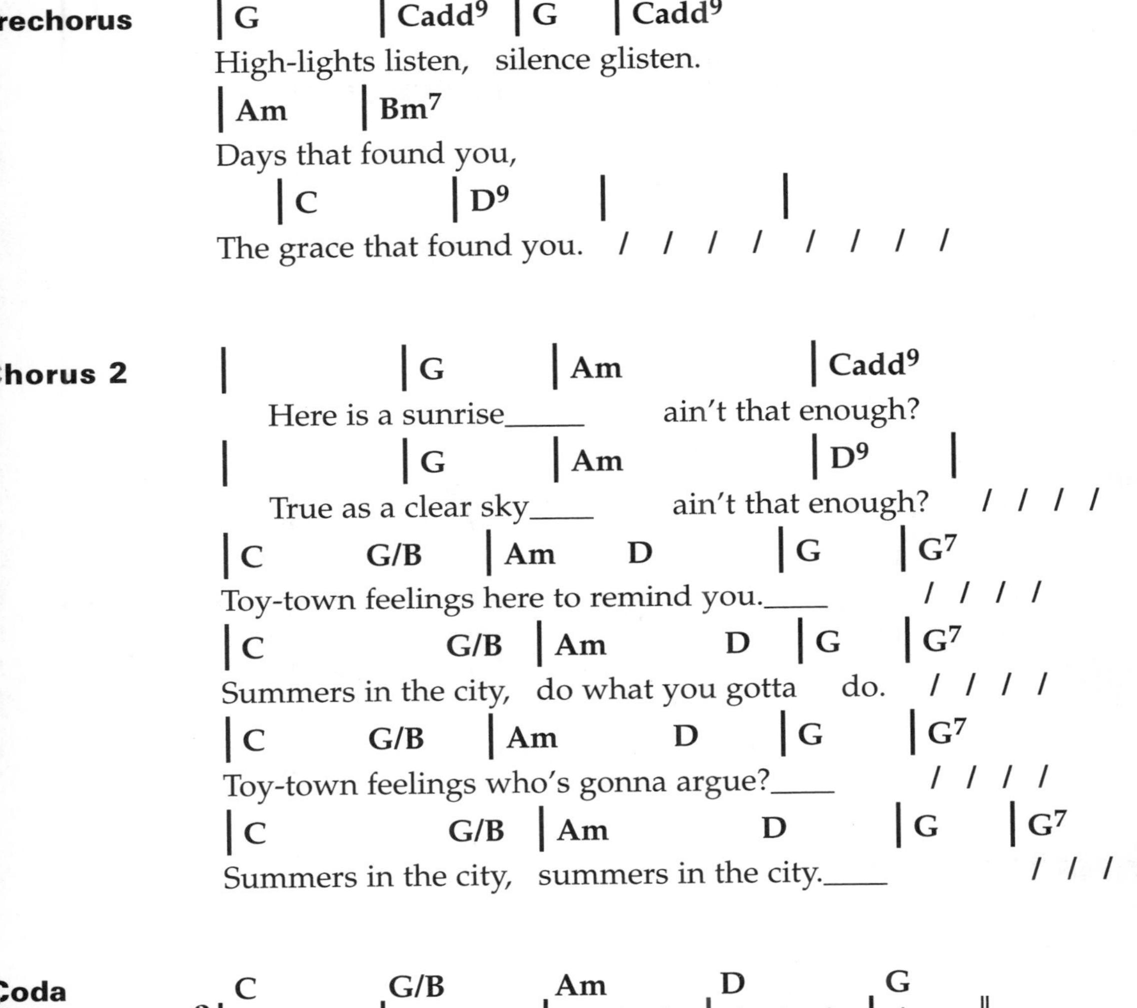
rechorus
| G | Cadd9 | G | Cadd9
High-lights listen, silence glisten.
| Am | Bm7
Days that found you,
| C | D9 | |
The grace that found you. / / / / / / / /
horus 2
| | G | Am | Cadd9
Here is a sunrise_____ ain't that enough?
| | G | Am | D9 |
True as a clear sky____ ain't that enough? / / / /
| C G/B | Am D | G | G7
Toy-town feelings here to remind you.____ / / / /
| C G/B | Am D | G | G7
Summers in the city, do what you gotta do. / / / /
| C G/B | Am D | G | G7
Toy-town feelings who's gonna argue?____ / / / /
| C G/B | Am D | G | G7
Summers in the city, summers in the city.____ / / / /
oda
slower)
C G/B Am D G
3/4 | / / / | / / / | / / / | / / / | / ||

All Together Now

Words and Music by
STEPHEN GRIMES AND PETER HOOTON

D A Bm F♯m G

♩ = 110

Intro

D	A	Bm	F♯m
/ / / /	/ / / /	/ / / /	/ / / /
G	D	G	A
/ / / /	/ / / /	/ / / /	/ / / / :‖
D	A	Bm	F♯m
/ / / /	/ / / /	/ / / /	/ / / /
G	D	G	A
/ / / /	/ / / /	/ / / /	/ / / /

Verse 1

| D | A
Remember, boy, that your forefathers died
| Bm | F♯m
Lost in millions for a country's pride,
| G | D
Never mentioned the trenches of Belgium
| G | A
When they stopped fighting and they were one.__

Link

D	A	Bm	F♯m
/ / / /	/ / / /	/ / / /	/ / / /
G	D	G	A
/ / / /	/ / / /	/ / / /	/ / / /

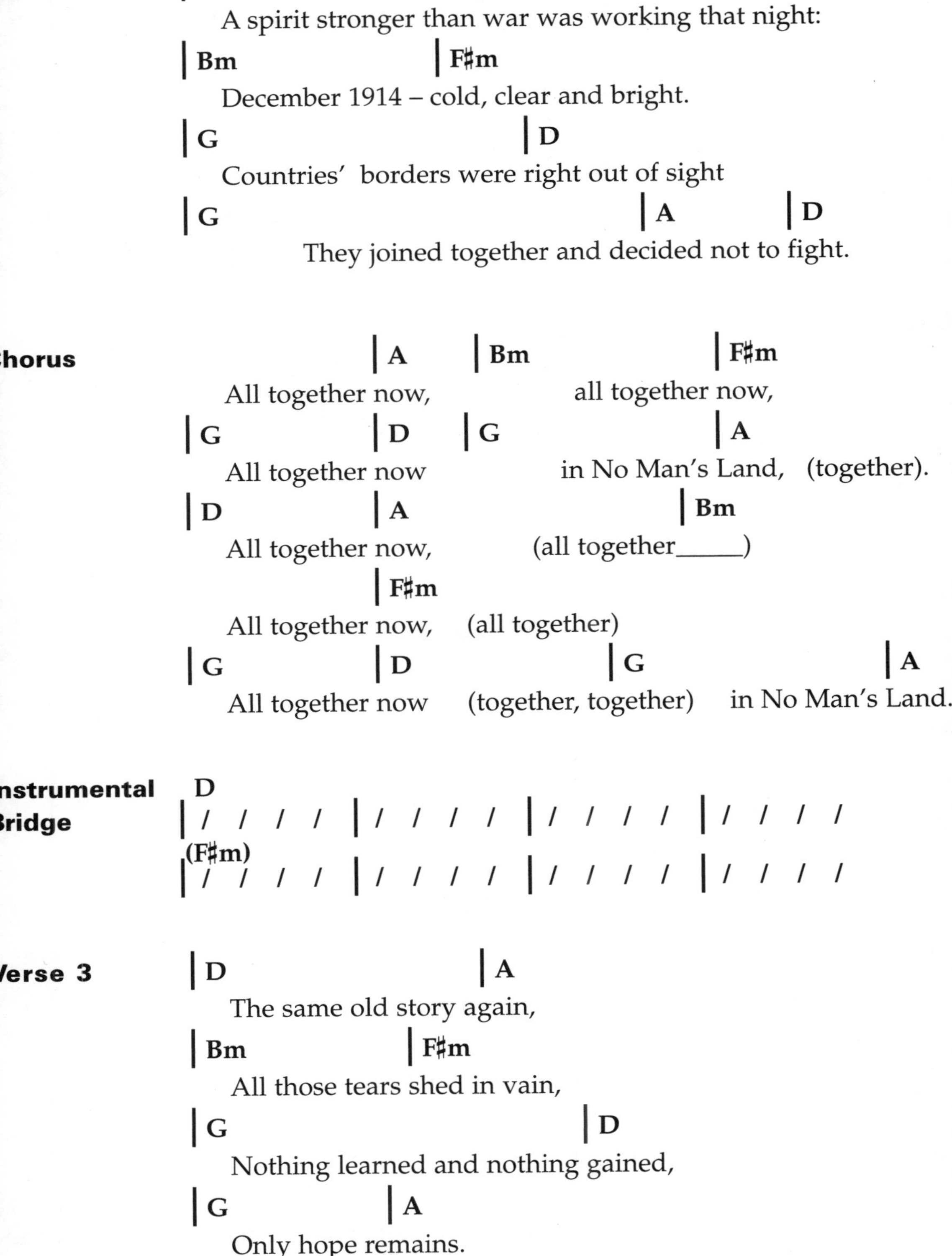

erse 2

| D | A
A spirit stronger than war was working that night:
| Bm | F♯m
December 1914 – cold, clear and bright.
| G | D
Countries' borders were right out of sight
| G | A | D
They joined together and decided not to fight.

horus

| A | Bm | F♯m
All together now, all together now,
| G | D | G | A
All together now in No Man's Land, (together).
| D | A | Bm
All together now, (all together_____)
| F♯m
All together now, (all together)
| G | D | G | A
All together now (together, together) in No Man's Land.

nstrumental ridge

D
| / / / / | / / / / | / / / / | / / / /
(F♯m)
| / / / / | / / / / | / / / / | / / / /

erse 3

| D | A
The same old story again,
| Bm | F♯m
All those tears shed in vain,
| G | D
Nothing learned and nothing gained,
| G | A
Only hope remains.

Chorus 2

```
|D                 |A        |Bm                  |F#m
    All together now,            all together now,
|G                 |D       |G                    |A
    All together now             in No Man's Land (together).
|D                 |A        |Bm                  |F#m              |G
    All together now,            all together now  (all together),
                   |D       |G                    |A
    All together now             in No Man's Land (together).
```

Chorus 3

```
|D                 |                      |
    All together now,    (all together now),
                   |                      |
    All together now     (all together now),
                   |                      |                     |
    All together now,    (together, together),   in No Man's Land.
```

Chorus 4

```
|                  |A
    All together now,    (all together),
|Bm                |F#m
    All together now     (all together).
    |G
The boys had their say, they said no,
|D
Stop the fighting, let's go home;
|G                        |A
Let's go, let's go, let's go,        let's go, let's go.
    |D
The boys had their say, they said no,
|A
Stop the slaughter, let's go home;
|Bm                       |F#m
Let's go, let's go, let's go,         let's go.
|G                |D                    |G                  |A
    All together now        (together, together) in No Man's Land.
```

Repeat Chorus to fade with vocal ad lib.

Average Man

Words and Music by
OLLY KNIGHTS AND GALE PARIDJANIAN

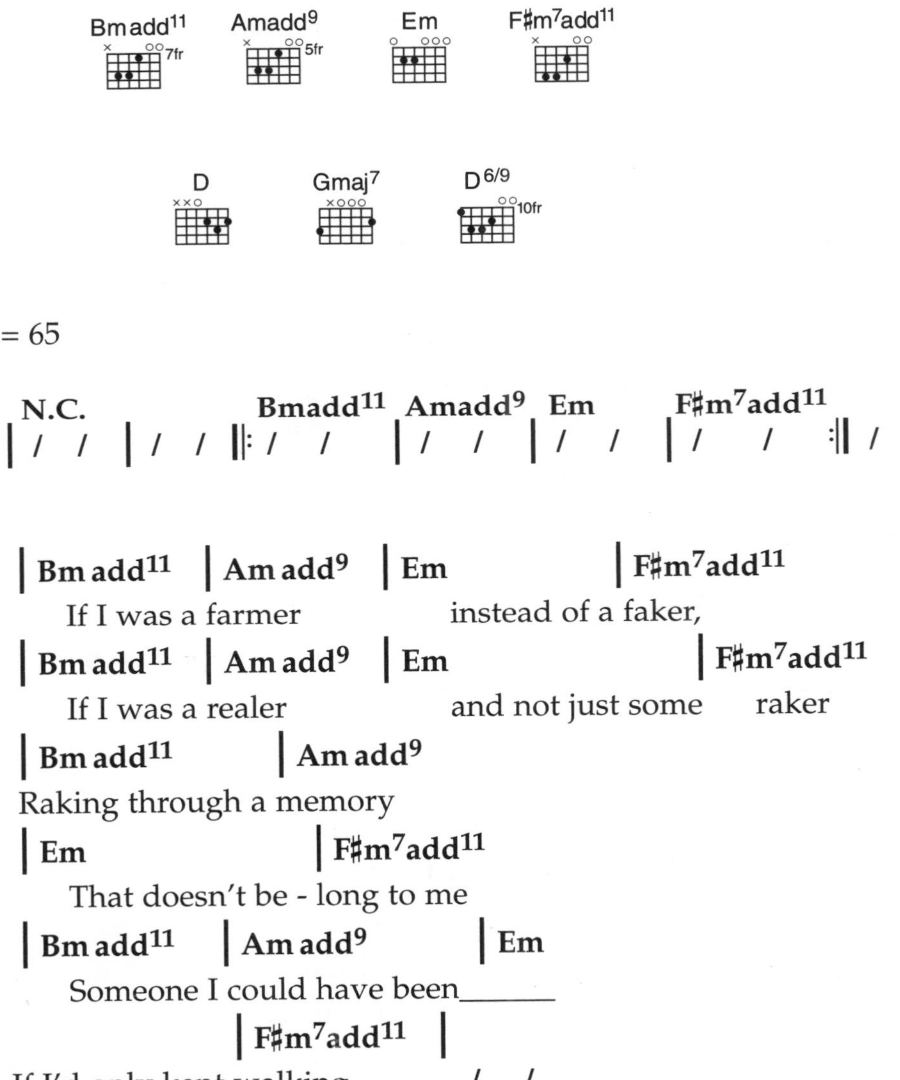

Verse 1

| Bm add^{11} | Am add^{9} | Em | F♯m^{7}add^{11}
If I was a farmer instead of a faker,
| Bm add^{11} | Am add^{9} | Em | F♯m^{7}add^{11}
If I was a realer and not just some raker
| Bm add^{11} | Am add^{9}
Raking through a memory
| Em | F♯m^{7}add^{11}
That doesn't be - long to me
| Bm add^{11} | Am add^{9} | Em
Someone I could have been______
| F♯m^{7}add^{11} |
If I'd only kept walking. / /

Chorus

| D | Gmaj^7
Have another drink, my son,
| D | Gmaj^7
Enjoy another cigarette,
| D | Gmaj^7
'Cause it's time you realised
| Em | | Gmaj^7 |
You're just an average man. / /

Verse 2

| Bm add^{11} | Am add^9 | Em | F♯m^{7}add
Alone on a motorway you catch your breath.
| Bm add^{11} | Am add^9 | Em | F♯m^{7}add^{11}
Cat's eyes lead everyway to lone - - - someness.
| Bm add^{11} | Am add^9
Since you learned to hide your fears,
| Em | F♯m^{7}add^{11}
And down-sized your dreams,
| Bm add^{11} | Am add^9 | Em | F♯m^{7}add^{11}
Still alive, still sincere inside your schemes.

Chorus 2

| D | Gmaj^7
Have another drink, my son,
| D | Gmaj^7
Enjoy another cigarette,
| D | Gmaj^7
'Cause it's time you realised
| Em | | Gmaj^7 |
You're just an average man. / /

dge | Bm add11 | D6/9 | Gmaj7 | Em
And if this is dark - - ness here,
| Bm add11 | D6/9 | Gmaj7 | Em | | Gmaj7 |
And if this is dark - - ness coming.________________

orus 3 | D | Gmaj7
Have another drink, my son,
| D | Gmaj7
Enjoy another cigarette,
| D | Gmaj7
'Cause it's time you realised
| Em | | Gmaj7 ||
You're just an average man.

Alright

Words and Music by
GARETH COOMBES, MICHAEL QUINN AND DANIEL GOFFEY

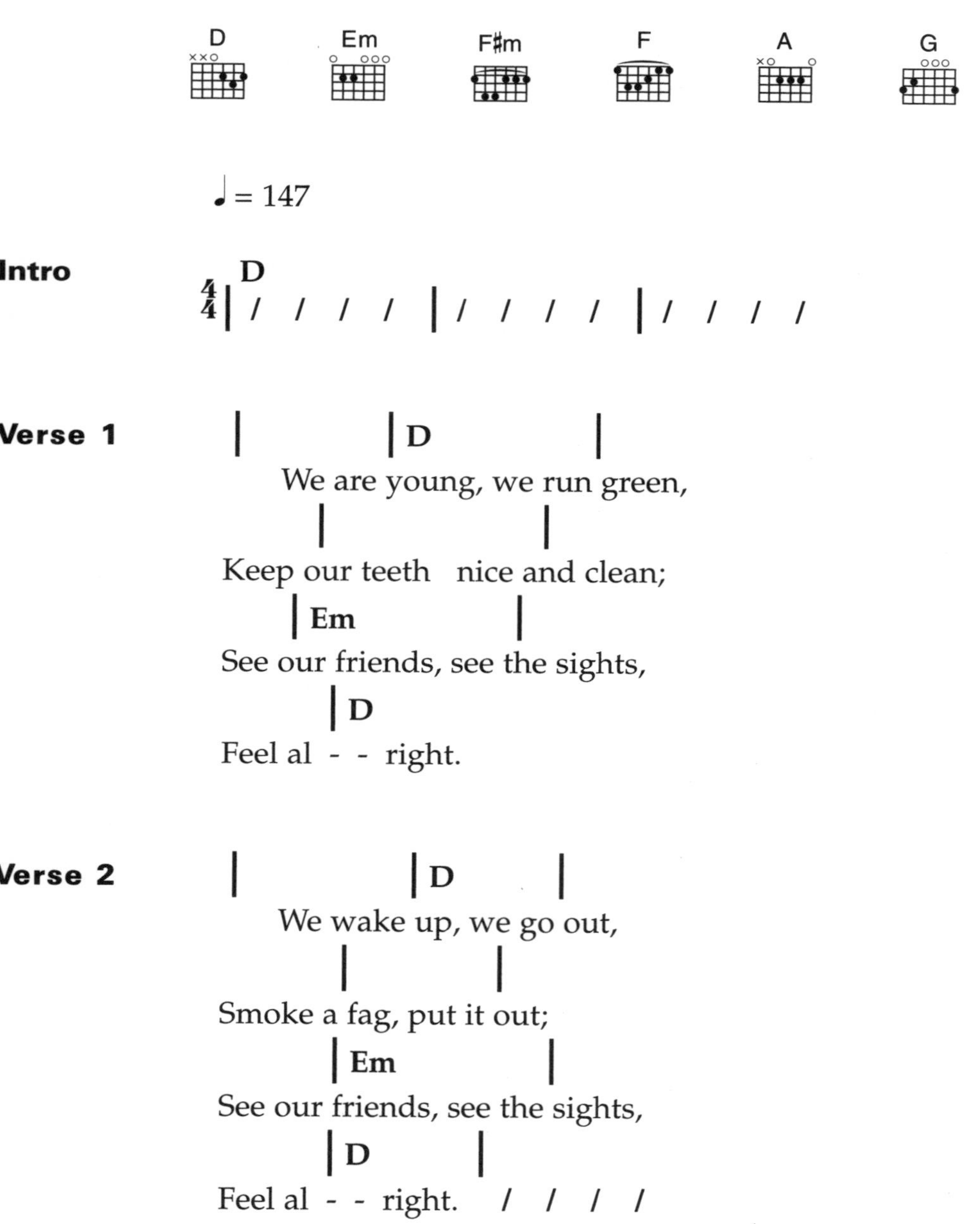
D
Em
F♯m
F
A
G
♩ = 147
Intro
D
4/4 | / / / / | / / / / | / / / /
Verse 1
| |D |
We are young, we run green,
| |
Keep our teeth nice and clean;
|Em |
See our friends, see the sights,
|D
Feel al - - right.
Verse 2
| |D |
We wake up, we go out,
| |
Smoke a fag, put it out;
|Em |
See our friends, see the sights,
|D |
Feel al - - right. / / / /

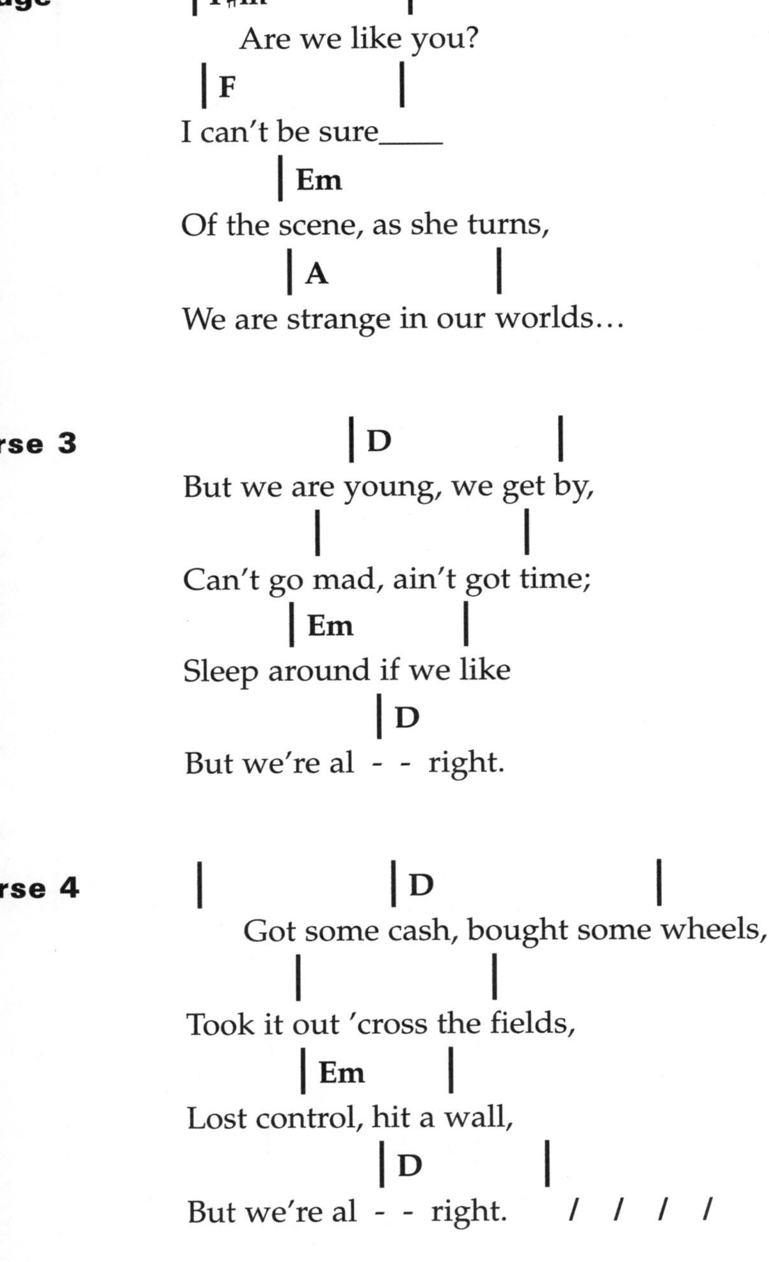

dge

| F♯m |
Are we like you?
| F |
I can't be sure____
| Em
Of the scene, as she turns,
| A |
We are strange in our worlds...

rse 3

| D |
But we are young, we get by,
| |
Can't go mad, ain't got time;
| Em |
Sleep around if we like
| D
But we're al - - right.

rse 4

| | D |
Got some cash, bought some wheels,
| |
Took it out 'cross the fields,
| Em |
Lost control, hit a wall,
| D |
But we're al - - right. / / / /

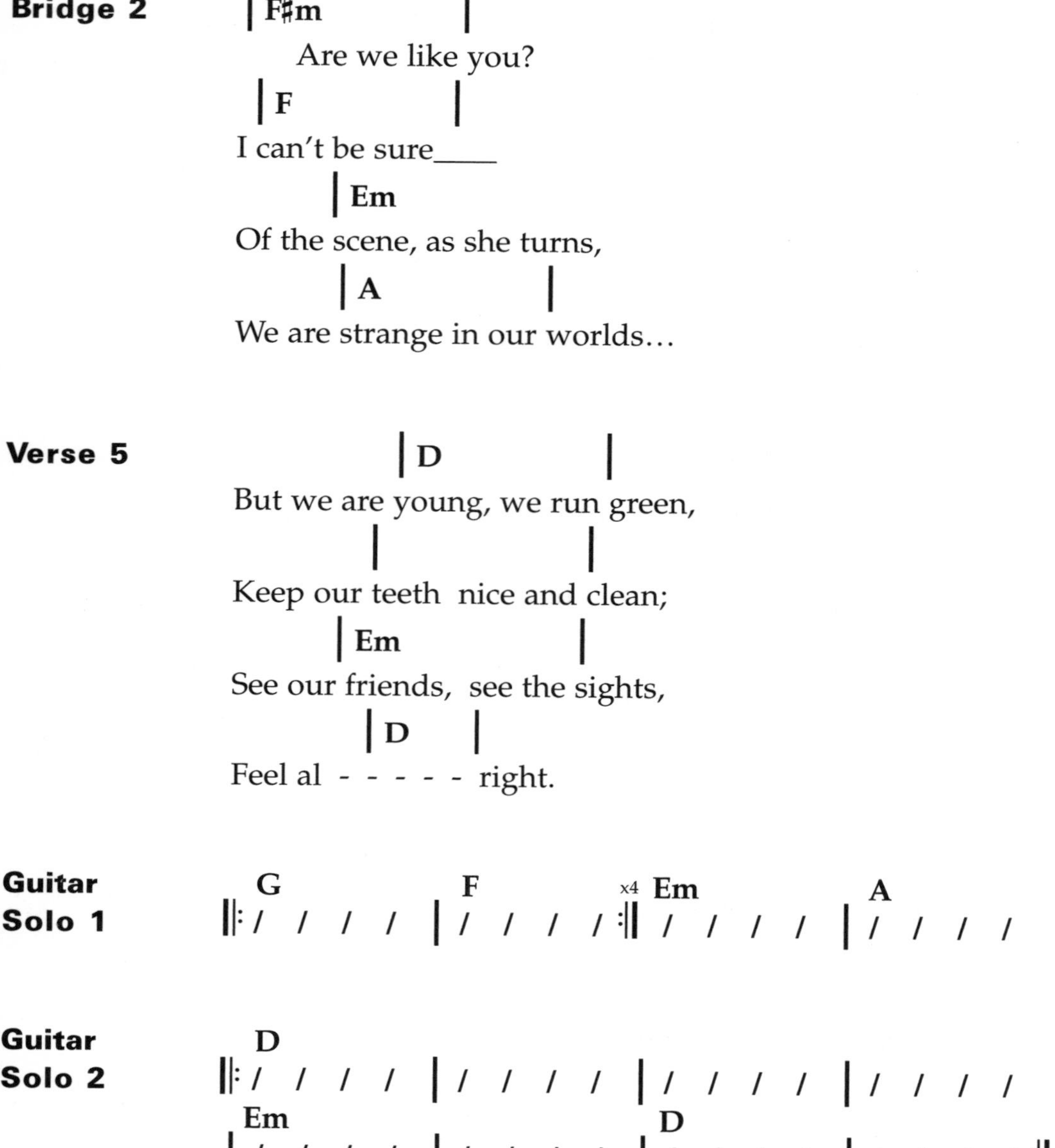
Bridge 2
| F♯m |
Are we like you?
| F |
I can't be sure____
| Em
Of the scene, as she turns,
| A |
We are strange in our worlds…
Verse 5
| D |
But we are young, we run green,
| |
Keep our teeth nice and clean;
| Em |
See our friends, see the sights,
| D |
Feel al - - - - - right.
Guitar Solo 1
G F x4 Em A
‖: / / / / | / / / / :‖ / / / / | / / / /
Guitar Solo 2
D
‖: / / / / | / / / / | / / / / | / / / /
Em D
| / / / / | / / / / | / / / / | / / / / :‖

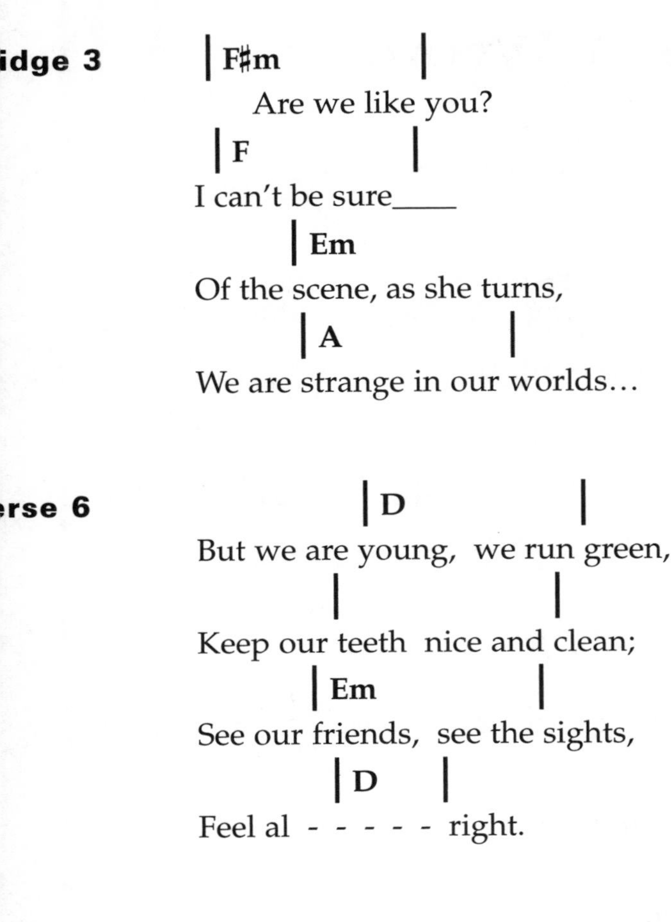

idge 3

| F♯m |
Are we like you?
| F |
I can't be sure____
| Em
Of the scene, as she turns,
| A |
We are strange in our worlds…

erse 6

| D |
But we are young, we run green,
| |
Keep our teeth nice and clean;
| Em |
See our friends, see the sights,
| D |
Feel al - - - - - right.

oda

D
‖: / / / / :‖ *to fade*

Am I Wrong

Words and Music by
COLIN MacINTYRE

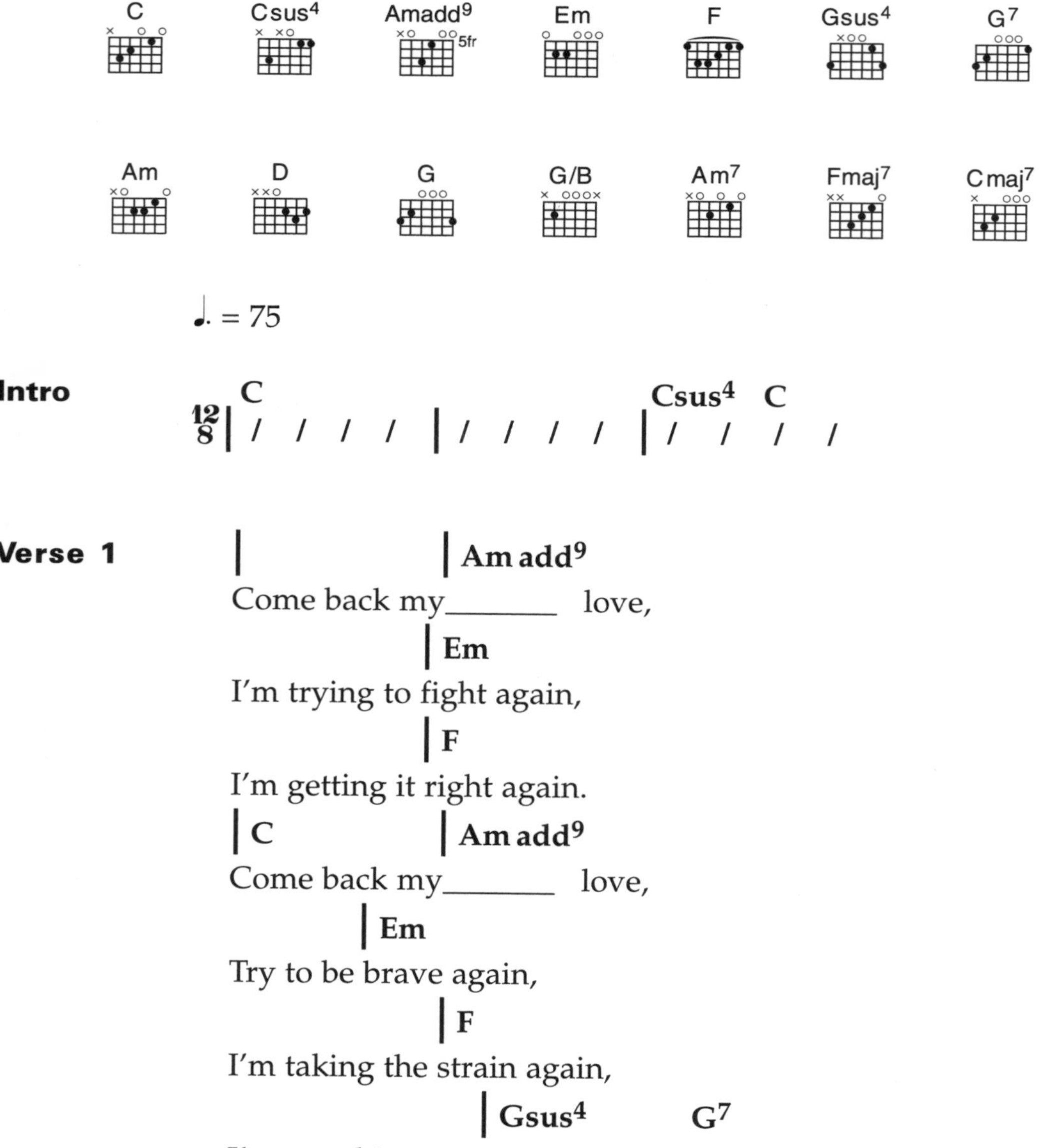
C
Csus4
Amadd9
5fr
Em
F
Gsus4
G7
Am
D
G
G/B
Am7
Fmaj7
Cmaj7
♩. = 75
Intro
C
Csus4 C
12
8
Verse 1
Am add9
Come back my_______ love,
Em
I'm trying to fight again,
F
I'm getting it right again.
C
Am add9
Come back my_______ love,
Em
Try to be brave again,
F
I'm taking the strain again,
Gsus4
G7
I'm punching my weight again.

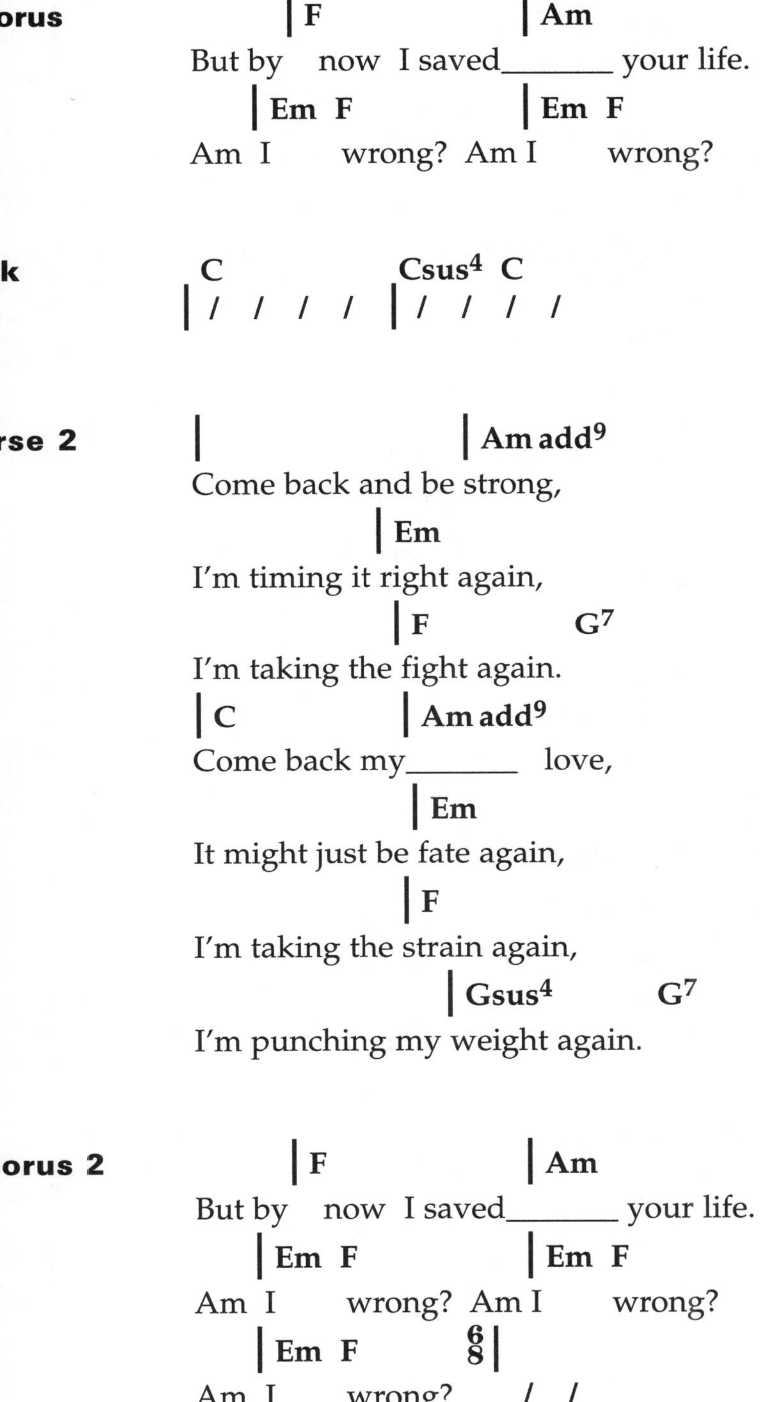
horus
F
Am
But by now I saved_______ your life.
Em F
Em F
Am I wrong? Am I wrong?
nk
C
Csus4 C
/ / / / / / / /
rse 2
Am add9
Come back and be strong,
Em
I'm timing it right again,
F
G7
I'm taking the fight again.
C
Am add9
Come back my_______ love,
Em
It might just be fate again,
F
I'm taking the strain again,
Gsus4
G7
I'm punching my weight again.
horus 2
F
Am
But by now I saved_______ your life.
Em F
Em F
Am I wrong? Am I wrong?
Em F
6
8
Am I wrong? / /

Bridge

```
12 | Em               | D
 8
And oh I've won the fight
                  | G
But I'd fight again,
              | G/B              | Am7
I'll let you out      to let you in.
                | Fmaj7  | Cmaj7
If only to be right or wrong
       | Fmaj7  | Cmaj7
Am I right or wrong?
```

Link

```
  C                                      Csus4   C
| /  /  /  /  | /  /  /  /  | /  /  /  /
```

Verse 3

```
|              | Am add9
Come back my_______  love,
         | Em                    | F
Try to be brave again,  try to be brave again.
| C            | Am add9
Come back my_______  love,
               | Em                          | F
I'm taking you up again,  I'm taking you out again,
              | Gsus4      G7
Stop running away again.
```

horus 3

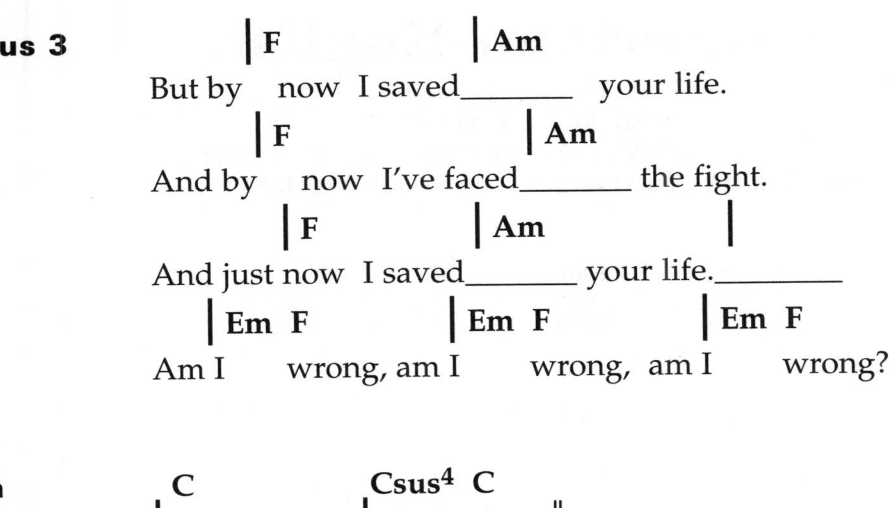
| F | Am
But by now I saved_______ your life.
| F | Am
And by now I've faced_______ the fight.
| F | Am |
And just now I saved_______ your life._________
| Em F | Em F | Em F
Am I wrong, am I wrong, am I wrong?

oda

C Csus4 C
| / / / / | / / / ||

American English

Words and Music by
COLIN NEWTON, RODDY WOOMBLE,
ROD PRYCE-JONES AND BOB FAIRFOULL

A F♯m D E

Capo 2nd fret

♩ = 112

Intro

(A)
4/4 | / / / / | / / / / | / / / /

Verse 1

| A | | F♯m |
Songs when they're truth are all dedicated to you
| D | | A
In this invisible world I choose to live in. / / / /
| | | | F♯m
And if you believe that then now I understand
| | D
Why words mean so much to you
| | A
'Cause they'll never be about you.
| | |
And maybe you're young without youth,
| F♯m | | D
Or maybe you're old without knowing anything's true.
| | A |
I think you're young without youth.

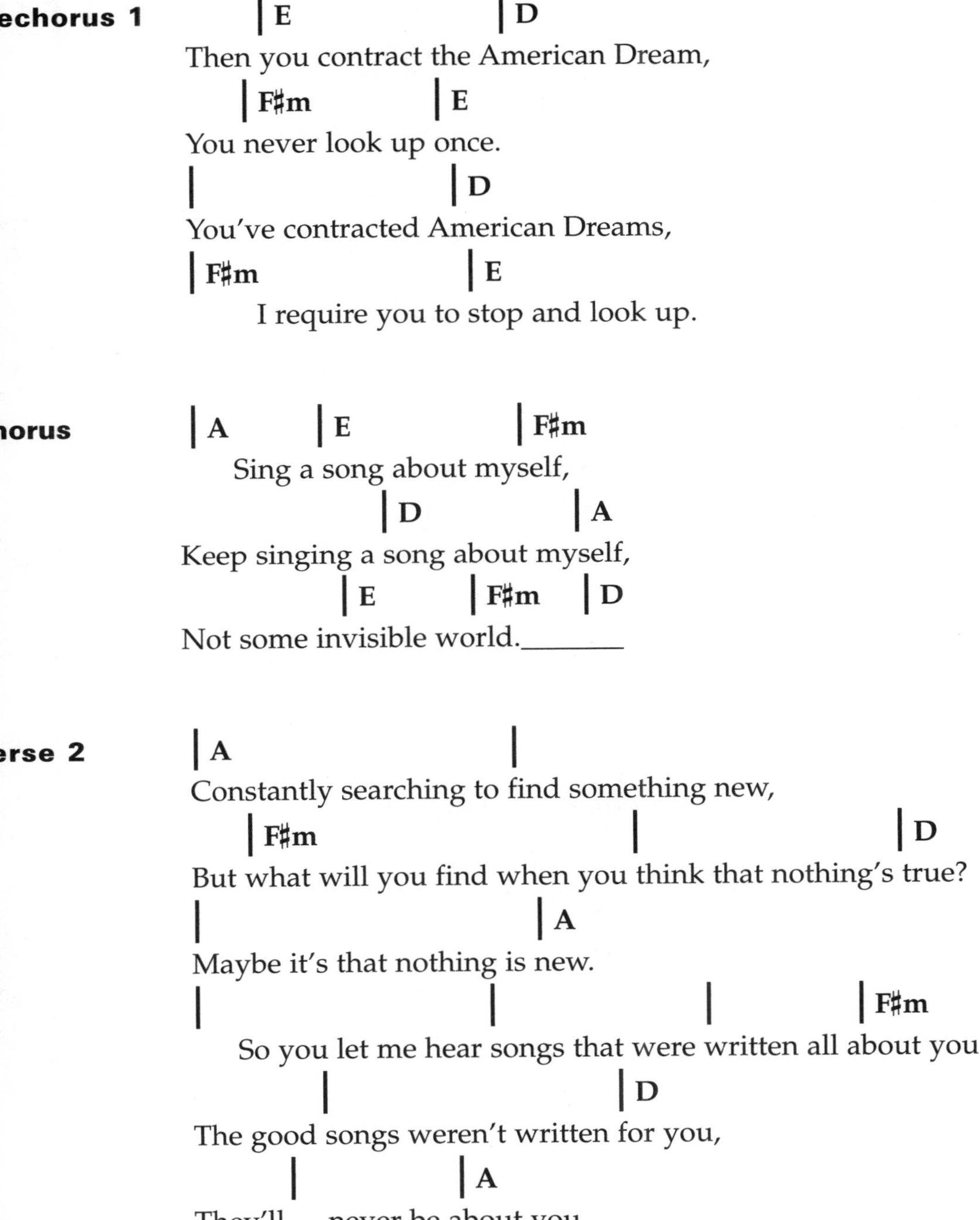

echorus 1

| E | D
Then you contract the American Dream,
| F♯m | E
You never look up once.
| | D
You've contracted American Dreams,
| F♯m | E
I require you to stop and look up.

horus

| A | E | F♯m
Sing a song about myself,
| D | A
Keep singing a song about myself,
| E | F♯m | D
Not some invisible world._______

erse 2

| A |
Constantly searching to find something new,
| F♯m | | D
But what will you find when you think that nothing's true?
| | A
Maybe it's that nothing is new.
| | | | F♯m
So you let me hear songs that were written all about you.
| | D
The good songs weren't written for you,
| | A
They'll never be about you.

Prechorus 2

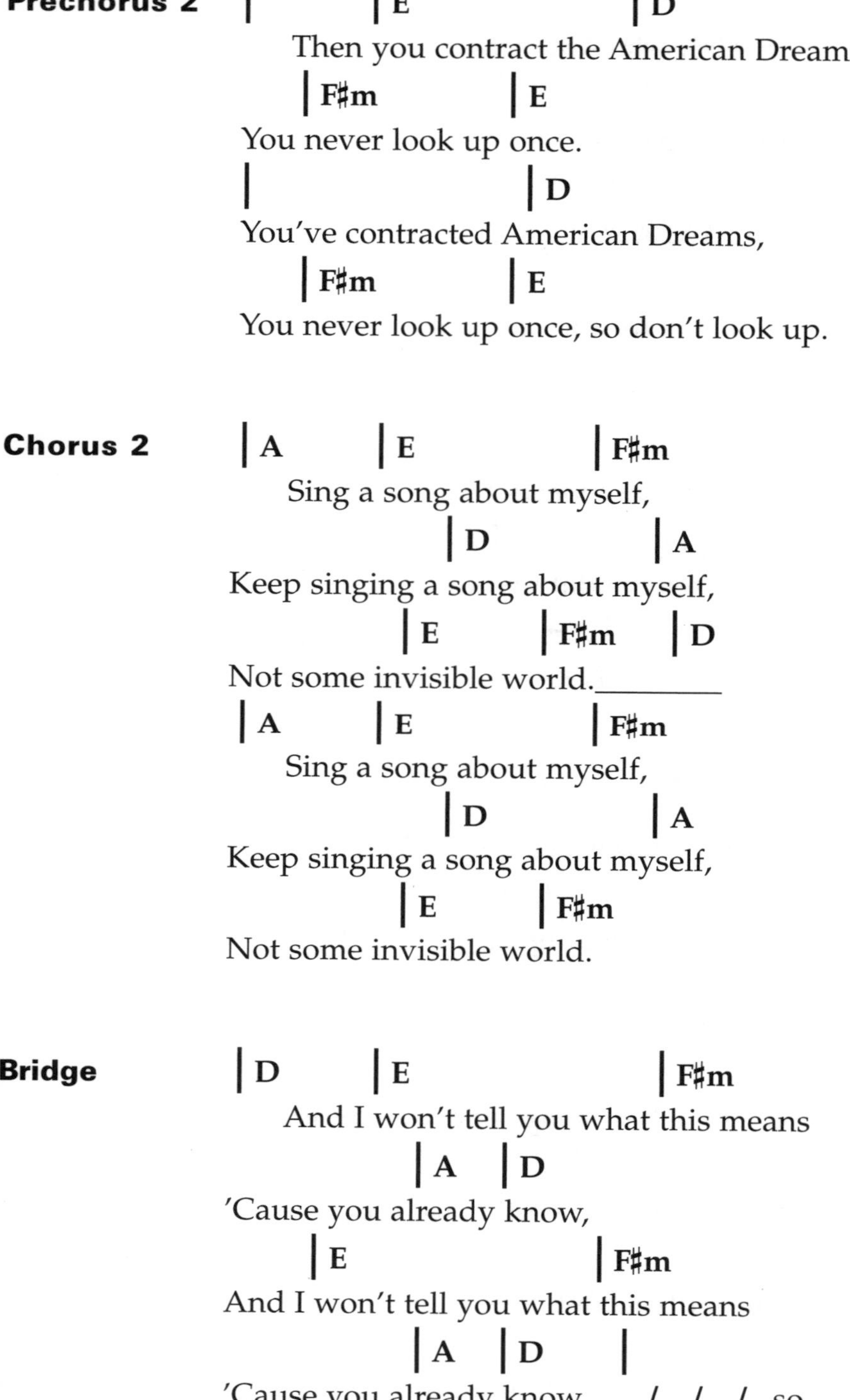

| E | D

Then you contract the American Dream

| F♯m | E

You never look up once.

| | D

You've contracted American Dreams,

| F♯m | E

You never look up once, so don't look up.

Chorus 2

| A | E | F♯m

Sing a song about myself,

| D | A

Keep singing a song about myself,

| E | F♯m | D

Not some invisible world.________

| A | E | F♯m

Sing a song about myself,

| D | A

Keep singing a song about myself,

| E | F♯m

Not some invisible world.

Bridge

| D | E | F♯m

And I won't tell you what this means

| A | D

'Cause you already know,

| E | F♯m

And I won't tell you what this means

| A | D |

'Cause you already know, / / / so

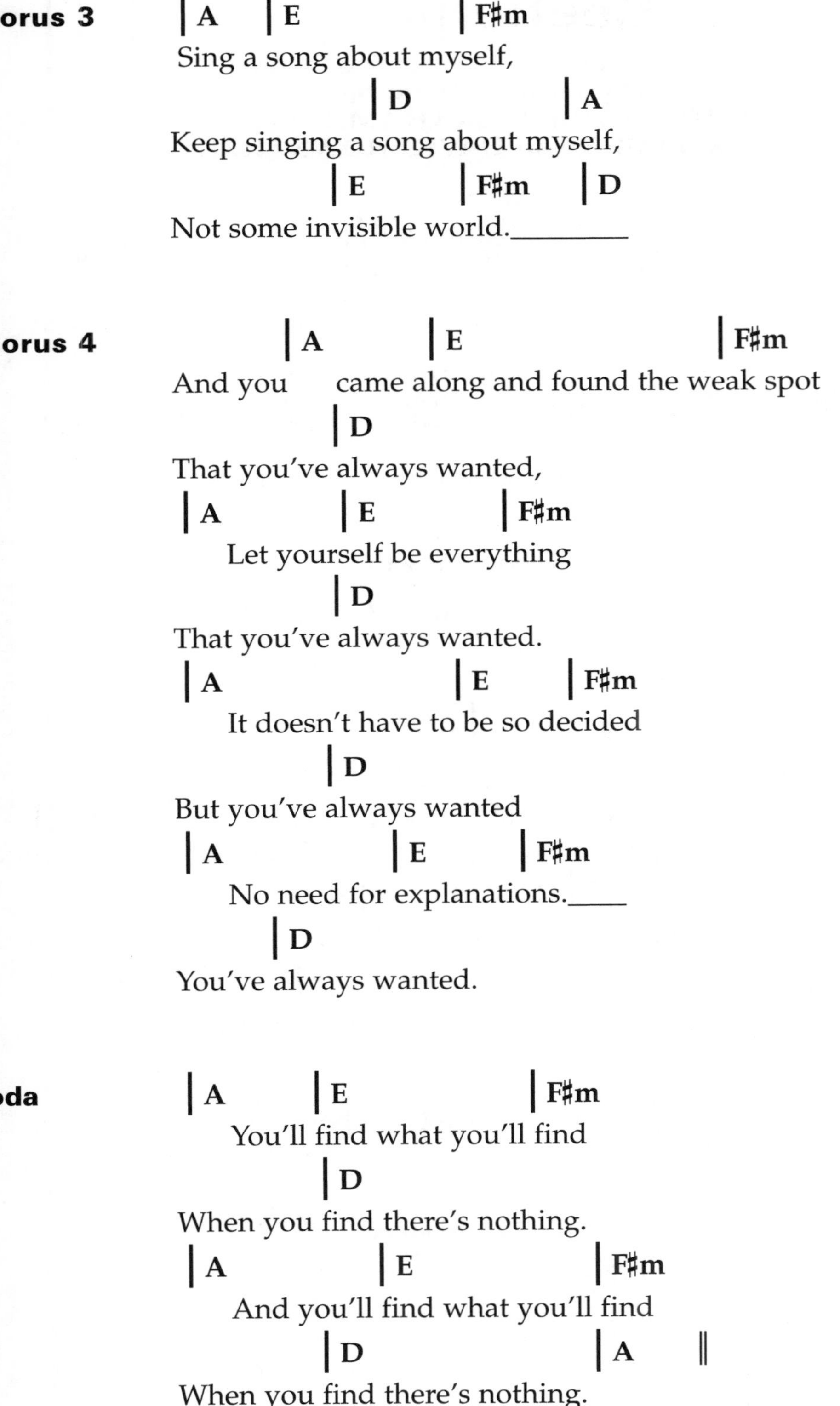

horus 3

| A | E | F♯m
Sing a song about myself,
| D | A
Keep singing a song about myself,
| E | F♯m | D
Not some invisible world.________

horus 4

| A | E | F♯m
And you came along and found the weak spot
| D
That you've always wanted,
| A | E | F♯m
Let yourself be everything
| D
That you've always wanted.
| A | E | F♯m
It doesn't have to be so decided
| D
But you've always wanted
| A | E | F♯m
No need for explanations.____
| D
You've always wanted.

oda

| A | E | F♯m
You'll find what you'll find
| D
When you find there's nothing.
| A | E | F♯m
And you'll find what you'll find
| D | A ‖
When you find there's nothing.

Beetlebum

Words and Music by
DAMON GOUGH, GRAHAM COXON,
ALEX JAMES AND DAVID ROWNTREE

A5 C5 F5 G5 B♭5 A C
3fr
F G B♭ Bm Am Fm
♩ = 87
Intro
N.C. (damped)
A5
Verse 1
C5
Beetlebum, what you done?
F5 G5 B♭5 A
She's a gun,___ now what you done, Beetlebum
C
Get nothing done, you Beetlebum.
F G B♭ A
Just get numb, now what you done, Beetlebum?

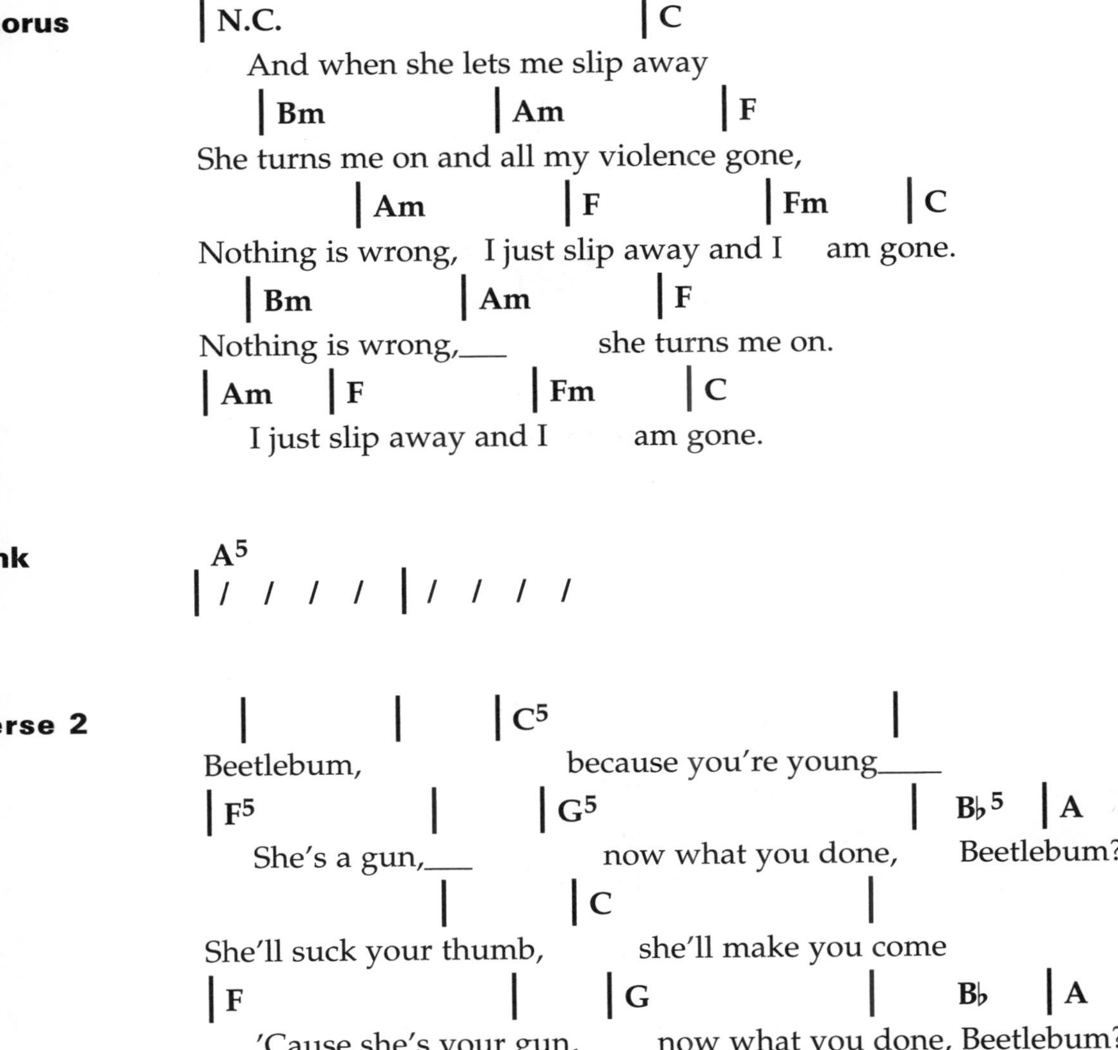

horus

| N.C. | C
And when she lets me slip away
| Bm | Am | F
She turns me on and all my violence gone,
| Am | F | Fm | C
Nothing is wrong, I just slip away and I am gone.
| Bm | Am | F
Nothing is wrong,___ she turns me on.
| Am | F | Fm | C
I just slip away and I am gone.

ink

A5
| / / / / | / / / /

erse 2

| | | C5 |
Beetlebum, because you're young___
| F5 | | G5 | B♭5 | A
She's a gun,___ now what you done, Beetlebum?
| | C |
She'll suck your thumb, she'll make you come
| F | | G | B♭ | A
'Cause she's your gun, now what you done, Beetlebum?

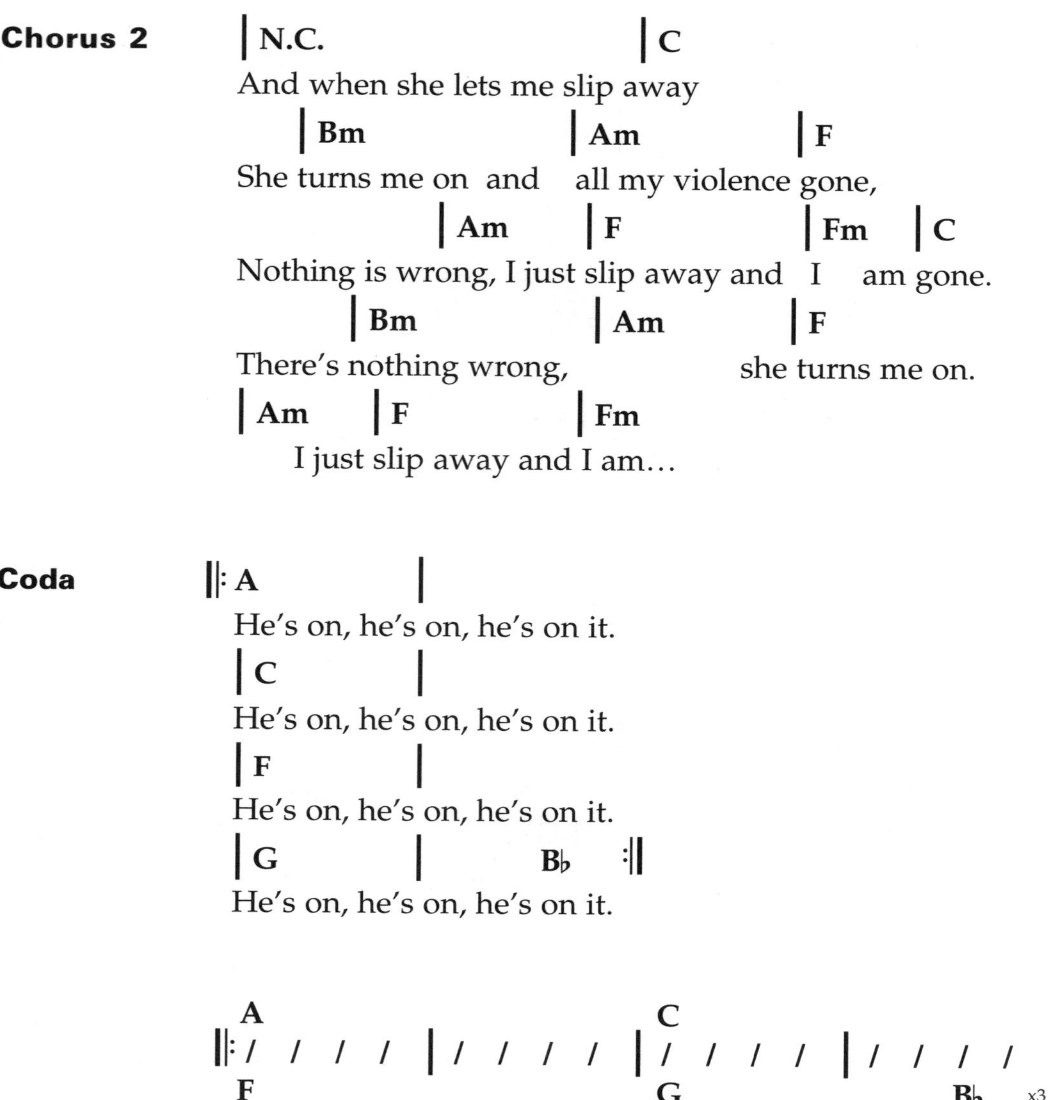
Chorus 2
| N.C. | C
And when she lets me slip away
| Bm | Am | F
She turns me on and all my violence gone,
| Am | F | Fm | C
Nothing is wrong, I just slip away and I am gone.
| Bm | Am | F
There's nothing wrong, she turns me on.
| Am | F | Fm
I just slip away and I am…
Coda
‖: A |
He's on, he's on, he's on it.
| C |
He's on, he's on, he's on it.
| F |
He's on, he's on, he's on it.
| G | B♭ :‖
He's on, he's on, he's on it.
A
C
‖: / / / / | / / / / | / / / / | / / / /
F
G
B♭
x3
| / / / / | / / / / | / / / / | / / / / :‖

Breakfast At Tiffany's

Words and Music by
TOBY PIPES

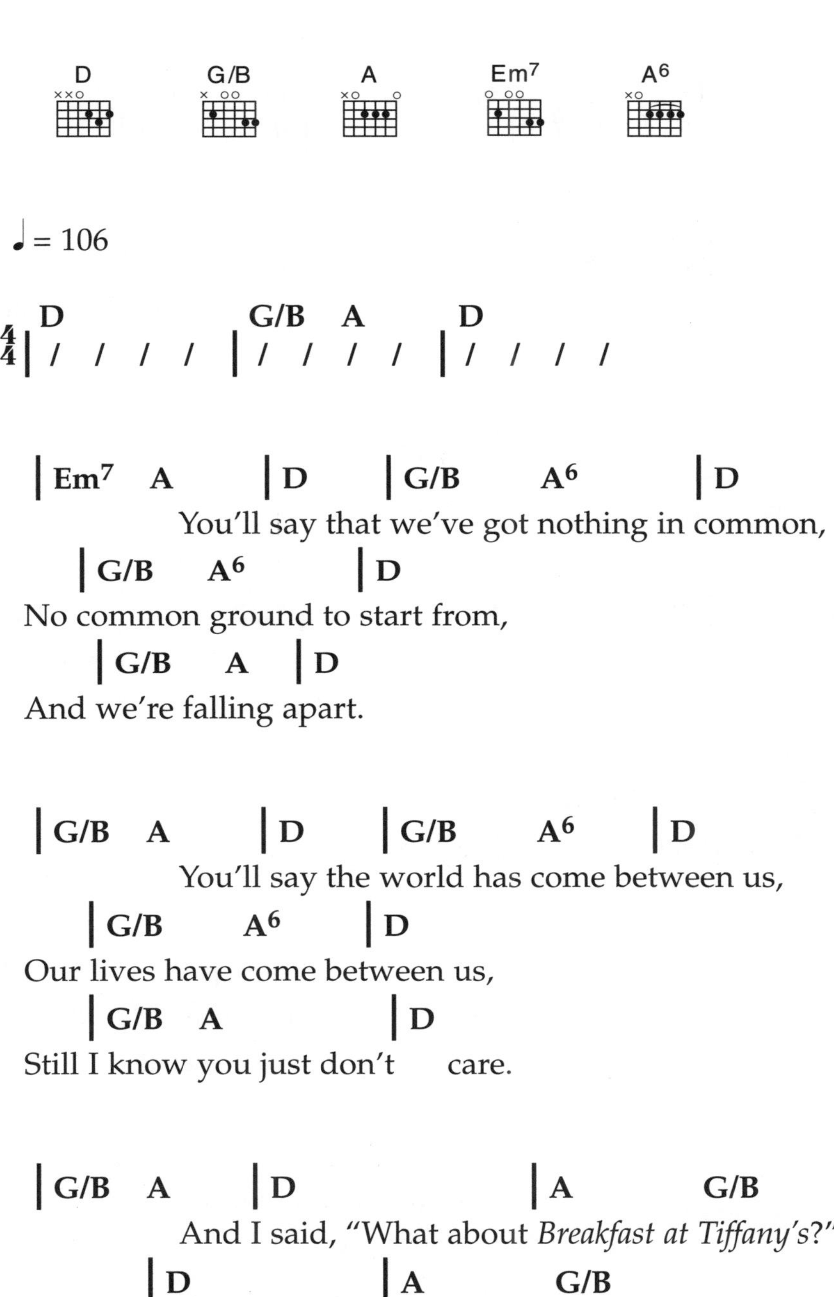

♩ = 106

Intro

```
  D                   G/B   A          D
4
4 | /   /   /   /   | /   /   /   /   | /   /   /   /
```

Verse 1

```
| Em7   A        | D        | G/B        A6          | D
                 You'll say that we've got nothing in common,
     | G/B     A6         | D
No common ground to start from,
      | G/B    A   | D
And we're falling apart.
```

Verse 2

```
| G/B   A        | D        | G/B        A6         | D
                 You'll say the world has come between us,
      | G/B      A6        | D
Our lives have come between us,
      | G/B   A            | D
Still I know you just don't     care.
```

Chorus

```
| G/B   A       | D                          | A          G/B
                 And I said, "What about Breakfast at Tiffany's?"
           | D                   | A         G/B
She said,      "I think I remember the film
```

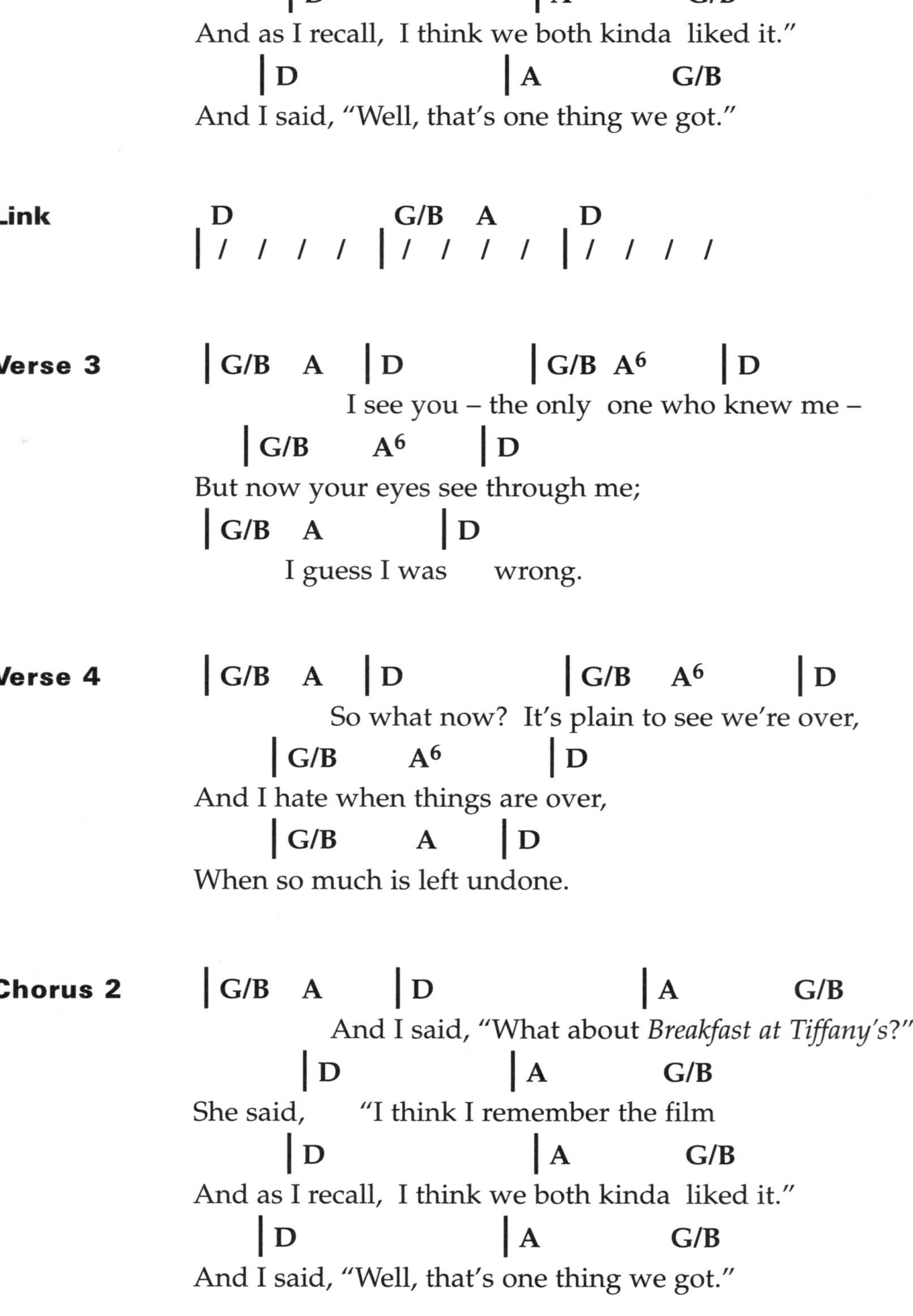

| D | A G/B
And as I recall, I think we both kinda liked it."
| D | A G/B
And I said, "Well, that's one thing we got."

Link
D G/B A D
| / / / / | / / / / | / / / /

Verse 3
| G/B A | D | G/B A^6 | D
I see you – the only one who knew me –
| G/B A^6 | D
But now your eyes see through me;
| G/B A | D
I guess I was wrong.

Verse 4
| G/B A | D | G/B A^6 | D
So what now? It's plain to see we're over,
| G/B A^6 | D
And I hate when things are over,
| G/B A | D
When so much is left undone.

Chorus 2
| G/B A | D | A G/B
And I said, "What about *Breakfast at Tiffany's?*"
| D | A G/B
She said, "I think I remember the film
| D | A G/B
And as I recall, I think we both kinda liked it."
| D | A G/B
And I said, "Well, that's one thing we got."

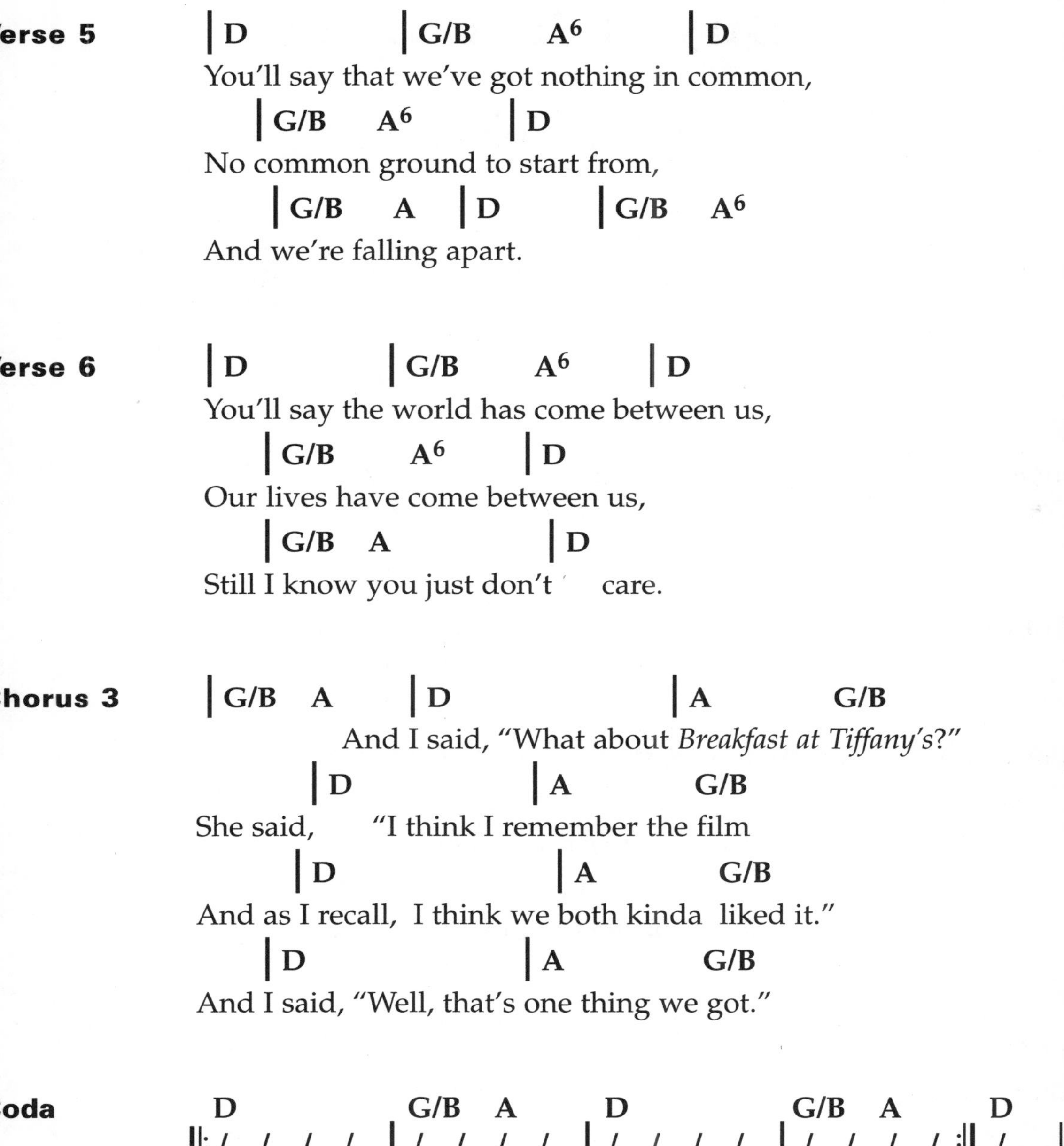

Verse 5

| D | G/B A^6 | D
You'll say that we've got nothing in common,
| G/B A^6 | D
No common ground to start from,
| G/B A | D | G/B A^6
And we're falling apart.

Verse 6

| D | G/B A^6 | D
You'll say the world has come between us,
| G/B A^6 | D
Our lives have come between us,
| G/B A | D
Still I know you just don't care.

Chorus 3

| G/B A | D | A G/B
And I said, "What about *Breakfast at Tiffany's*?"
| D | A G/B
She said, "I think I remember the film
| D | A G/B
And as I recall, I think we both kinda liked it."
| D | A G/B
And I said, "Well, that's one thing we got."

Coda

D G/B A D G/B A D
||: / / / / | / / / / | / / / / | / / / / :|| / ||

Buy It In Bottles

Words and Music by
RICHARD ASHCROFT

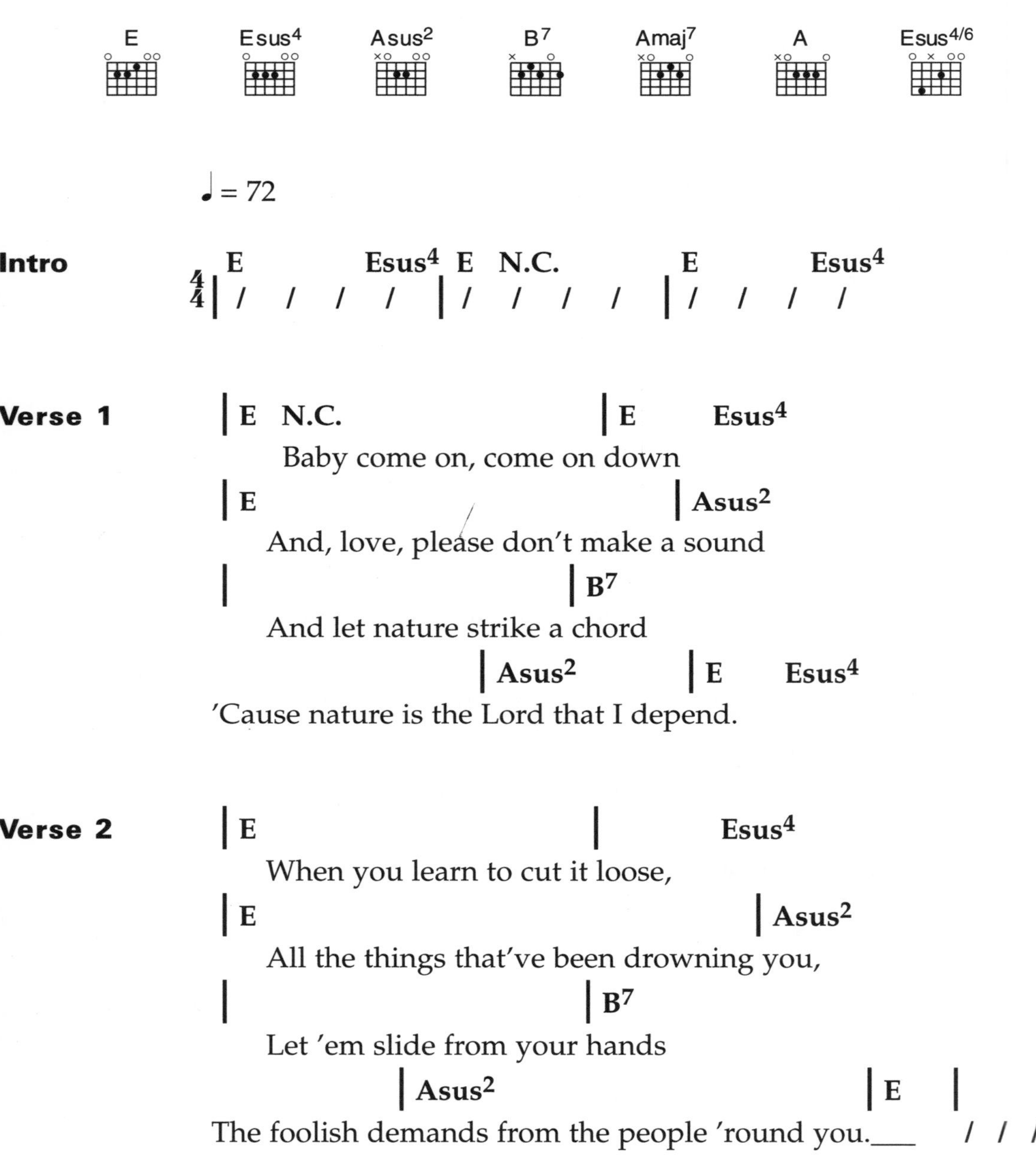
E
Esus4
Asus2
B7
Amaj7
A
Esus4/6
♩ = 72
Intro
E Esus4 E N.C. E Esus4
4/4 | / / / / | / / / / | / / / /
Verse 1
| E N.C. | E Esus4
Baby come on, come on down
| E | Asus2
And, love, please don't make a sound
| | B7
And let nature strike a chord
| Asus2 | E Esus4
'Cause nature is the Lord that I depend.
Verse 2
| E | Esus4
When you learn to cut it loose,
| E | Asus2
All the things that've been drowning you,
| | B7
Let 'em slide from your hands
| Asus2 | E |
The foolish demands from the people 'round you.___ / / /

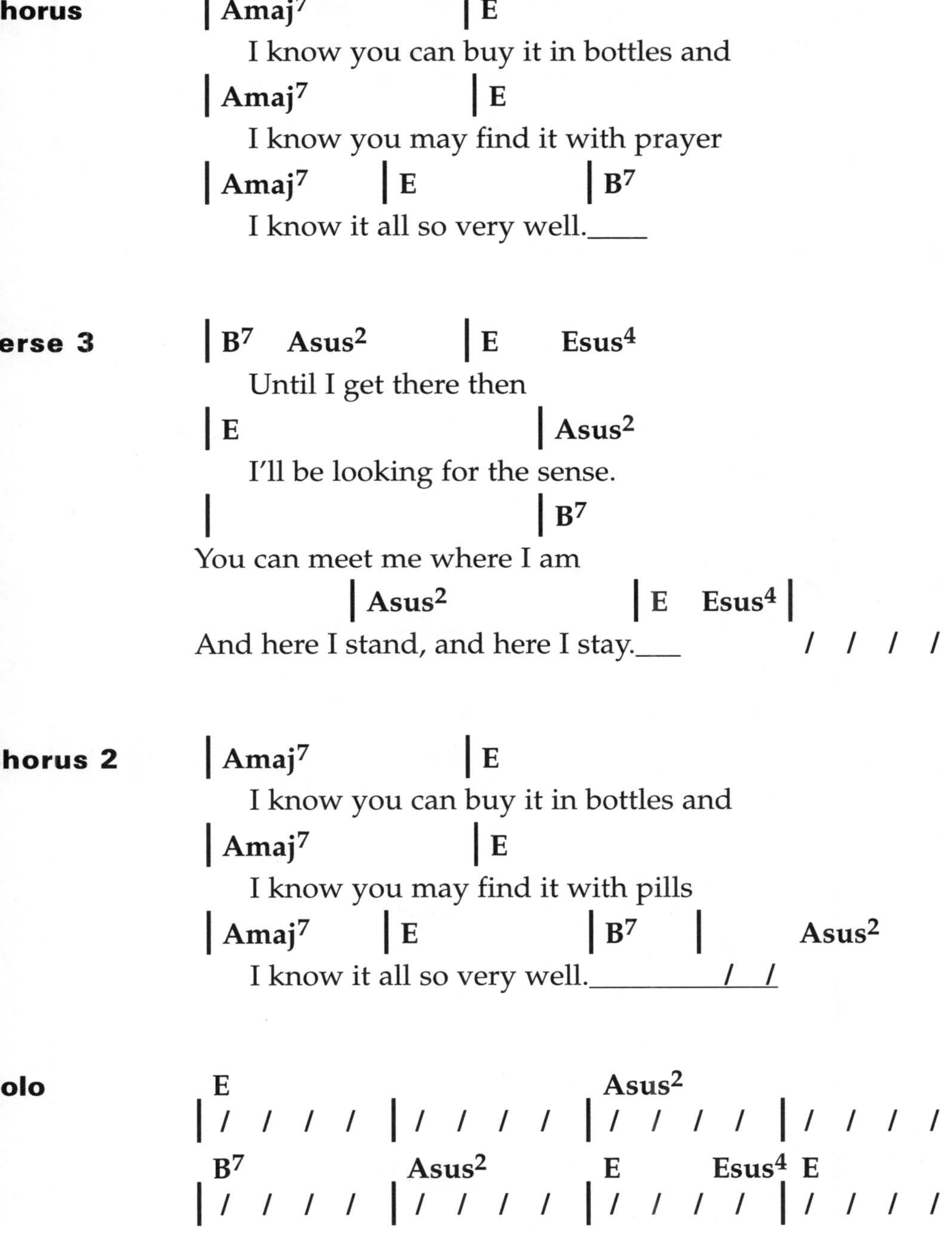
horus
| Amaj7 | E
I know you can buy it in bottles and
| Amaj7 | E
I know you may find it with prayer
| Amaj7 | E | B7
I know it all so very well.____
erse 3
| B7 Asus2 | E Esus4
Until I get there then
| E | Asus2
I'll be looking for the sense.
| | B7
You can meet me where I am
| Asus2 | E Esus4 |
And here I stand, and here I stay.___ / / / /
horus 2
| Amaj7 | E
I know you can buy it in bottles and
| Amaj7 | E
I know you may find it with pills
| Amaj7 | E | B7 | Asus2
I know it all so very well.________ / /
olo
E Asus2
| / / / / | / / / / | / / / / | / / / /
B7 Asus2 E Esus4 E
| / / / / | / / / / | / / / / | / / / /

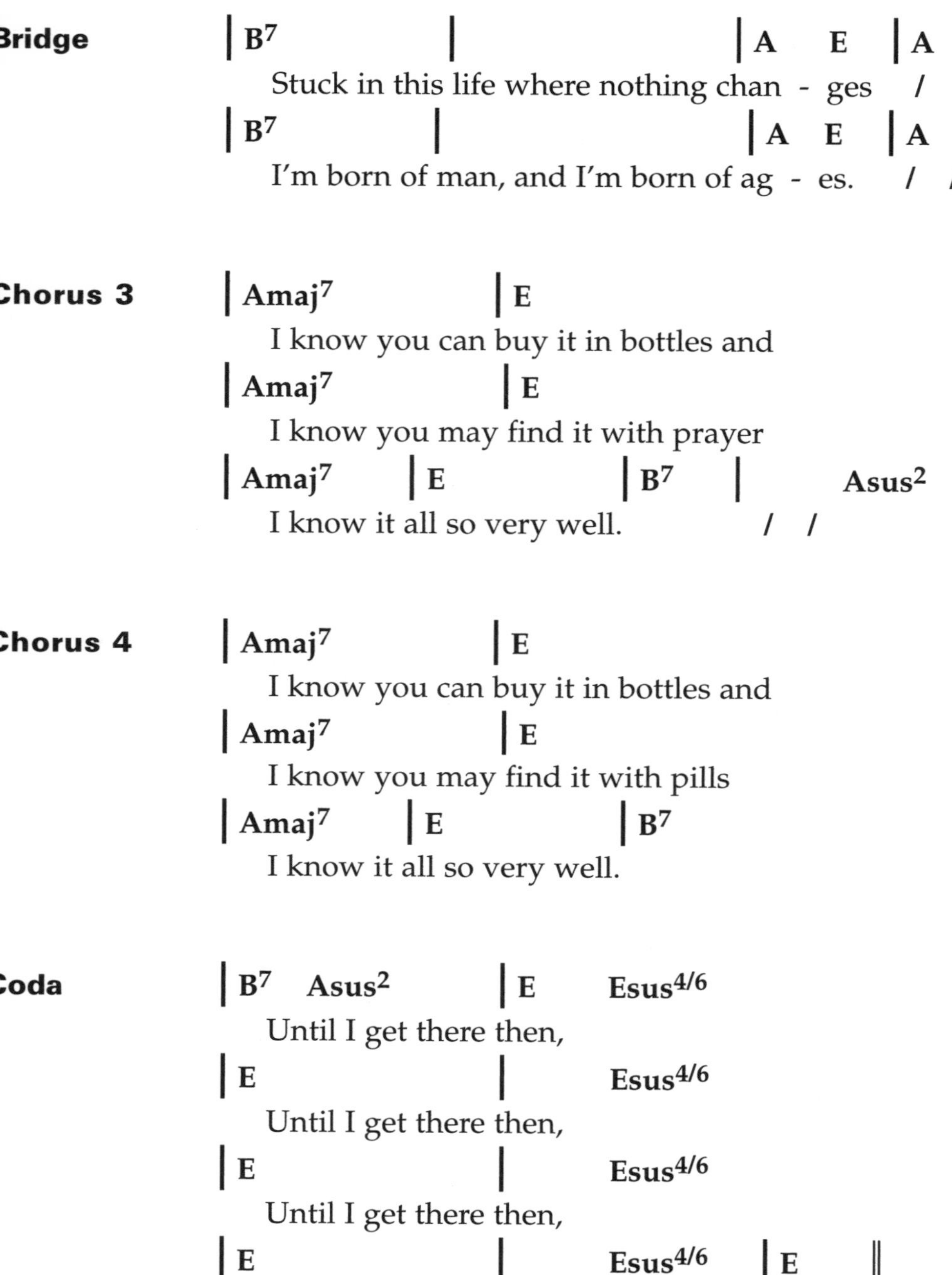

Bridge

| B7 | | A E | A E
Stuck in this life where nothing chan - ges / / / /
| B7 | | A E | A E
I'm born of man, and I'm born of ag - es. / / / /

Chorus 3

| Amaj7 | E
I know you can buy it in bottles and
| Amaj7 | E
I know you may find it with prayer
| Amaj7 | E | B7 | Asus2
I know it all so very well. / /

Chorus 4

| Amaj7 | E
I know you can buy it in bottles and
| Amaj7 | E
I know you may find it with pills
| Amaj7 | E | B7
I know it all so very well.

Coda

| B7 Asus2 | E Esus4/6
Until I get there then,
| E | Esus4/6
Until I get there then,
| E | Esus4/6
Until I get there then,
| E | Esus4/6 | E ||
Until I get there then.

Can You Dig It?

Words and Music by
MARTIN COOGAN

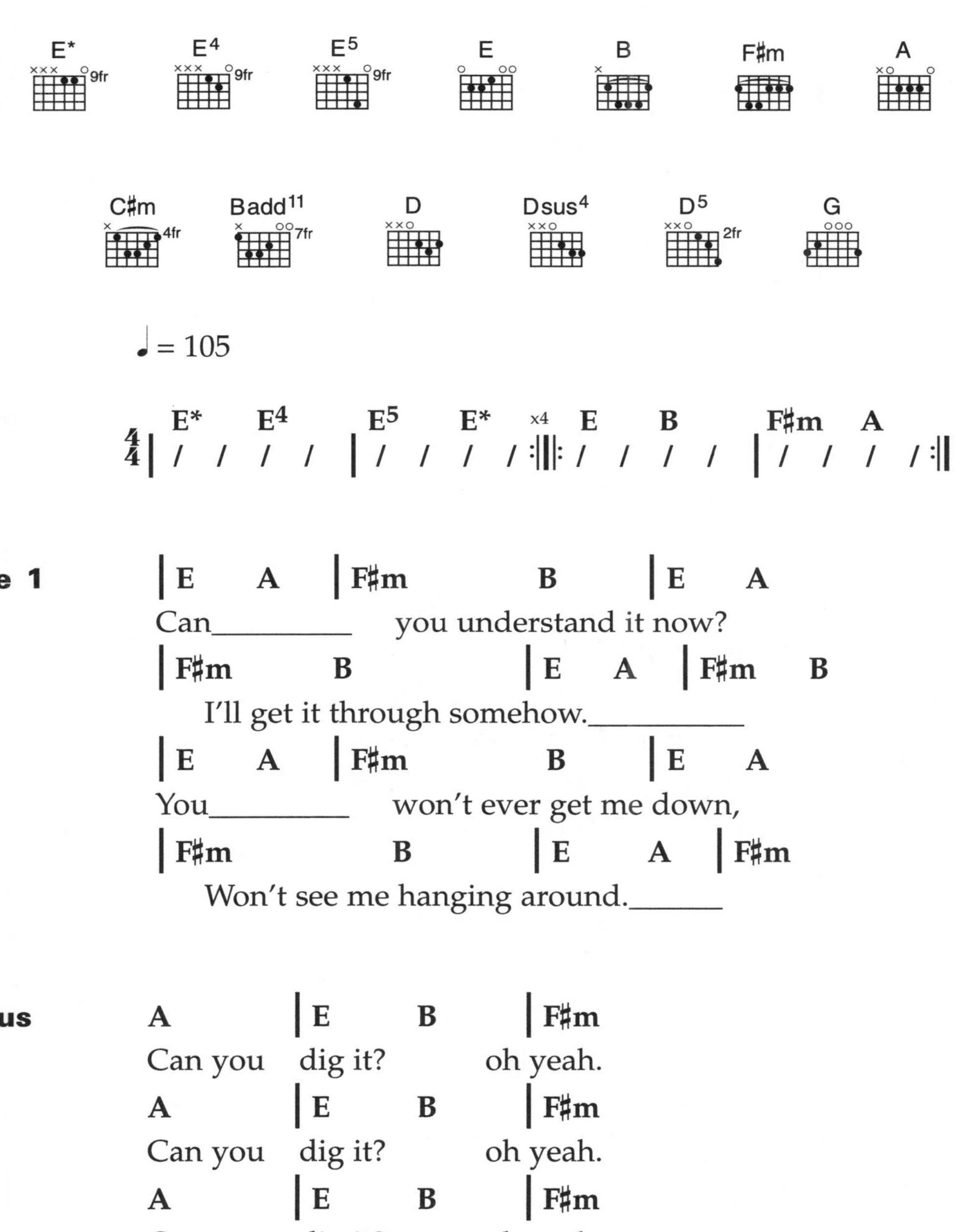
E* E4 E5 E B F♯m A
9fr 9fr 9fr
C♯m Badd11 D Dsus4 D5 G
4fr 7fr 2fr
♩ = 105
ntro
4/4
E* E4 E5 E* x4 E B F♯m A
erse 1
E A F♯m B E A
Can________ you understand it now?
F♯m B E A F♯m B
I'll get it through somehow.__________
E A F♯m B E A
You_________ won't ever get me down,
F♯m B E A F♯m
Won't see me hanging around.______
horus
A E B F♯m
Can you dig it? oh yeah.
A E B F♯m
Can you dig it? oh yeah.
A E B F♯m
Can you dig it? oh yeah.

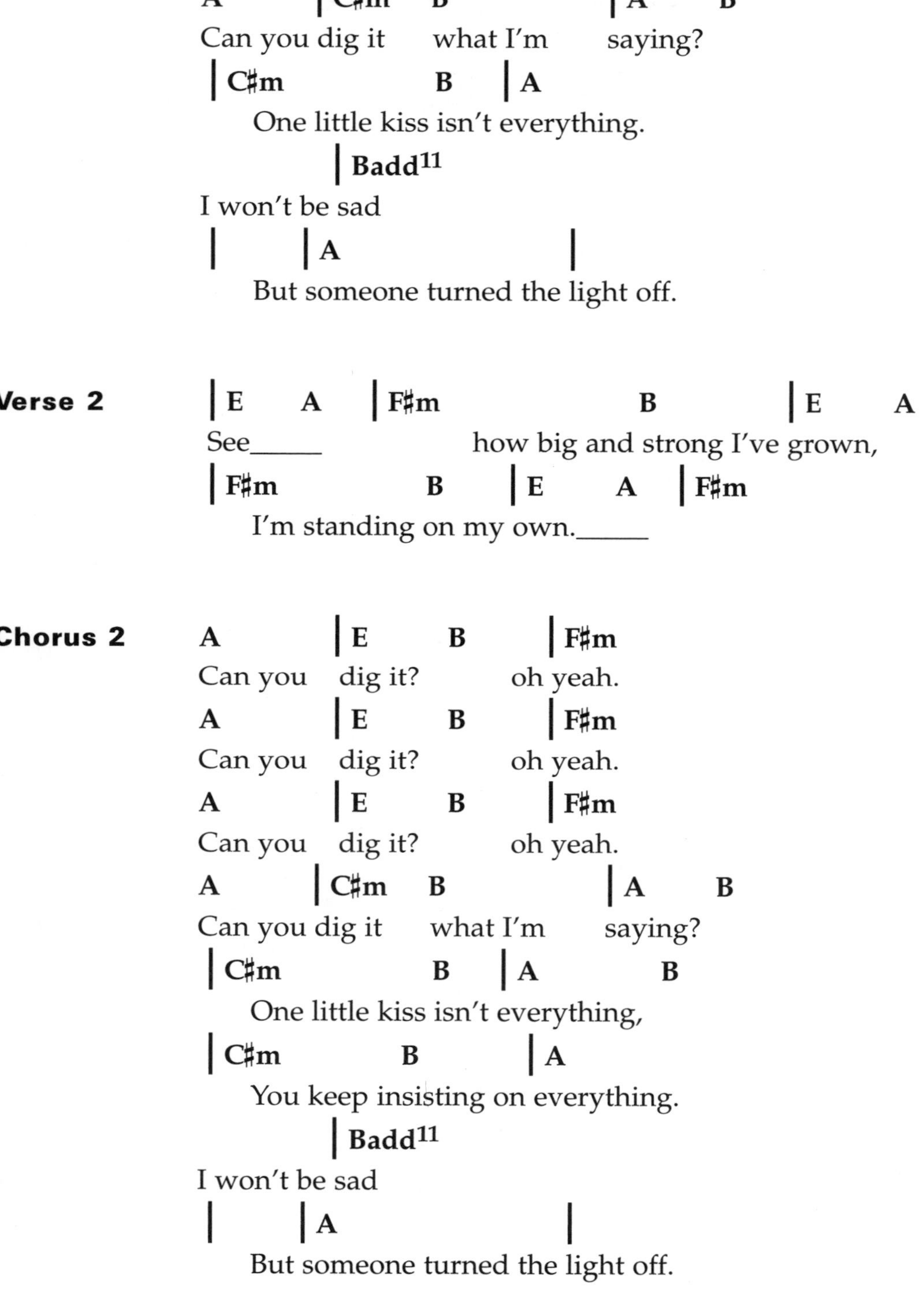

```
A          |C♯m    B              |A      B
Can you dig it    what I'm       saying?
|C♯m              B    |A
    One little kiss isn't everything.
           |Badd11
I won't be sad
|       |A                  |
    But someone turned the light off.
```

Verse 2

```
|E      A   |F♯m                B        |E      A
See_____              how big and strong I've grown,
|F♯m            B    |E      A   |F♯m
    I'm standing on my own._____
```

Chorus 2

```
A          |E       B       |F♯m
Can you    dig it?          oh yeah.
A          |E       B       |F♯m
Can you    dig it?          oh yeah.
A          |E       B       |F♯m
Can you    dig it?          oh yeah.
A          |C♯m    B              |A      B
Can you dig it    what I'm       saying?
|C♯m              B    |A          B
    One little kiss isn't everything,
|C♯m           B       |A
    You keep insisting on everything.
           |Badd11
I won't be sad
|       |A                  |
    But someone turned the light off.
```

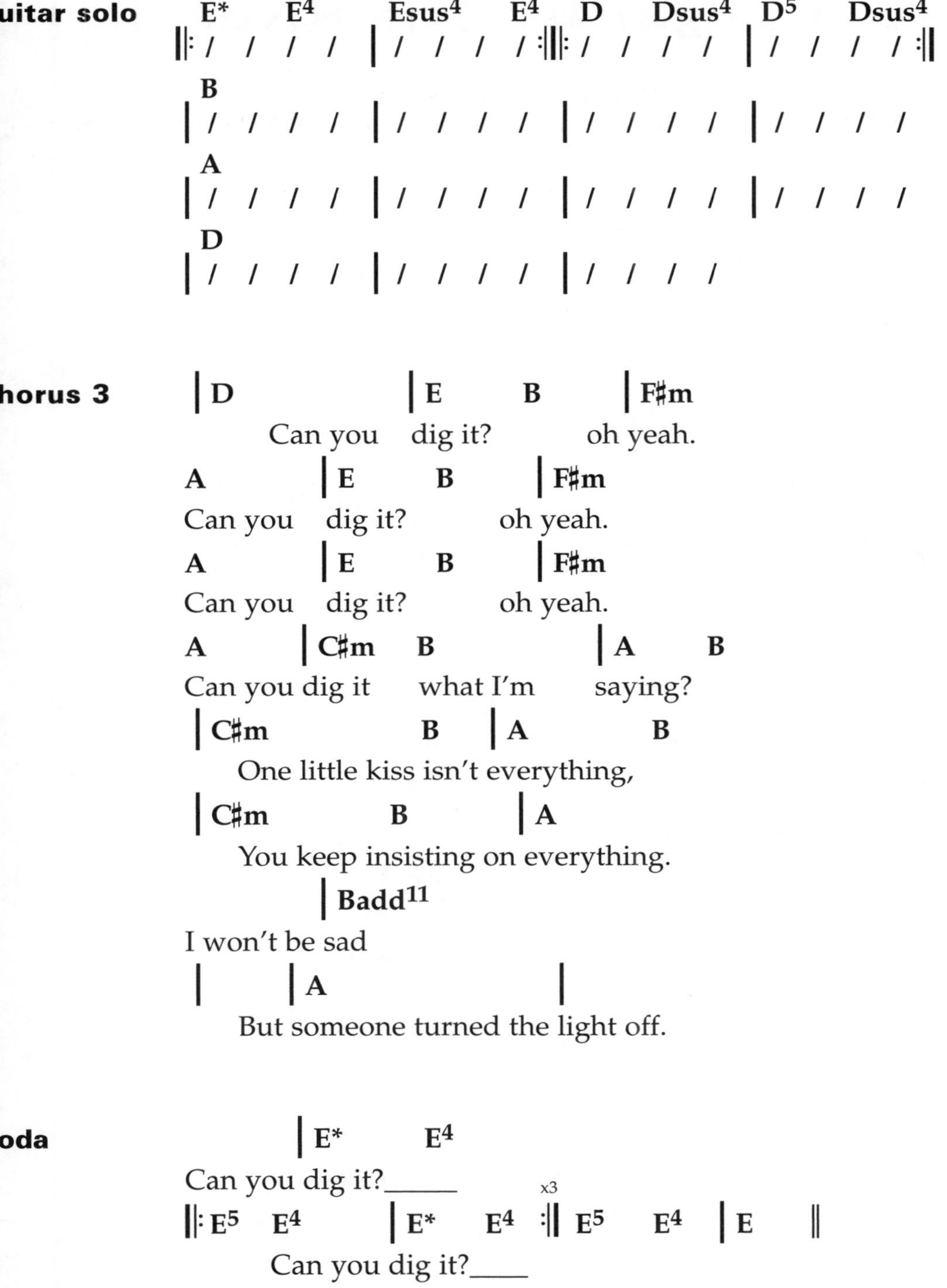
uitar solo
E* E4 Esus4 E4 D Dsus4 D5 Dsus4
B
A
D
horus 3
D E B F♯m
Can you dig it? oh yeah.
A E B F♯m
Can you dig it? oh yeah.
A E B F♯m
Can you dig it? oh yeah.
A C♯m B A B
Can you dig it what I'm saying?
C♯m B A B
One little kiss isn't everything,
C♯m B A
You keep insisting on everything.
Badd11
I won't be sad
A
But someone turned the light off.
oda
E* E4
Can you dig it?_____
x3
E5 E4 E* E4 E5 E4 E
Can you dig it?____

Caught By The River

Words and Music by
JIMI GOODWIN, JEZ WILLIAMS AND ANDY WILLIAMS

G Gsus4 Gadd9 Fadd9 C

Capo 1st fret

♩. = 60

Intro

```
     G                    Gsus4  G          Gsus4  G
12/8 | / / / /  | / / / /  | / / / /  | / / / /
     Gadd9       Fadd9       C           Gadd9
     | / / / /  | / / / /  | / / / /  | / / / /
```

Verse 1

```
| G                  | Fadd9
Son, what have you done?
                      | C
You're caught by the river,
                   | G         Gsus4
You're coming un  -  done.
| G                           | Fadd9
Life, you know, it can't be so easy,
                   | C
But you can't just leave it
                          | G
'Cause you're not in control no more.
```

horus

| G
And you give it all away,
| Fadd^9
Would you give it all away now?
| C
Don't let it come apart,
| G
Don't want to see you come apart.

erse 2

| G | Fadd^9
Son, what are you doing?
| C
You learned a hard lesson
| G
When you stood by the water.
| | Fadd^9
You and I were so full of love and hope
| C
Would you give it all up now?
| G
Would you give in just to spite them all?

horus 2

| G
And you give it all away,
| Fadd^9
Would you give it all away now?
| C
Don't let it come apart,
| G
Don't want to see you come apart.

```
                                   |
'Cause you give it all away,
                              | Fadd9
And you give it all away now.
                         | C
Don't let it come apart,
                                     | G
Don't want to see you come apart.
```

Guitar solo

```
  Gsus4  G    Gsus4  G     Fadd9
||: /      /      /      /  | /   /   /   /

                 1              2
  C              G              Gsus4  G   Gsus4
| /  /  /  /  | /  /  /  /  :|| /     /     /     /
```

Verse 3

```
| G                       | Fadd9
Lay,        I lay in the long grass.
           | C
So many people,
           | G
So many people pass.
|                           | Fadd9
    Stay, stay here and lie on back,
                     | C
Get down in the cornfields
                | G
Stay till we're caught at last.
```

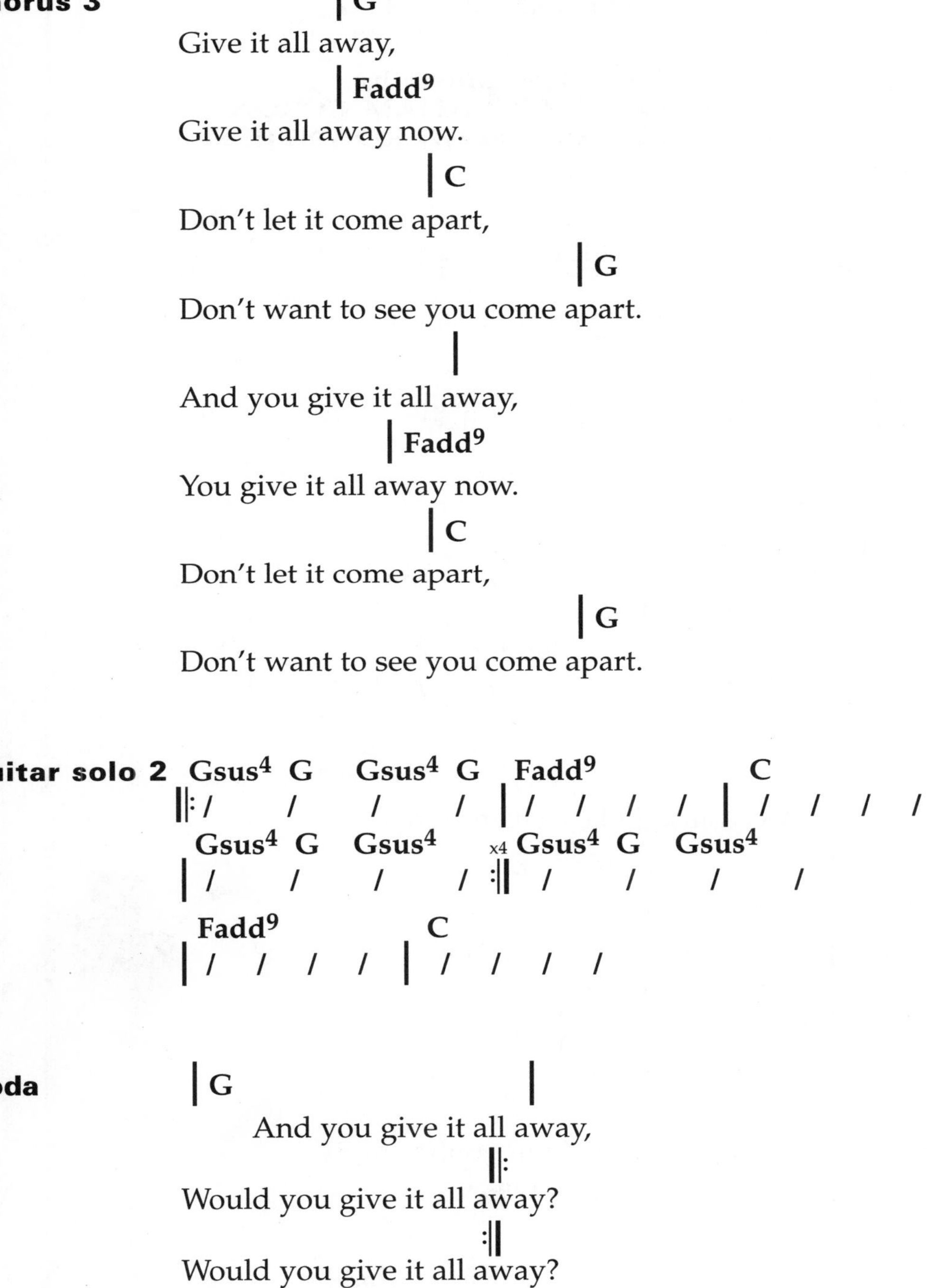

horus 3

| G
Give it all away,
| Fadd9
Give it all away now.
| C
Don't let it come apart,
| G
Don't want to see you come apart.
|
And you give it all away,
| Fadd9
You give it all away now.
| C
Don't let it come apart,
| G
Don't want to see you come apart.

uitar solo 2

Gsus4 G Gsus4 G | Fadd9 | C
||: / / / / | / / / / | / / / /
Gsus4 G Gsus4 x4 | Gsus4 G Gsus4
| / / / / :|| / / / /
Fadd9 | C
| / / / / | / / / /

oda

| G |
And you give it all away,
||:
Would you give it all away?
:||
Would you give it all away?
Repeat ad lib. to end

Coffee & TV

Words and Music by
DAMON GOUGH, GRAHAM COXON,
ALEX JAMES AND DAVID ROWNTREE

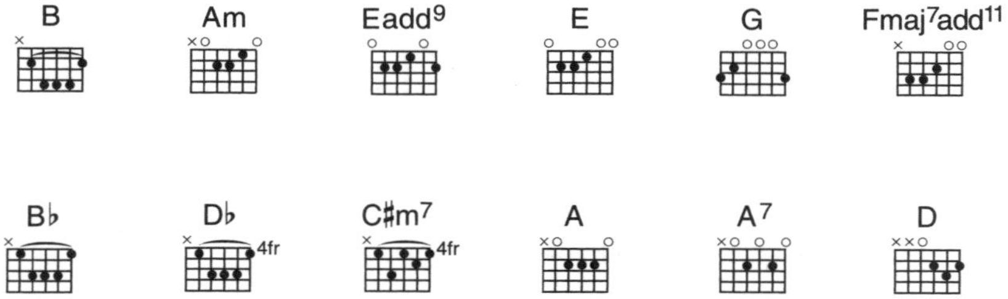

B Am Eadd9 E G Fmaj7add11

B♭ D♭ C♯m7 A A7 D

♩ = 120

Intro

B		Am	Eadd9 E
4/4 / / / /	/ / / /	/ / / /	/ / / /
G	Fmaj7add11	B♭	D♭
/ / / /	/ / / /	/ / / /	/ / / /

Verse 1

| B |
Do you feel like a chain store?
| Am | Eadd9 E
Practically floored,
| G | Fmaj7add11
One of many zeros
| B♭ | D♭
Kicked around, bored?
| B |
Your ears are full but you're empty,
| Am | Eadd9 E
Holding out your heart
| G | Fmaj7add11
To people who never really
| B♭ | A
Care how you are.____

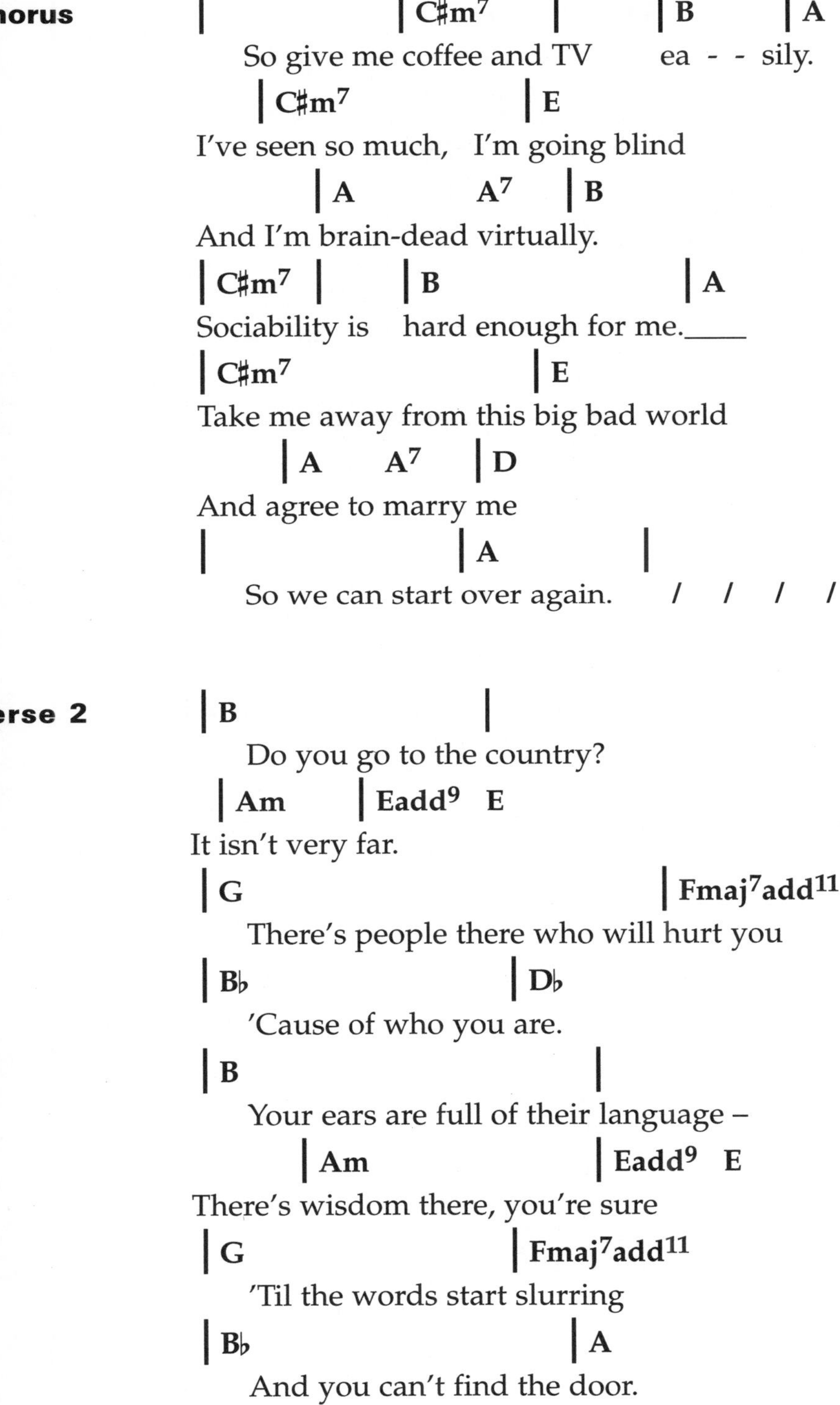
horus
| | C♯m7 | | B | A
So give me coffee and TV ea - - sily.
| C♯m7 | E
I've seen so much, I'm going blind
| A A7 | B
And I'm brain-dead virtually.
| C♯m7 | | B | A
Sociability is hard enough for me.____
| C♯m7 | E
Take me away from this big bad world
| A A7 | D
And agree to marry me
| | A |
So we can start over again. / / / /
erse 2
| B |
Do you go to the country?
| Am | Eadd9 E
It isn't very far.
| G | Fmaj7add11
There's people there who will hurt you
| B♭ | D♭
'Cause of who you are.
| B |
Your ears are full of their language –
| Am | Eadd9 E
There's wisdom there, you're sure
| G | Fmaj7add11
'Til the words start slurring
| B♭ | A
And you can't find the door.

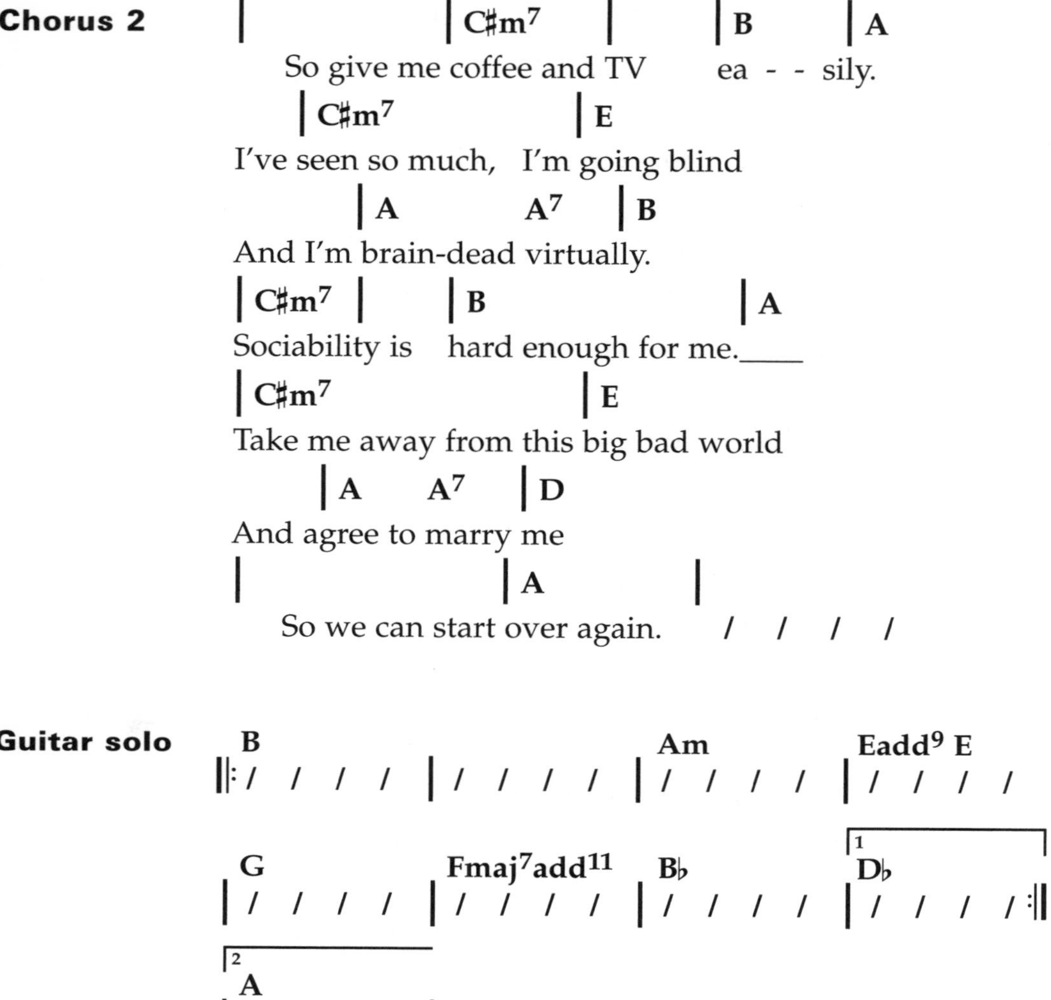
Chorus 2
| | C♯m7 | | B | A
So give me coffee and TV ea - - sily.
| C♯m7 | E
I've seen so much, I'm going blind
| A A7 | B
And I'm brain-dead virtually.
| C♯m7 | | B | A
Sociability is hard enough for me.
| C♯m7 | E
Take me away from this big bad world
| A A7 | D
And agree to marry me
| | A |
So we can start over again. / / / /
Guitar solo
B Am Eadd9 E
‖: / / / / | / / / / | / / / / | / / / /
G Fmaj7add11 B♭ 1 D♭
| / / / / | / / / / | / / / / | / / / / :‖
2 A
| / / / / | / / /

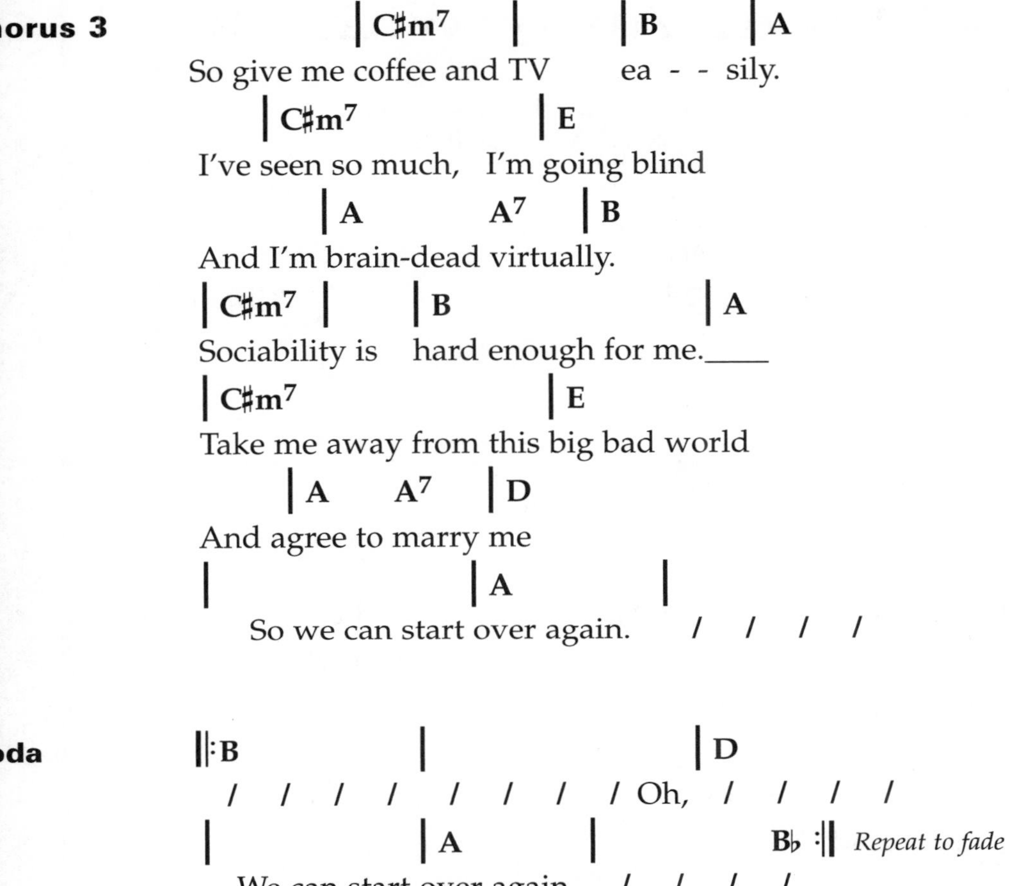
orus 3
| C♯m7 | | B | A
So give me coffee and TV ea - - sily.
| C♯m7 | E
I've seen so much, I'm going blind
| A A7 | B
And I'm brain-dead virtually.
| C♯m7 | | B | A
Sociability is hard enough for me.____
| C♯m7 | E
Take me away from this big bad world
| A A7 | D
And agree to marry me
| | A |
So we can start over again. / / / /
oda
‖: B | | D
/ / / / / / / / Oh, / / / /
| | A | B♭ :‖ Repeat to fade
We can start over again. / / / /

Come Away With Me

Words and Music by
NORAH JONES

C Am7 Em Fsus2 G

♩ = 79

Intro

3/4 | C / / / | Am7 / / / :|| x4

Verse 1

| C | Am7 | C | Am7
Come away with me in the night,
| C | Am7
Come away with me
| Em | Fsus2 | C | G
And I will write you a song.

Verse 2

| C | Am7 | C | Am7
Come away with me on a bus,
| C | Am7 | Em | Fsus2
Come away where they can't tempt us
| C |
With their lies. / / /

Bridge

| G | Fsus2 | C |
And I wanna walk with you_____ on a cloudy day
| G | Fsus2 | C
In fields where the yellow grass grows knee-high,
| G
So won't you try to

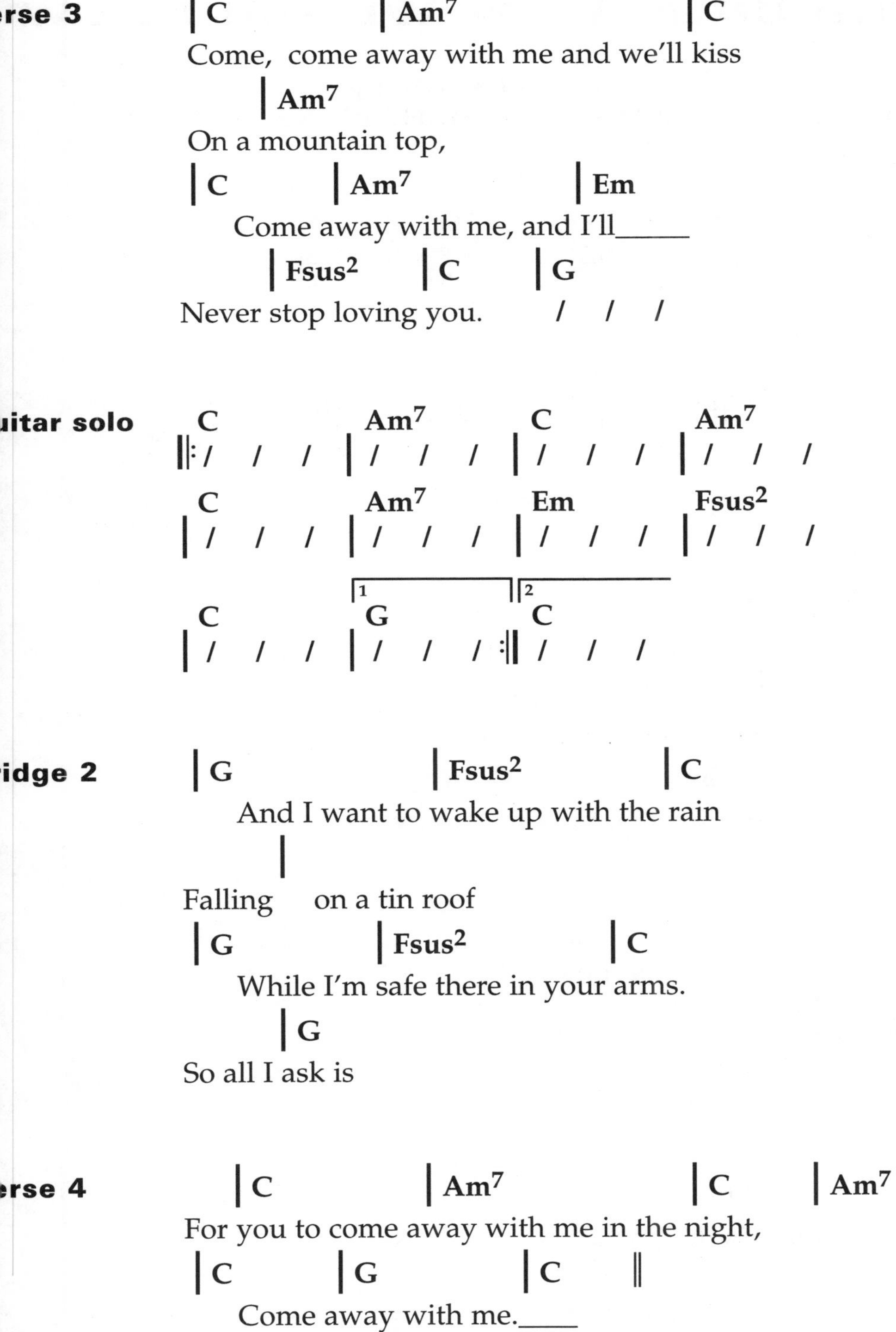
rse 3
C Am7 C
Come, come away with me and we'll kiss
Am7
On a mountain top,
C Am7 Em
Come away with me, and I'll____
Fsus2 C G
Never stop loving you. / / /
itar solo
C Am7 C Am7
C Am7 Em Fsus2
1 2
C G C
idge 2
G Fsus2 C
And I want to wake up with the rain
Falling on a tin roof
G Fsus2 C
While I'm safe there in your arms.
G
So all I ask is
rse 4
C Am7 C Am7
For you to come away with me in the night,
C G C
Come away with me.____

Come Back To What You Know

Words and Music by
DANIEL McNAMARA AND RICHARD McNAMARA

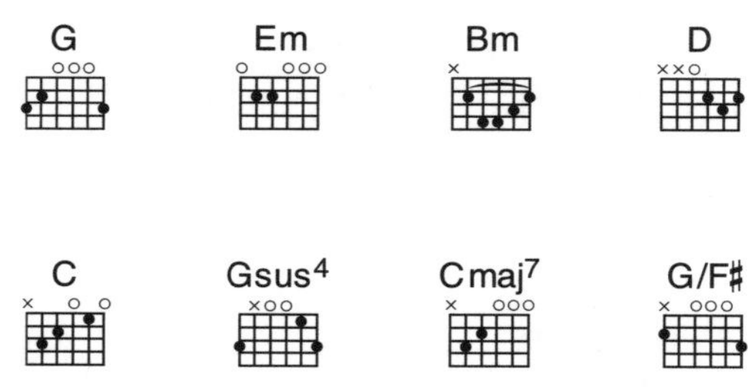

Capo 1st fret

♩ = 75

Verse 1

```
4/4 N.C. | G                    Em
     Come back to what you know,
          | Bm        G   | Em
     Take everything  real  slow;
              Bm             | D          | G
     I wanna lose you but I can't  let you   go.
```

Verse 2

```
     | G              Em
     Before you interfere
     | Bm           G        | Em
     Let me make it  loud and clear,
              Bm              | D
     That you got no more to prove.
         | G
     I'm a fool.
```

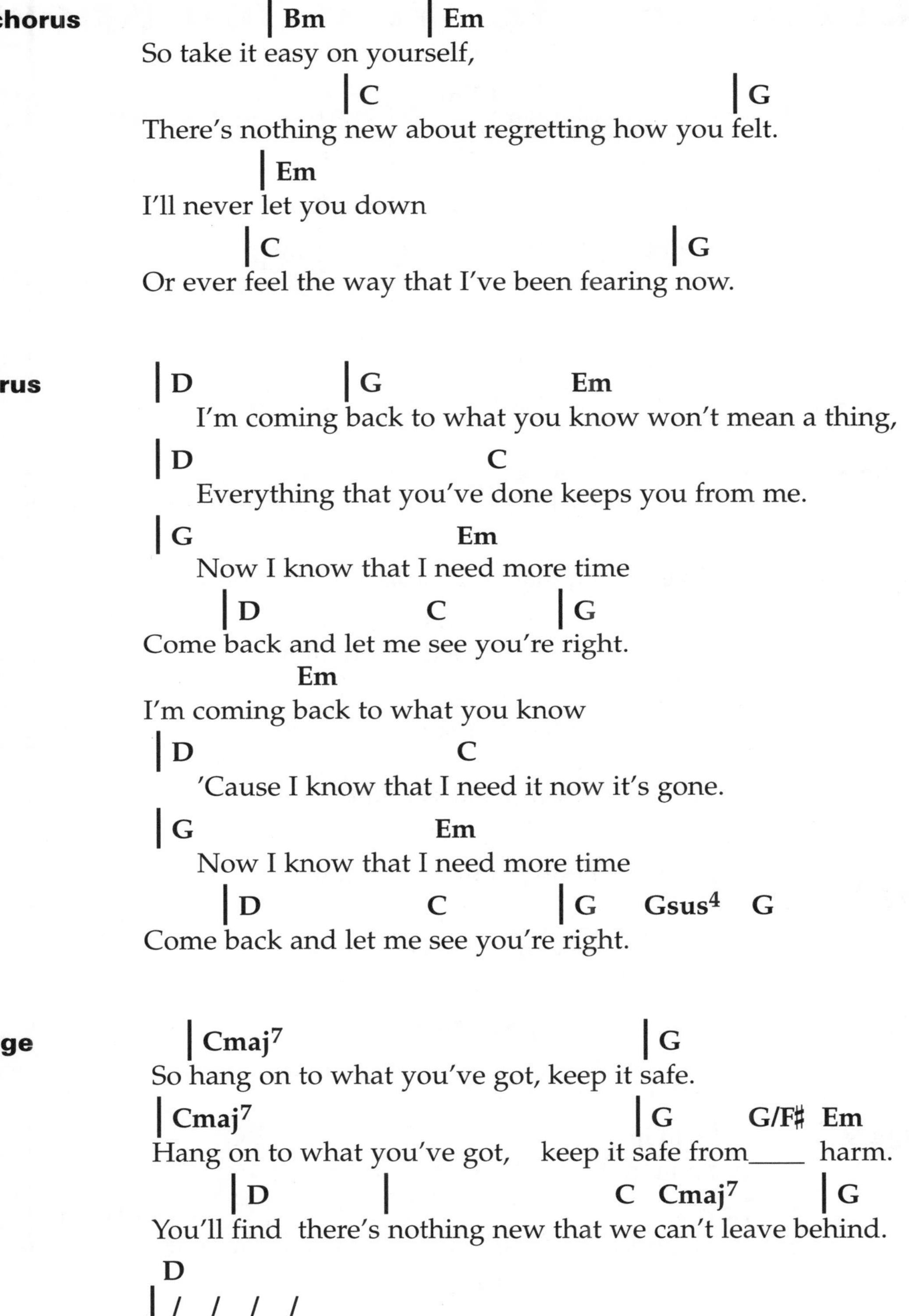

echorus

| Bm | Em
So take it easy on yourself,
| C | G
There's nothing new about regretting how you felt.
| Em
I'll never let you down
| C | G
Or ever feel the way that I've been fearing now.

horus

| D | G Em
I'm coming back to what you know won't mean a thing,
| D C
Everything that you've done keeps you from me.
| G Em
Now I know that I need more time
| D C | G
Come back and let me see you're right.
Em
I'm coming back to what you know
| D C
'Cause I know that I need it now it's gone.
| G Em
Now I know that I need more time
| D C | G Gsus4 G
Come back and let me see you're right.

idge

| Cmaj7 | G
So hang on to what you've got, keep it safe.
| Cmaj7 | G G/F♯ Em
Hang on to what you've got, keep it safe from____ harm.
| D | C Cmaj7 | G
You'll find there's nothing new that we can't leave behind.
D
| / / / /

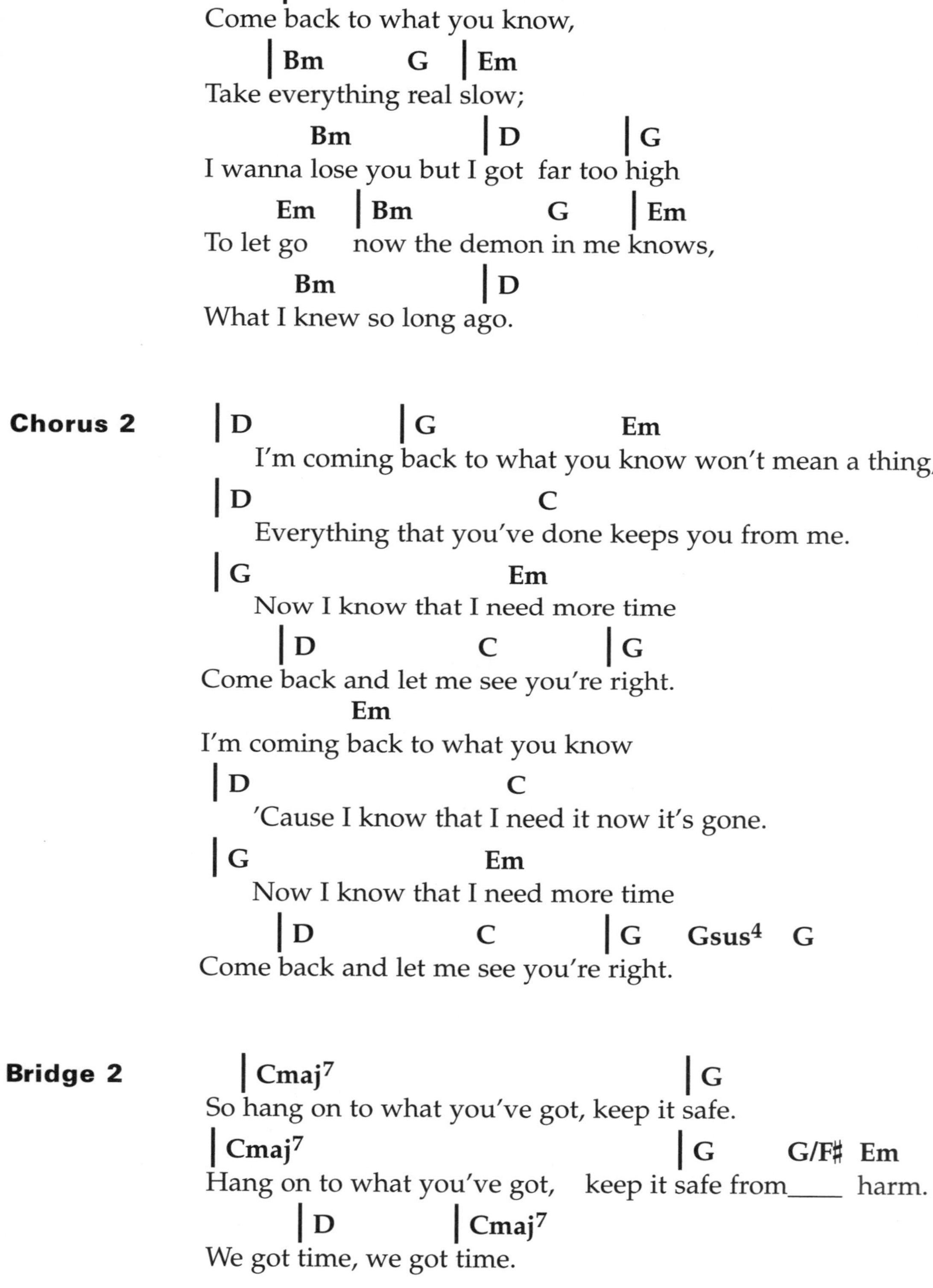

Verse 3

| G Em
Come back to what you know,
| Bm G | Em
Take everything real slow;
Bm | D | G
I wanna lose you but I got far too high
Em | Bm G | Em
To let go now the demon in me knows,
Bm | D
What I knew so long ago.

Chorus 2

| D | G Em
I'm coming back to what you know won't mean a thing,
| D C
Everything that you've done keeps you from me.
| G Em
Now I know that I need more time
| D C | G
Come back and let me see you're right.
Em
I'm coming back to what you know
| D C
'Cause I know that I need it now it's gone.
| G Em
Now I know that I need more time
| D C | G Gsus4 G
Come back and let me see you're right.

Bridge 2

| Cmaj7 | G
So hang on to what you've got, keep it safe.
| Cmaj7 | G G/F♯ Em
Hang on to what you've got, keep it safe from____ harm.
| D | Cmaj7
We got time, we got time.

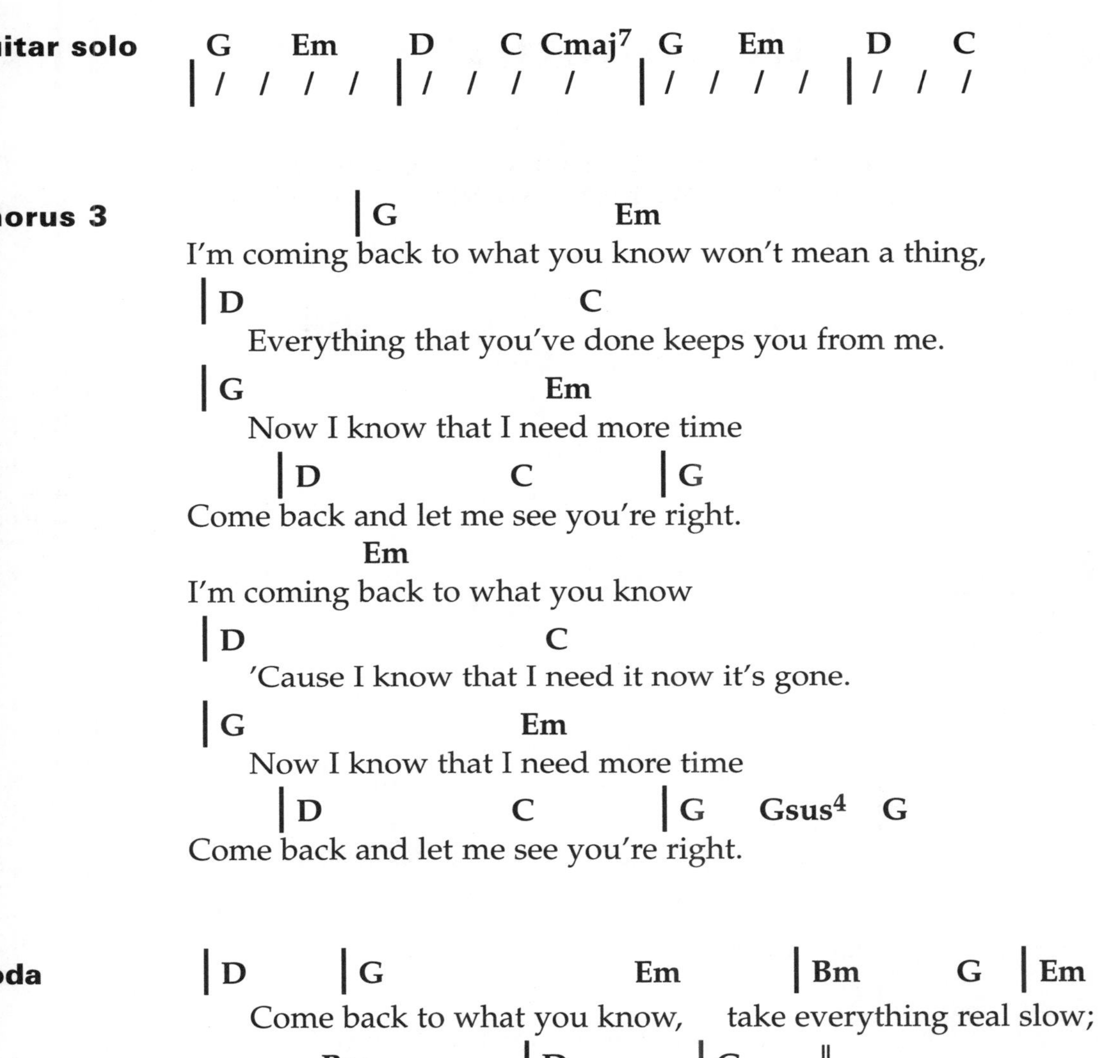

uitar solo

G Em D C Cmaj7 G Em D C
| / / / / | / / / / | / / / / | / / /

horus 3

|G Em
I'm coming back to what you know won't mean a thing,
|D C
Everything that you've done keeps you from me.
|G Em
Now I know that I need more time
|D C |G
Come back and let me see you're right.
Em
I'm coming back to what you know
|D C
'Cause I know that I need it now it's gone.
|G Em
Now I know that I need more time
|D C |G Gsus4 G
Come back and let me see you're right.

oda

|D |G Em |Bm G |Em
Come back to what you know, take everything real slow;
Bm |D |G ‖
I tried to lose you but I got far too close.

Common People

Words and Music by
NICK BANKS, JARVIS COCKER, CANDIDA DOYLE,
STEPHEN MACKEY AND RUSSELL SENIOR

C G7 F G

♩ = 136

Intro

4/4 | C / / / / | / / / / | / / / / | / / / / |

Verse 1

| C |
She came from Greece, she had a thirst for knowledge;
| |
She studied sculpture at Saint Martin's College –
| G7 | | |
That's where I caught her eye.
| C |
She told me that her Dad was loaded
| |
I said, "In that case I'll have rum and Coca-cola."
| G7 |
She said, "Fine."
| |
And then in thirty seconds time she said:

horus

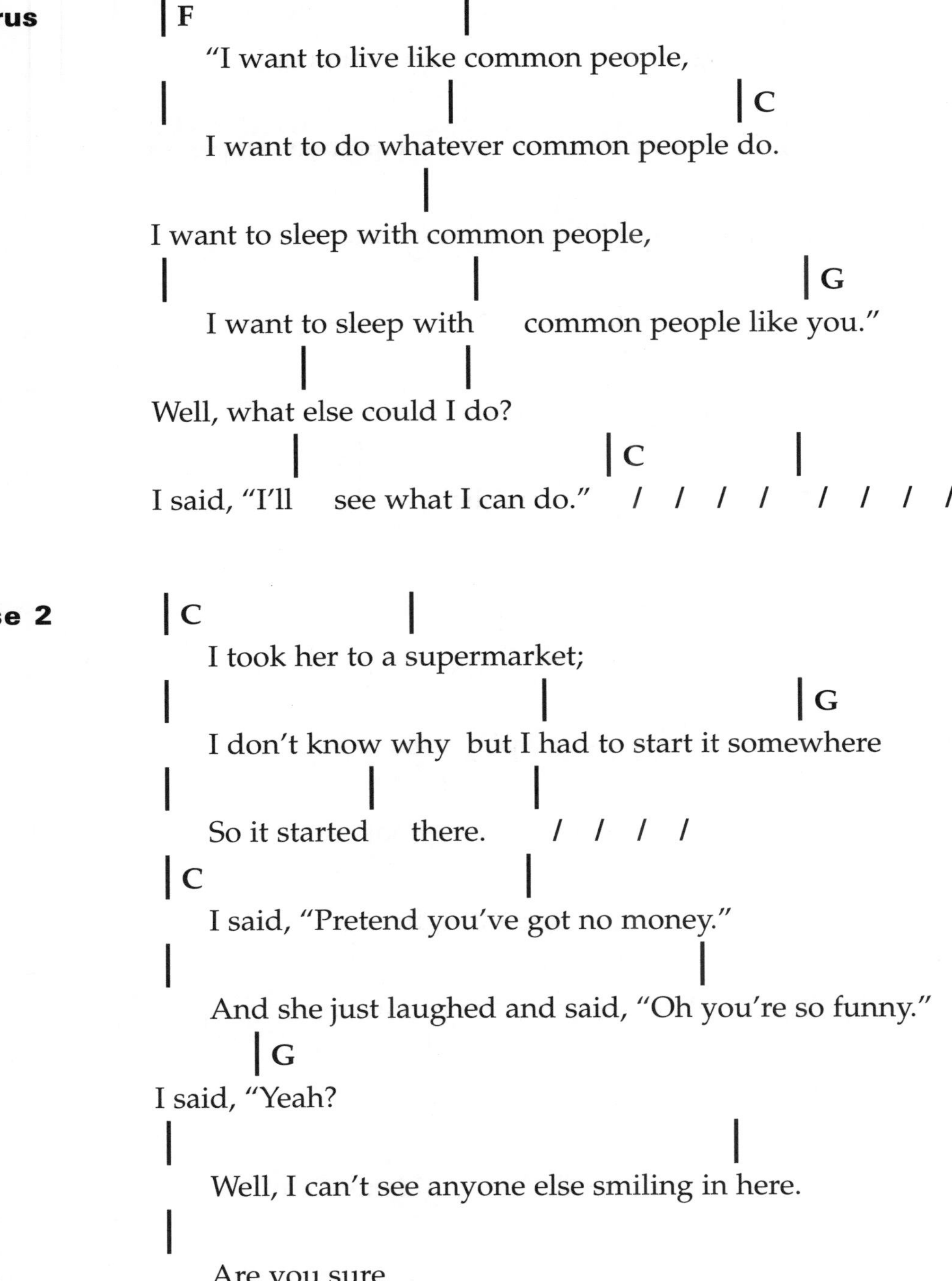

| F |
"I want to live like common people,
| | | C
I want to do whatever common people do.
|
I want to sleep with common people,
| | | G
I want to sleep with common people like you."
| |
Well, what else could I do?
| | C |
I said, "I'll see what I can do." / / / / / / / /

erse 2

| C |
I took her to a supermarket;
| | | G
I don't know why but I had to start it somewhere
| | |
So it started there. / / / /
| C |
I said, "Pretend you've got no money."
| |
And she just laughed and said, "Oh you're so funny."
| G
I said, "Yeah?
| |
Well, I can't see anyone else smiling in here.
|
Are you sure

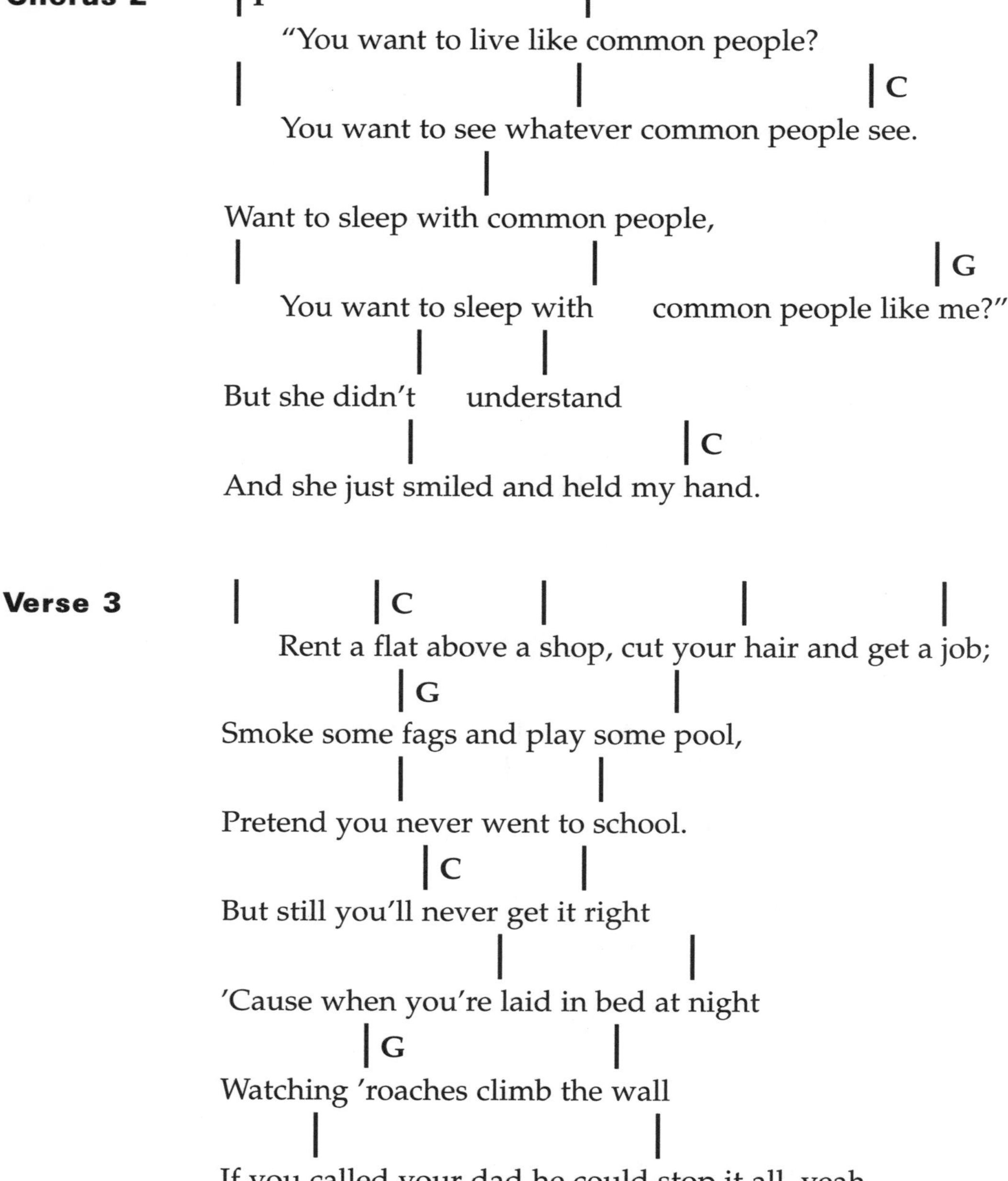

Chorus 2

| F |
"You want to live like common people?
| | | C
You want to see whatever common people see.
|
Want to sleep with common people,
| | | G
You want to sleep with common people like me?"
| |
But she didn't understand
| | C
And she just smiled and held my hand.

Verse 3

| | C | | |
Rent a flat above a shop, cut your hair and get a job;
| G |
Smoke some fags and play some pool,
| |
Pretend you never went to school.
| C |
But still you'll never get it right
| |
'Cause when you're laid in bed at night
| G |
Watching 'roaches climb the wall
| |
If you called your dad he could stop it all, yeah.

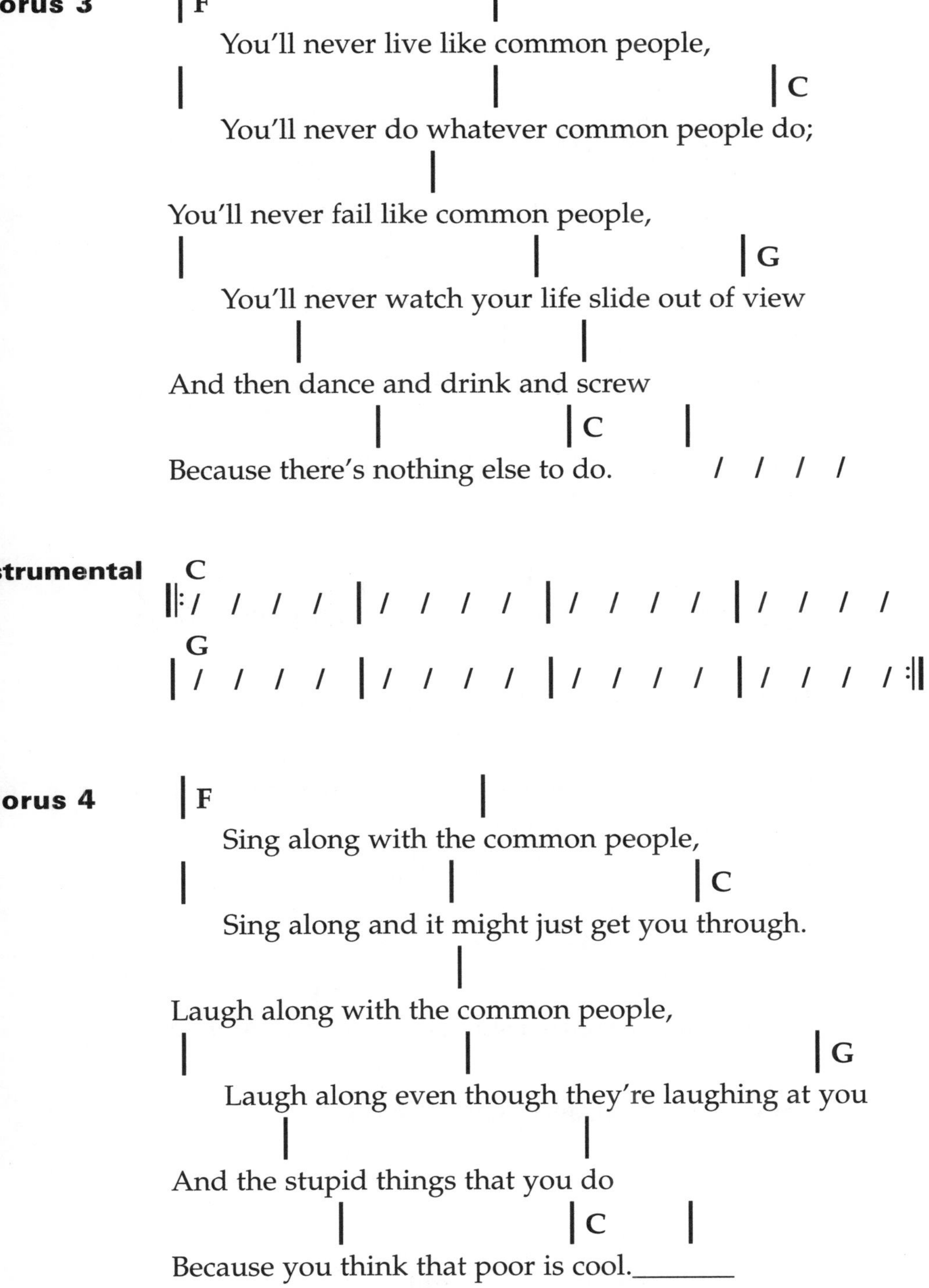
horus 3
F
You'll never live like common people,
C
You'll never do whatever common people do;
You'll never fail like common people,
G
You'll never watch your life slide out of view
And then dance and drink and screw
C
Because there's nothing else to do.
strumental
C
G
horus 4
F
Sing along with the common people,
C
Sing along and it might just get you through.
Laugh along with the common people,
G
Laugh along even though they're laughing at you
And the stupid things that you do
C
Because you think that poor is cool.

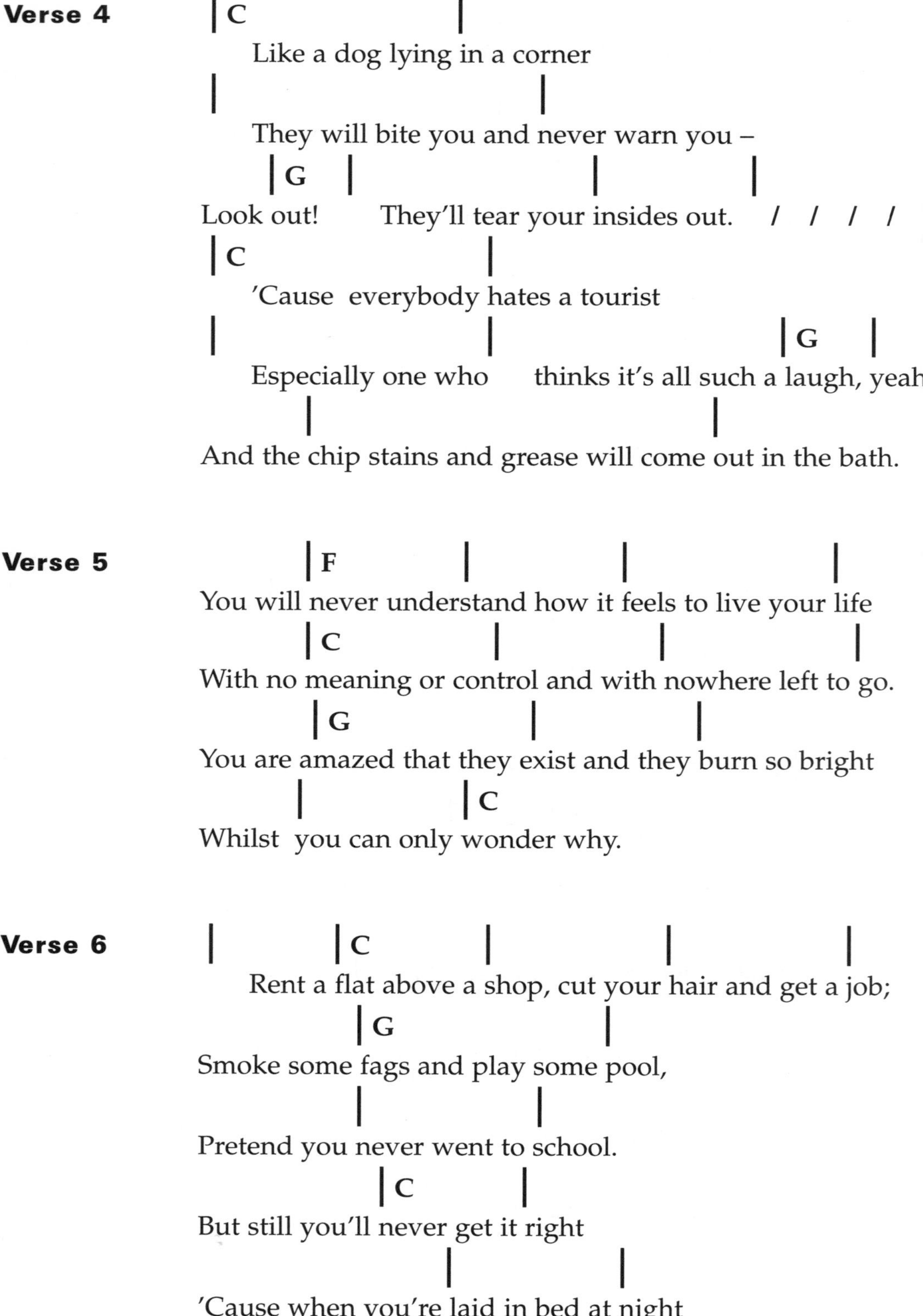

Verse 4

| C |
Like a dog lying in a corner
| |
They will bite you and never warn you –
| G | | |
Look out! They'll tear your insides out. / / / /
| C |
'Cause everybody hates a tourist
| | | G |
Especially one who thinks it's all such a laugh, yeah,
| |
And the chip stains and grease will come out in the bath.

Verse 5

| F | | |
You will never understand how it feels to live your life
| C | | |
With no meaning or control and with nowhere left to go.
| G | |
You are amazed that they exist and they burn so bright
| | C
Whilst you can only wonder why.

Verse 6

| | C | | |
Rent a flat above a shop, cut your hair and get a job;
| G |
Smoke some fags and play some pool,
| |
Pretend you never went to school.
| C |
But still you'll never get it right
| |
'Cause when you're laid in bed at night

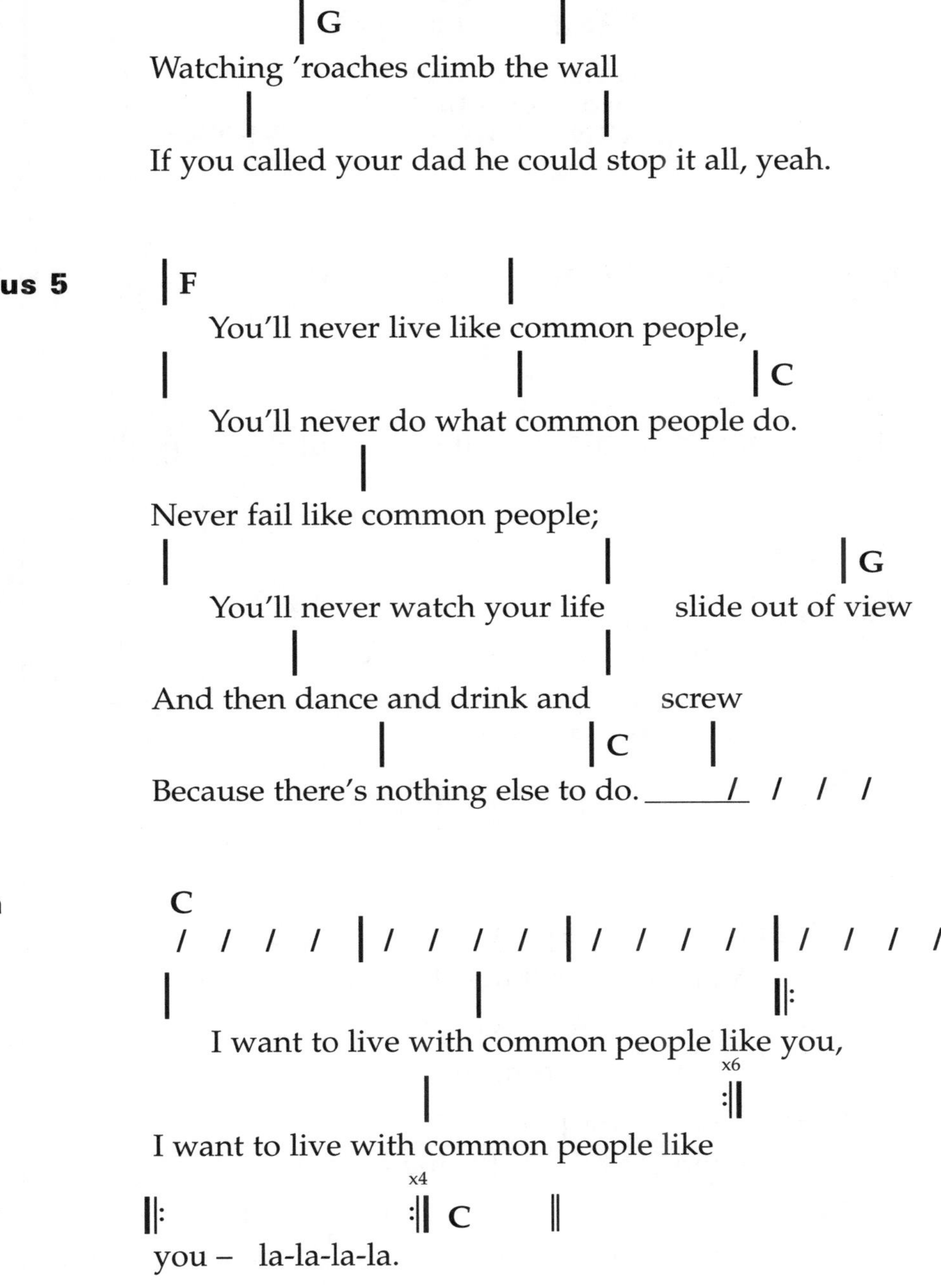

| G |

Watching 'roaches climb the wall

| |

If you called your dad he could stop it all, yeah.

horus 5

| F |

You'll never live like common people,

| | | C

You'll never do what common people do.

|

Never fail like common people;

| | | G

You'll never watch your life slide out of view

| |

And then dance and drink and screw

| | C |

Because there's nothing else to do. ______/ / / /

oda

C

/ / / / | / / / / | / / / / | / / / /

| | ||:

I want to live with common people like you,

x6

| :||

I want to live with common people like

x4

||: :|| C ||

you – la-la-la-la.

Crazy Beat

Words by ALBARN
Music by ALBARN, JAMES AND ROWNTREE

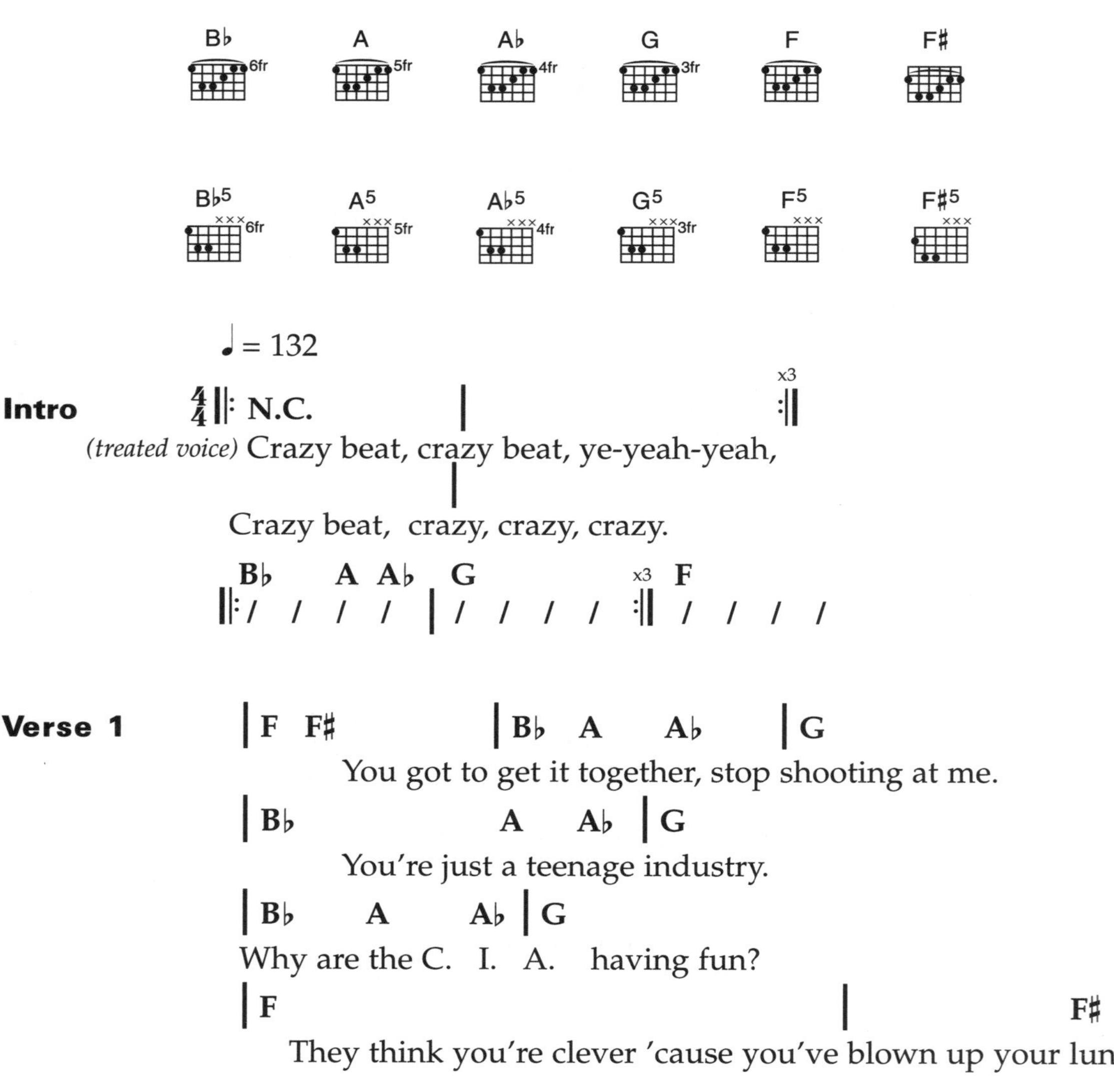
B♭ A A♭ G F F♯
B♭5 A5 A♭5 G5 F5 F♯5
6fr 5fr 4fr 3fr
♩= 132
Intro
N.C.
x3
(treated voice) Crazy beat, crazy beat, ye-yeah-yeah,
Crazy beat, crazy, crazy, crazy.
B♭ A A♭ G
x3
F
Verse 1
F F♯
B♭ A A♭
G
You got to get it together, stop shooting at me.
B♭ A A♭ G
You're just a teenage industry.
B♭ A A♭ G
Why are the C. I. A. having fun?
F
F♯
They think you're clever 'cause you've blown up your lung

horus

```
        | B♭   A   A♭       | G
But I love to hear that     crazy beat:
                  | B♭   A   A♭   | G
It  gets the people dancing on    their feet.
          | B♭   A   A♭ | G
And I love to live in paradise.
| N.C.                     |
I love my brothers on a Saturday night, yeah!
```

nk

```
   B♭5    A5 A♭5  G5            x3 F5                   F♯5
||: /  /  /  /  | /  /  /  / :||  /  /  /  /  | /  /  /  /
| B♭   A   A♭ | G             | B♭    A  A♭
Break up!        /  /  /  /      /  /  /  /
```

erse 2

```
| G                | B♭   A    A♭       | G
      I'm on my mobile    talking to the president,
| B♭          A         A♭    | G
      I've got to get him for the money I've spent.
| B♭  A          A♭     | G
Trying to get him       to party with me,
| F                           |  F♯
      I even offered him Ecstasy.
```

horus 2

```
        | B♭   A   A♭       | G
But I love to hear that crazy beat,
                  | B♭   A   A♭   | G
Gets the people dancing on their feet.
          | B♭   A   A♭ | G
And I love to live in paradise.
| N.C.                     |
   I love my sister and I love her tonight, ooh.
```

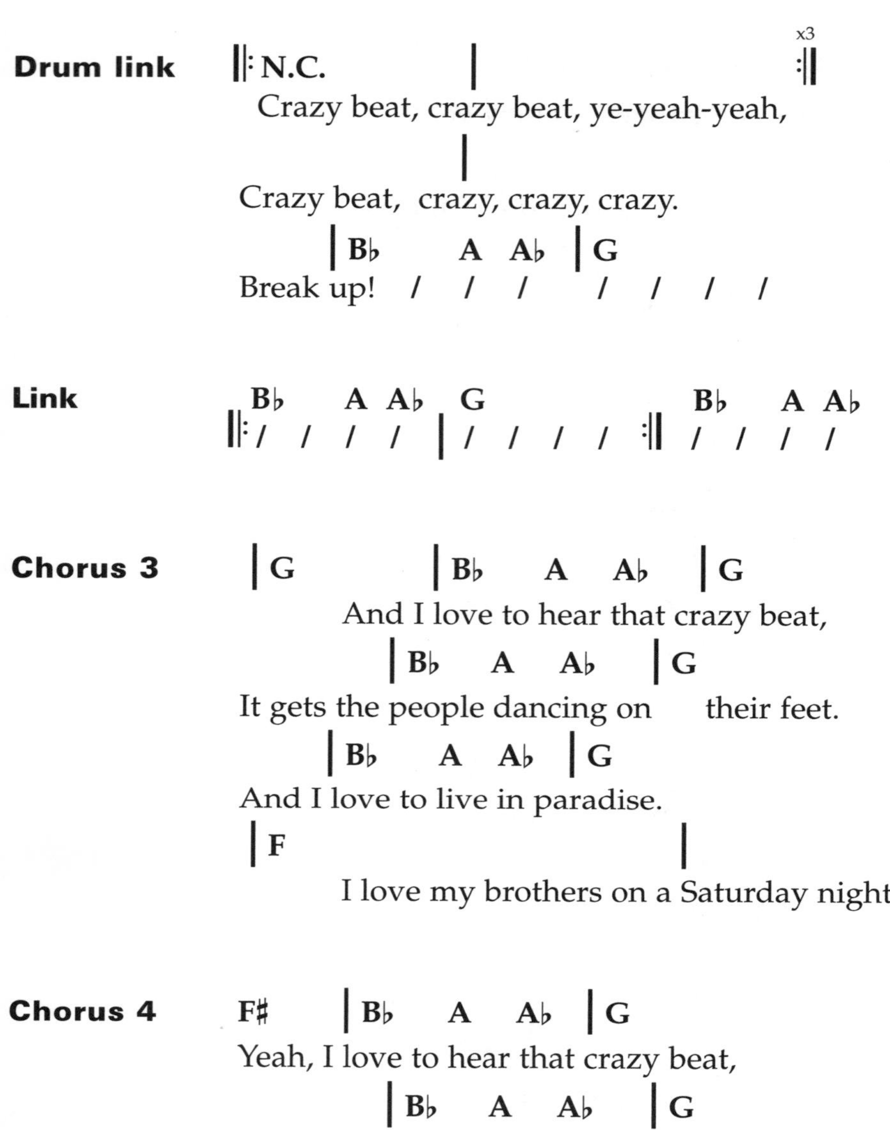

Drum link
N.C.
x3
Crazy beat, crazy beat, ye-yeah-yeah,
Crazy beat, crazy, crazy, crazy.
B♭ A A♭ G
Break up! / / / / / / /
Link
B♭ A A♭ G B♭ A A♭
/ / / / / / / / / / / /
Chorus 3
G B♭ A A♭ G
And I love to hear that crazy beat,
B♭ A A♭ G
It gets the people dancing on their feet.
B♭ A A♭ G
And I love to live in paradise.
F
I love my brothers on a Saturday night.
Chorus 4
F♯ B♭ A A♭ G
Yeah, I love to hear that crazy beat,
B♭ A A♭ G
It gets the people dancing on their feet.
B♭ A A♭ G
And I love to live in paradise.
F
I have a feeling that I'll love her tonight.

Coda
(vocal ad lib.)

```
F♯   | B♭     A     A♭    | G
Oh I love to hear that crazy beat.
                                   (yeah, yeah, yeah, yeah.)   x4
||: B♭          A      A♭              | G                      :||
Yeah, ye-yeah, yeah, yeah, yeah, yeah, yeah, yeah.
| B♭            A       A♭   | B♭            A       A♭
Yeah, yeah, yeah, yeah, yeah, yeah, yeah, yeah.
||: N.C.                 |                  :||        ||
Crazy beat, yeah,___ yeah, yeah, yeah,     yeah!
```

Creep

Words and Music by
THOMAS YORKE, EDWARD O'BRIEN, COLIN GREENWOOD,
JONATHAN GREENWOOD, PHILIP SELWAY,
ALBERT HAMMOND AND MIKE HAZELWOOD

G 3fr · B 7fr · Bsus4 7fr · C 8fr · Csus4 8fr · Cm 8fr · Gsus4 3fr

♩ = 92

Intro

```
    G          | G          | B          | Bsus4  B
4/4| / / / /   | / / / /    | / / / /    | / / / /
    C          | Csus4  C   | Cm         |
   | / / / /   | / / / /    | / / / /    | / / / /
```

Verse 1

```
(Cm)                     | G        |
When you were here before
                           | B      |
Couldn't look you in the eye
                   | C        |
You're just like an angel
                   | Cm       |
Your skin makes me cry.
                | G        |
You float like a feather
                | B        |
In a beautiful world
              | C          |
I wish I was special
                   | Cm        |
You're so f***king special.
```

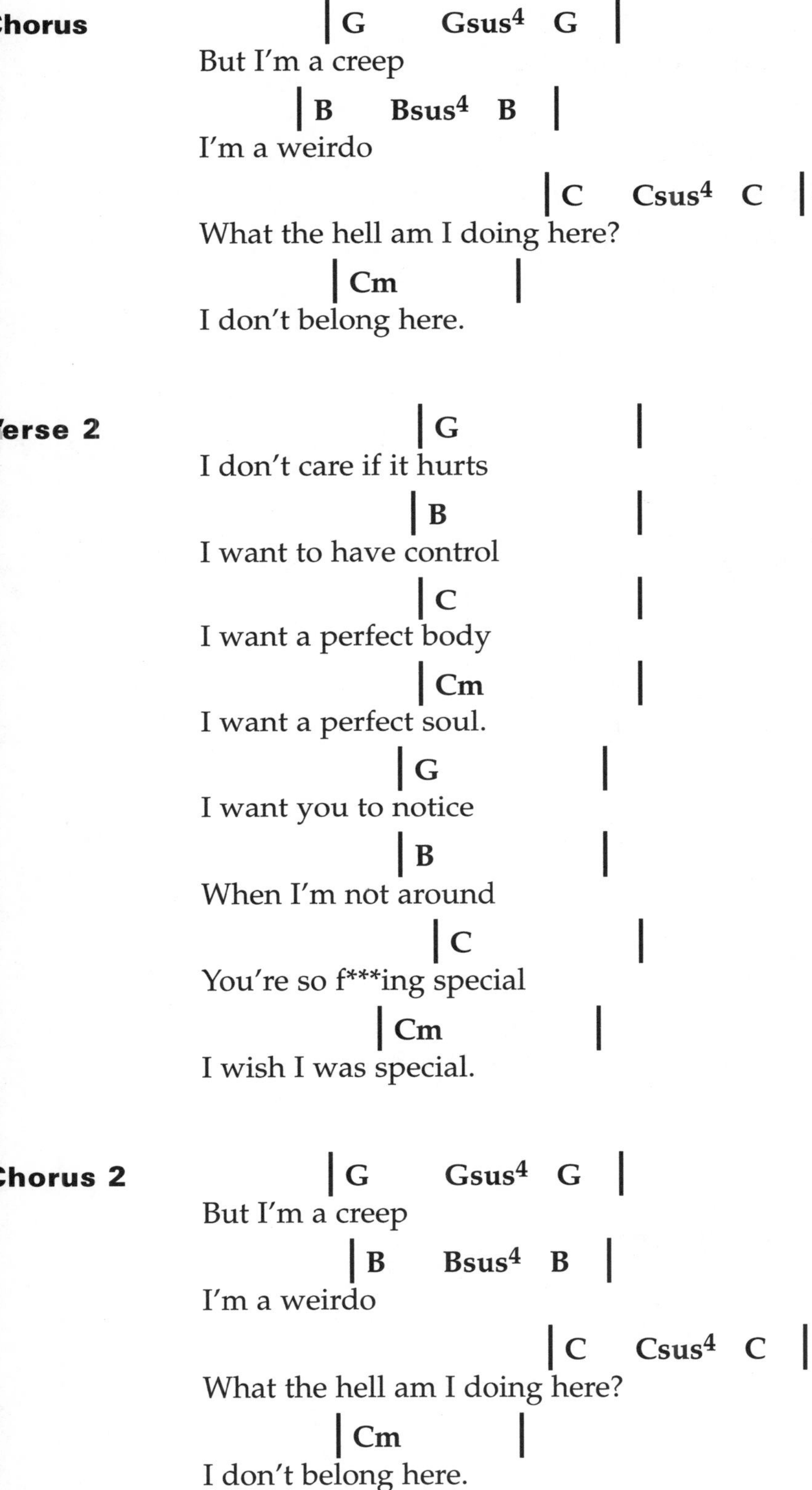

Chorus

| G Gsus4 G |
But I'm a creep
| B Bsus4 B |
I'm a weirdo
| C Csus4 C |
What the hell am I doing here?
| Cm |
I don't belong here.

Verse 2

| G |
I don't care if it hurts
| B |
I want to have control
| C |
I want a perfect body
| Cm |
I want a perfect soul.
| G |
I want you to notice
| B |
When I'm not around
| C |
You're so f***ing special
| Cm |
I wish I was special.

Chorus 2

| G Gsus4 G |
But I'm a creep
| B Bsus4 B |
I'm a weirdo
| C Csus4 C |
What the hell am I doing here?
| Cm |
I don't belong here.

Bridge

G | | B |
She's running out the door

C |
She's running,

| Cm | | G | | B | |
She runs, runs, runs__________

Cm | Cm
Runs.__________

Verse 3

| G |
Whatever makes you happy

| B |
Whatever you want

| C |
You're so f***ing special

| Cm |
I wish I was special.

Chorus 3

| G |
But I'm a creep

| B |
I'm a weirdo

| C |
What the hell am I doing here?

| Cm |
I don't belong here

| G
I don't belong here.

A Design For Life

Words and Music by
JAMES DEAN BRADFIELD, SEAN MOORE
AND NICHOLAS JONES

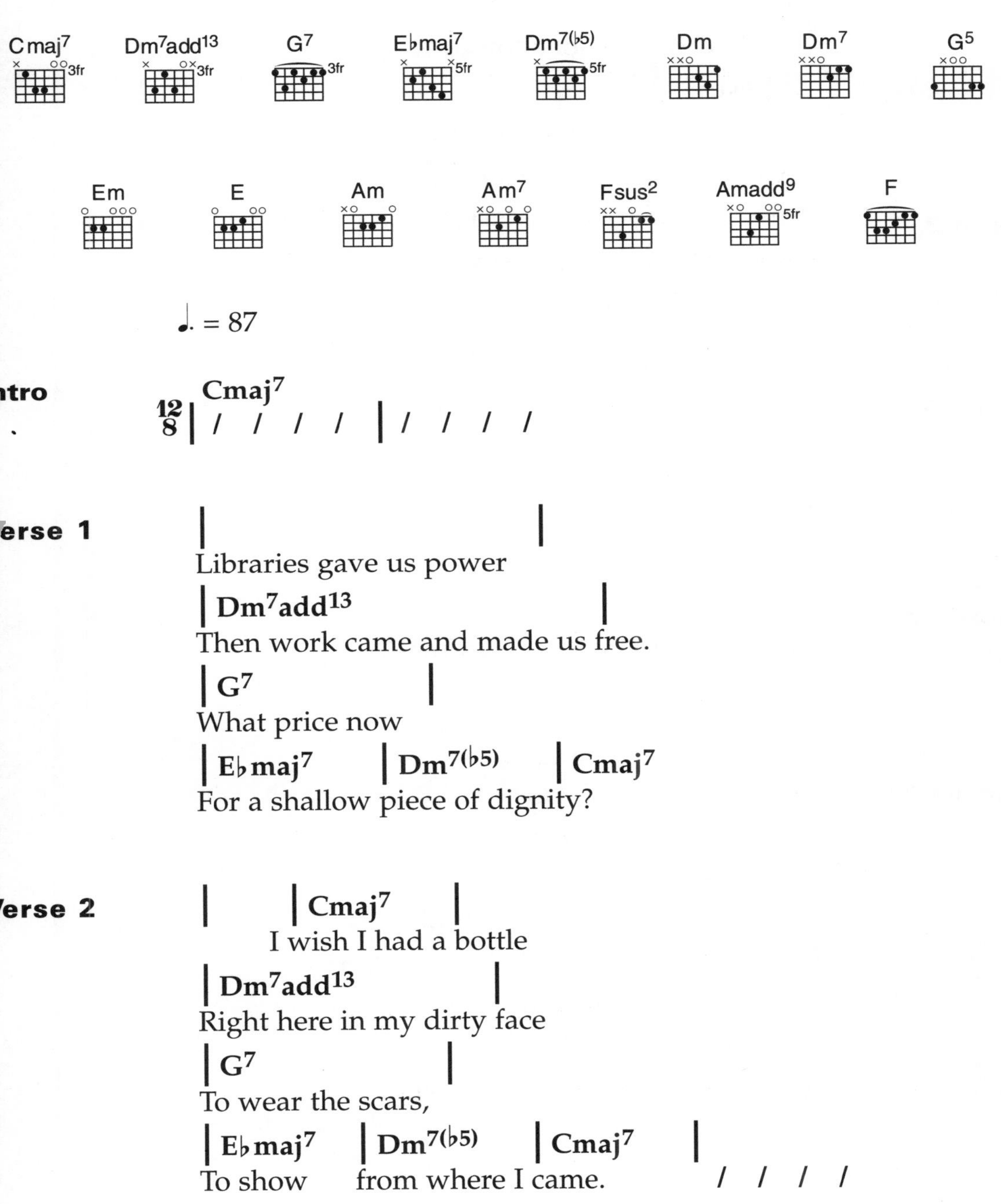
Cmaj7 Dm7add13 G7 E♭maj7 Dm7(♭5) Dm Dm7 G5
Em E Am Am7 Fsus2 Amadd9 F
♩. = 87
Intro
Cmaj7
Verse 1
Libraries gave us power
Dm7add13
Then work came and made us free.
G7
What price now
E♭maj7 Dm7(♭5) Cmaj7
For a shallow piece of dignity?
Verse 2
Cmaj7
I wish I had a bottle
Dm7add13
Right here in my dirty face
G7
To wear the scars,
E♭maj7 Dm7(♭5) Cmaj7
To show from where I came.

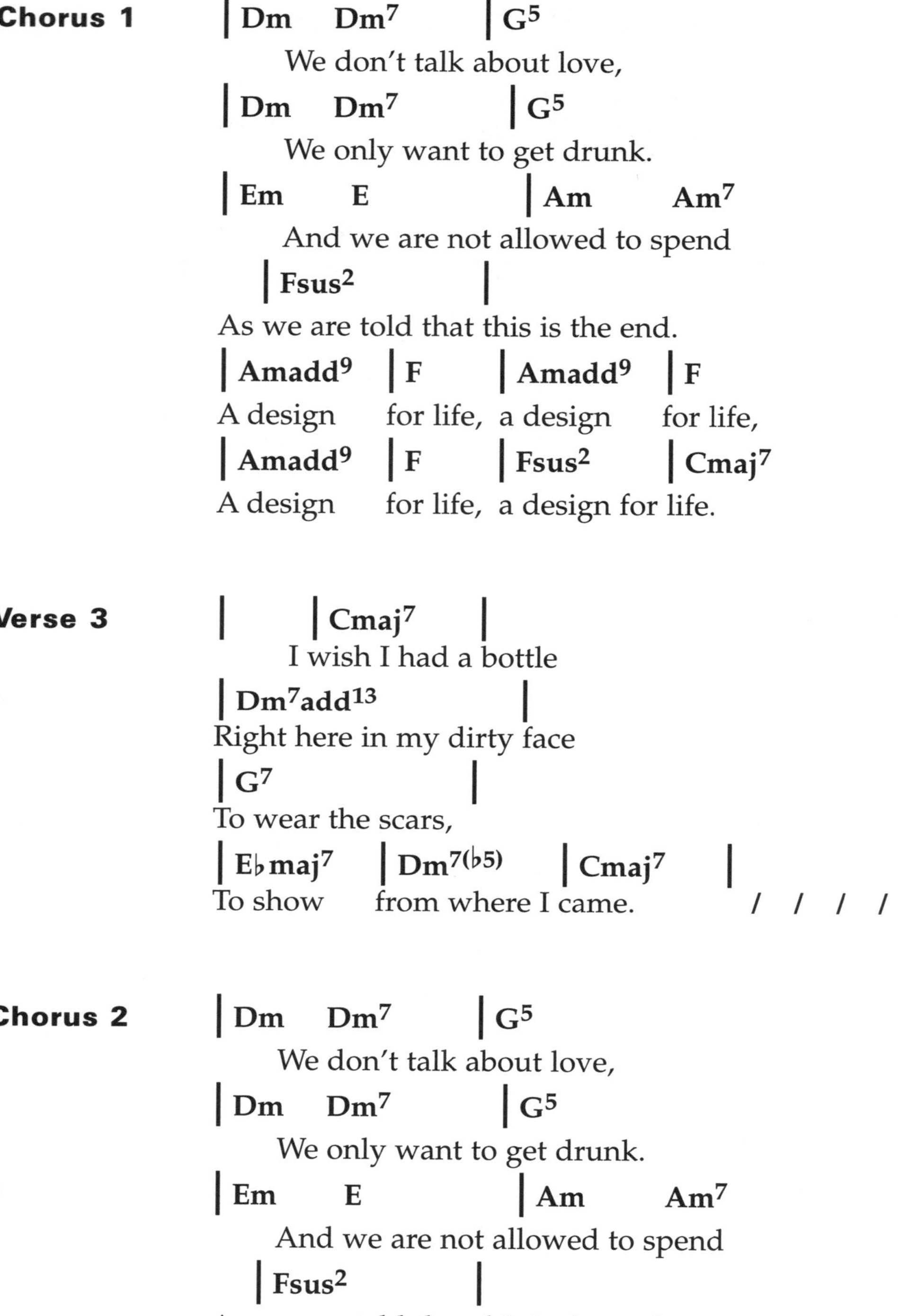

Chorus 1

| Dm Dm^{7} | G^{5}
We don't talk about love,
| Dm Dm^{7} | G^{5}
We only want to get drunk.
| Em E | Am Am^{7}
And we are not allowed to spend
| Fsus^{2} |
As we are told that this is the end.
| Amadd^{9} | F | Amadd^{9} | F
A design for life, a design for life,
| Amadd^{9} | F | Fsus^{2} | Cmaj^{7}
A design for life, a design for life.

Verse 3

| | Cmaj^{7} |
I wish I had a bottle
| Dm^{7}add^{13} |
Right here in my dirty face
| G^{7} |
To wear the scars,
| E♭maj^{7} | Dm$^{7(\flat 5)}$ | Cmaj^{7} |
To show from where I came. / / / /

Chorus 2

| Dm Dm^{7} | G^{5}
We don't talk about love,
| Dm Dm^{7} | G^{5}
We only want to get drunk.
| Em E | Am Am^{7}
And we are not allowed to spend
| Fsus^{2} |
As we are told that this is the end.

| Amadd9 | F | Amadd9 | F
A design for life, a design for life,
| Amadd9 | F | Fsus2 | Cmaj7
A design for life, a design for life.

Instrumental Cmaj7 Dm7add13
| / / / / | / / / / | / / / / | / / / /
G7 E♭maj7 Dm7(♭5)
| / / / / | / / / / | / / / / | / / / /
Cmaj7
| / / / / | / / / /

Chorus 3 | Dm Dm7 | G5
We don't talk about love,
| Dm Dm7 | G5
We only want to get drunk.
| Em E | Am Am7
And we are not allowed to spend
| Fsus2 |
As we are told that this is the end.
| Amadd9 | F | Amadd9 | F
A design for life, a design for life,
| Amadd9 | F | Fsus2 |
A design for life, a design for…

Coda N.C.
| / / / / | / / / / | / / / / | / / / / | / ||
(drums)

Distant Sun

Words and Music by
NEIL FINN

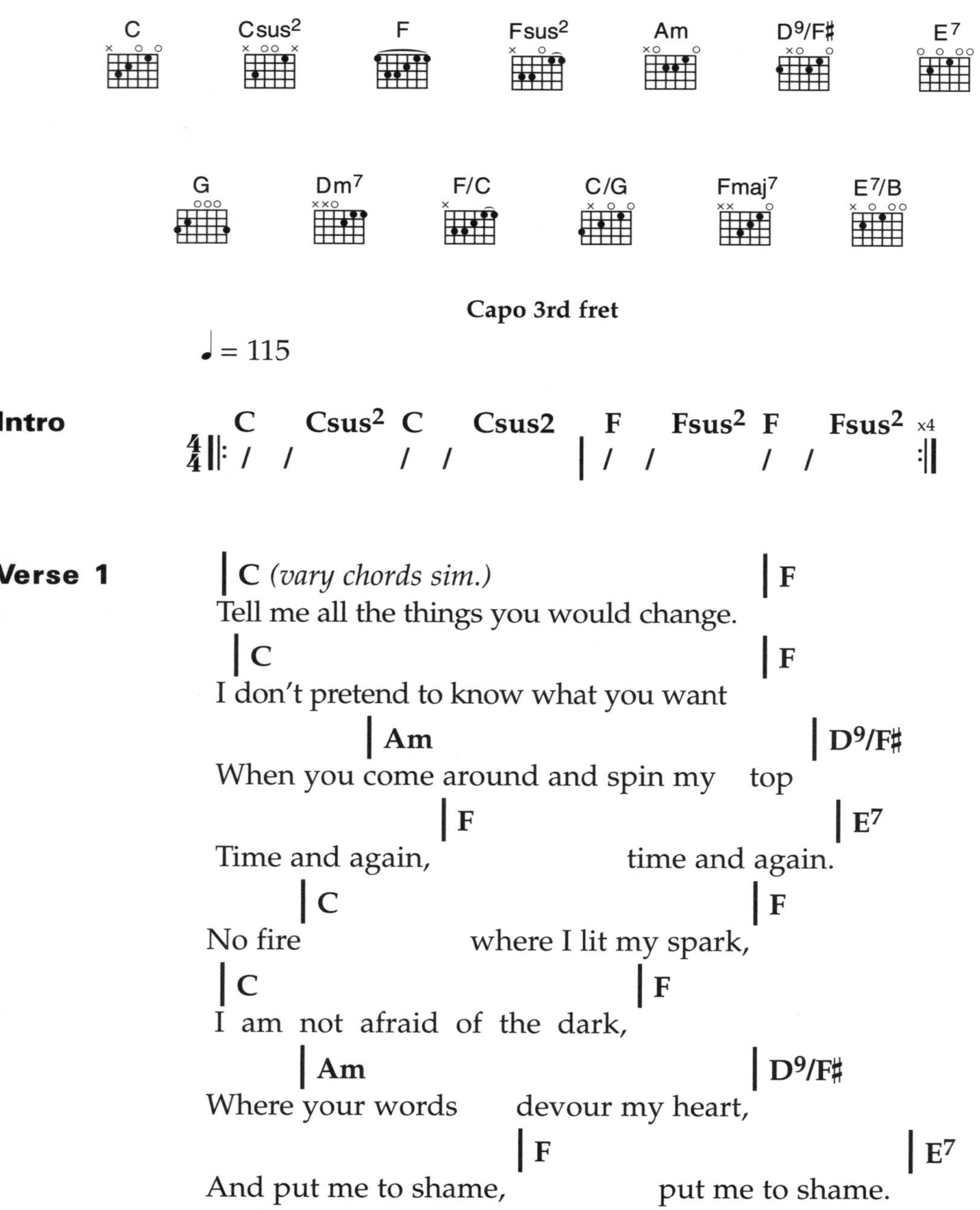
C
Csus2
F
Fsus2
Am
D9/F♯
E7
G
Dm7
F/C
C/G
Fmaj7
E7/B
Capo 3rd fret
♩ = 115
Intro
C Csus2 C Csus2 F Fsus2 F Fsus2 x4
Verse 1
C (vary chords sim.) F
Tell me all the things you would change.
C F
I don't pretend to know what you want
Am D9/F♯
When you come around and spin my top
F E7
Time and again, time and again.
C F
No fire where I lit my spark,
C F
I am not afraid of the dark,
Am D9/F♯
Where your words devour my heart,
F E7
And put me to shame, put me to shame.

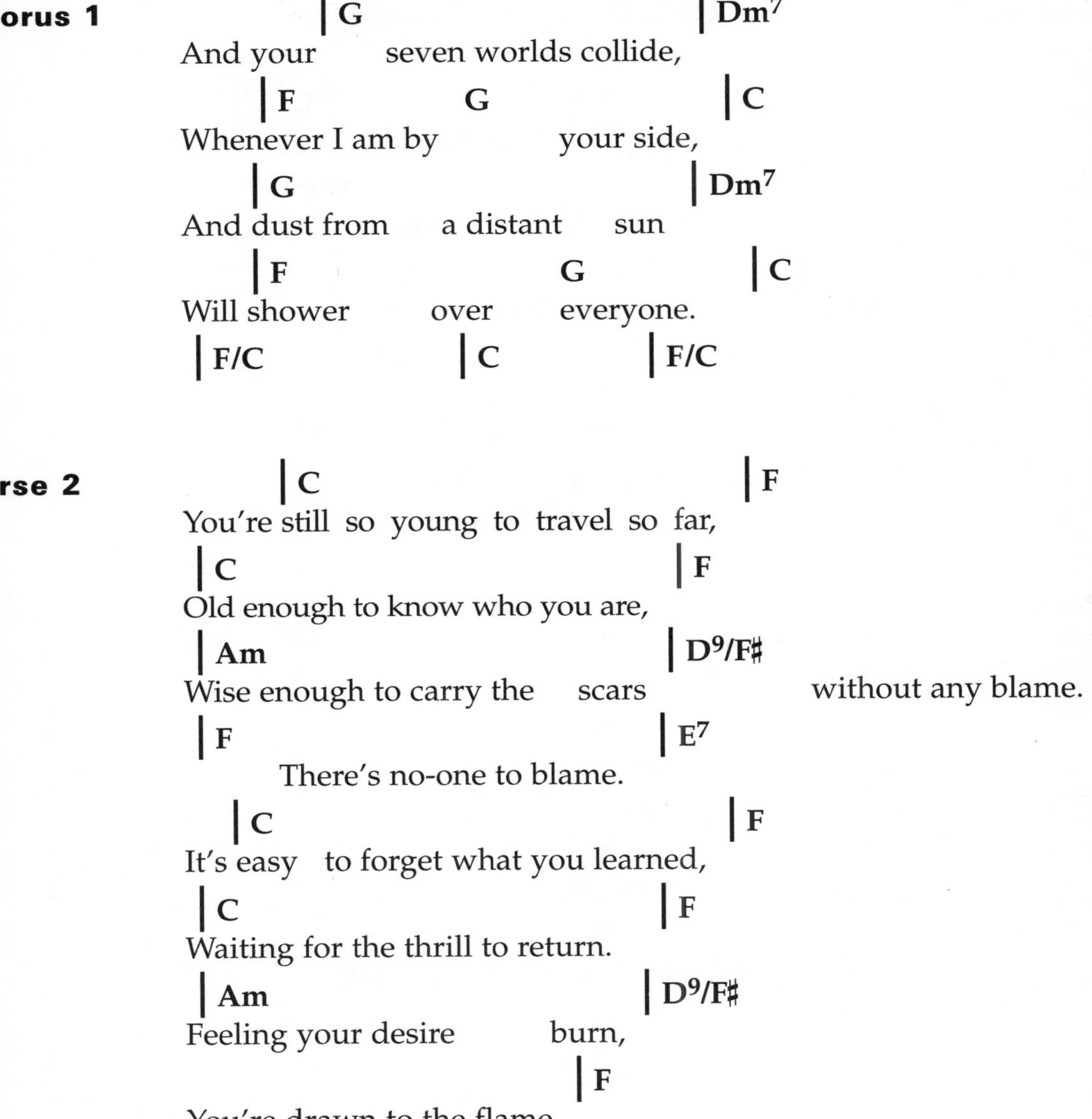

horus 1

| G | Dm⁷
And your seven worlds collide,
| F G | C
Whenever I am by your side,
| G | Dm⁷
And dust from a distant sun
| F G | C
Will shower over everyone.
| F/C | C | F/C

erse 2

| C | F
You're still so young to travel so far,
| C | F
Old enough to know who you are,
| Am | D⁹/F♯
Wise enough to carry the scars without any blame.
| F | E⁷
There's no-one to blame.
| C | F
It's easy to forget what you learned,
| C | F
Waiting for the thrill to return.
| Am | D⁹/F♯
Feeling your desire burn,
| F
You're drawn to the flame.

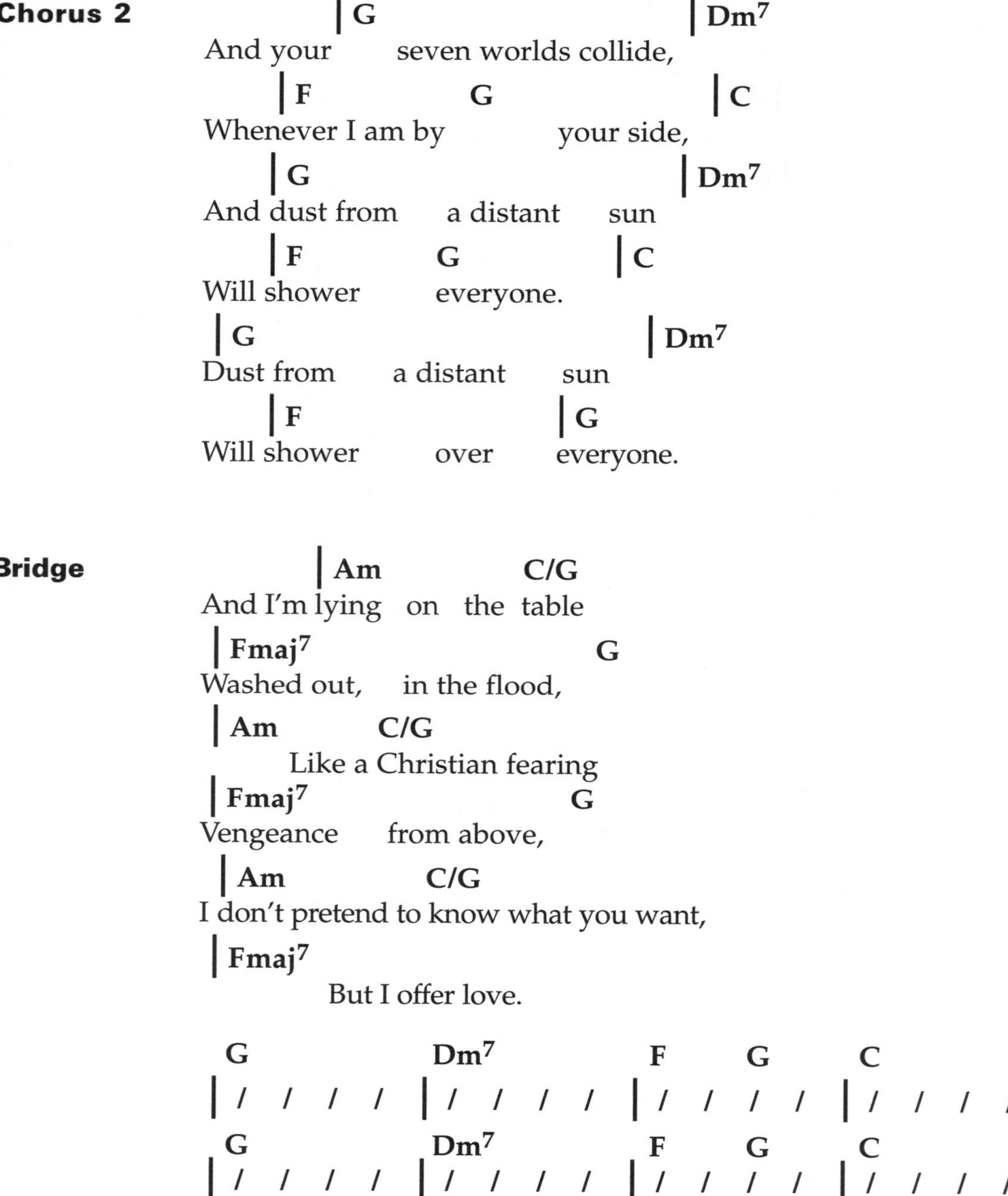
Chorus 2
| G | Dm7
And your seven worlds collide,
| F G | C
Whenever I am by your side,
| G | Dm7
And dust from a distant sun
| F G | C
Will shower everyone.
| G | Dm7
Dust from a distant sun
| F | G
Will shower over everyone.
Bridge
| Am C/G
And I'm lying on the table
| Fmaj7 G
Washed out, in the flood,
| Am C/G
Like a Christian fearing
| Fmaj7 G
Vengeance from above,
| Am C/G
I don't pretend to know what you want,
| Fmaj7
But I offer love.
G Dm7 F G C
| / / / / | / / / / | / / / / | / / / /
G Dm7 F G C
| / / / / | / / / / | / / / / | / / / /

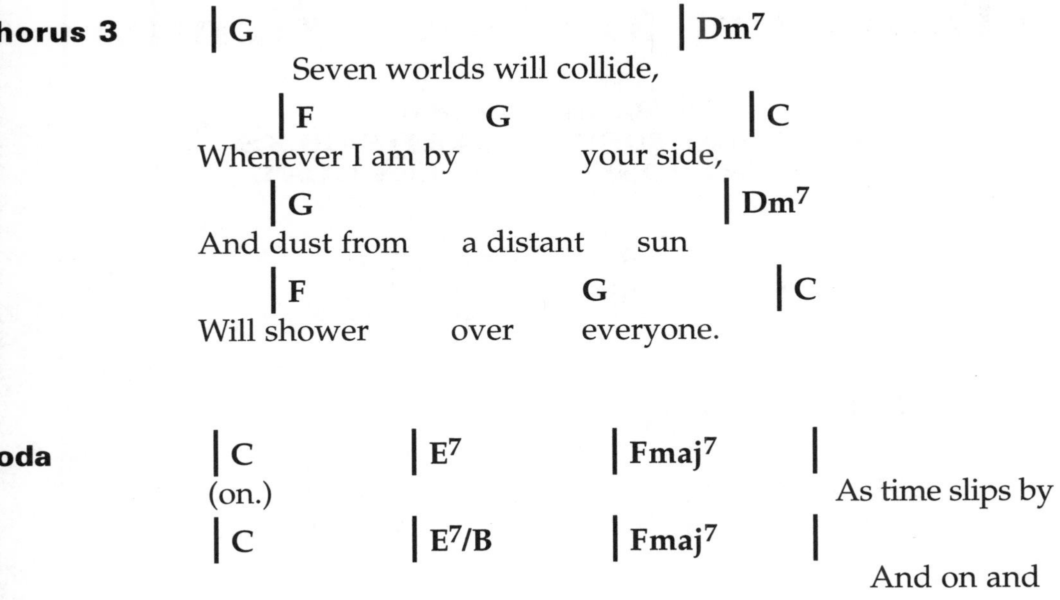
horus 3
G
Dm7
Seven worlds will collide,
F
G
C
Whenever I am by your side,
G
Dm7
And dust from a distant sun
F
G
C
Will shower over everyone.
oda
C
E7
Fmaj7
(on.)
As time slips by
C
E7/B
Fmaj7
And on and

Repeat to fade

Don't Let Me Down Gently

Words and Music by
MALCOLM TREECE, MARTIN GILKS,
ROBERT JONES AND MILES HUNT

G D Cadd9 C

♩ = 107

Intro

```
   G      D       Cadd9  D     x3 G     D
4/4| /  /  /  /  | /  /  /  /  :|| /  /  /  /
```

Chorus

```
|Cadd9  D                |G    D   |C
               Don't let me down_____  gently
             D              |G
If you have to let me down at all.
          D      |C
Don't let me down gently
             D              |G
If you have to let me down at all.
          D      |C
Don't let me down gently
             D              |Cadd9    |D
If you have to let me down at all.__________
```

Verse 1

```
|        |G                D              |C
    I ain't calling you familiar,  I don't know your face that wel
    |G              D                   |C            D
Not like the shaving mirror    hanging up inside your cell.
      |G                D                   |C
I didn't call you here to tell you,   I didn't call you here at all.
           |G              D                |C           D
'Cause I'm talking to myself again and you're  talking to the wal
```

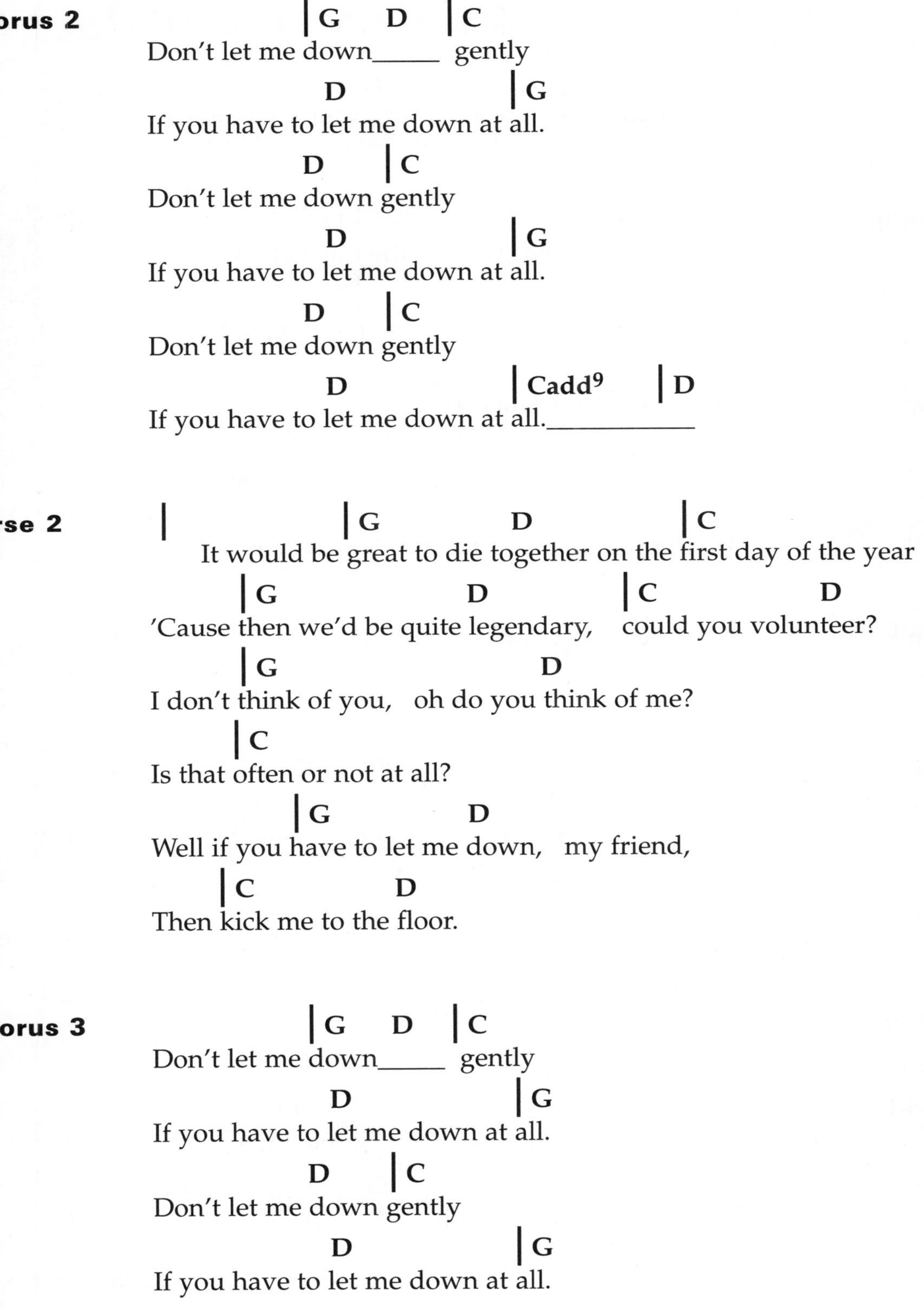
horus 2
|G D |C
Don't let me down_____ gently
D |G
If you have to let me down at all.
D |C
Don't let me down gently
D |G
If you have to let me down at all.
D |C
Don't let me down gently
D |Cadd9 |D
If you have to let me down at all.___________
erse 2
| |G D |C
It would be great to die together on the first day of the year
|G D |C D
'Cause then we'd be quite legendary, could you volunteer?
|G D
I don't think of you, oh do you think of me?
|C
Is that often or not at all?
|G D
Well if you have to let me down, my friend,
|C D
Then kick me to the floor.
horus 3
|G D |C
Don't let me down_____ gently
D |G
If you have to let me down at all.
D |C
Don't let me down gently
D |G
If you have to let me down at all.

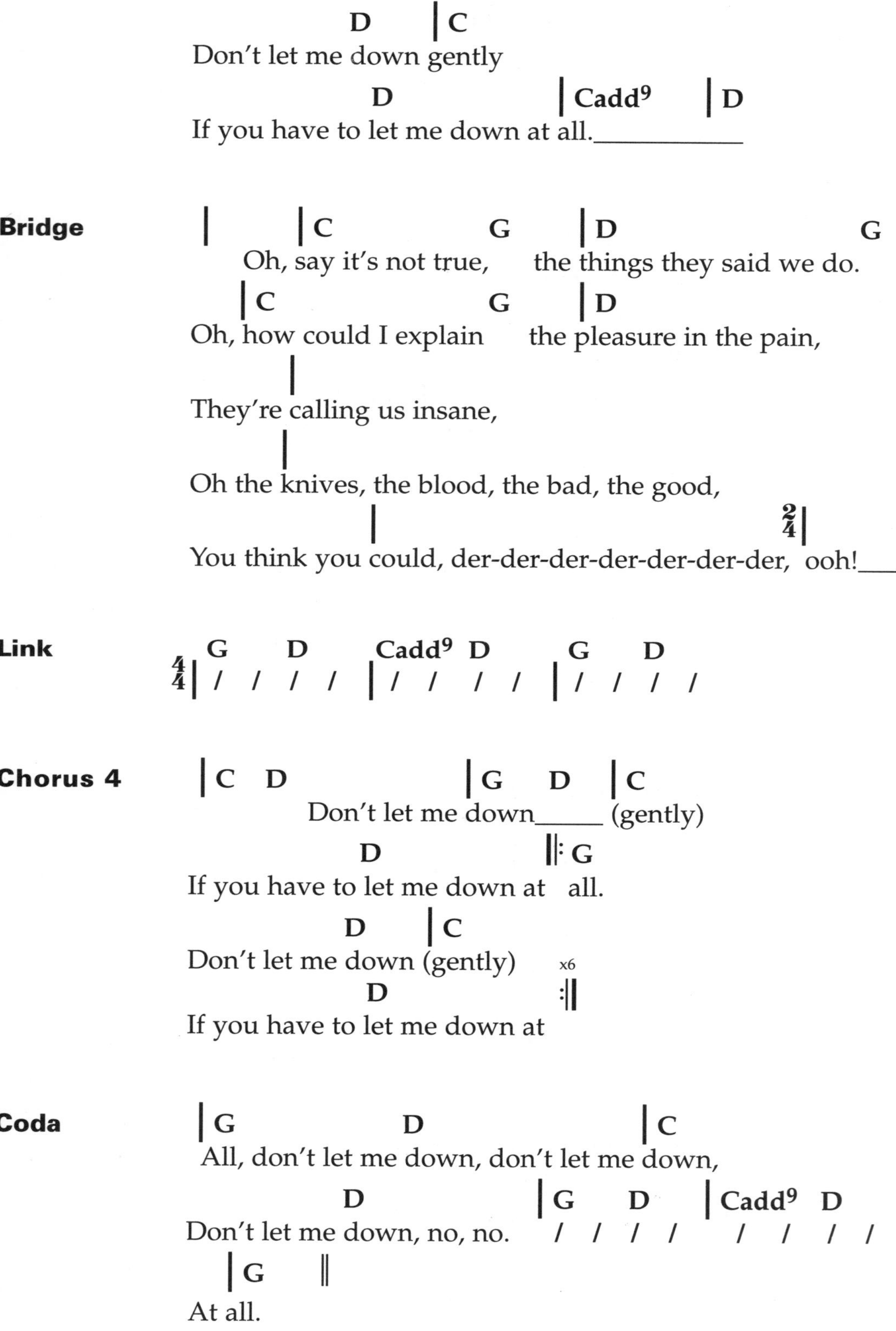
D | C
Don't let me down gently
D | Cadd9 | D
If you have to let me down at all.
Bridge
| | C G | D G
Oh, say it's not true, the things they said we do.
| C G | D
Oh, how could I explain the pleasure in the pain,
|
They're calling us insane,
|
Oh the knives, the blood, the bad, the good,
| 2/4 |
You think you could, der-der-der-der-der-der-der, ooh!
Link
G D Cadd9 D G D
4/4 | / / / / | / / / / | / / / /
Chorus 4
| C D | G D | C
Don't let me down (gently)
D ||: G
If you have to let me down at all.
D | C
Don't let me down (gently)
x6
D :||
If you have to let me down at
Coda
| G D | C
All, don't let me down, don't let me down,
D | G D | Cadd9 D
Don't let me down, no, no. / / / / / / / /
| G ||
At all.

Fastboy

Words and Music by
ADAM DEVLIN, EDWARD CHESTER,
SCOTT MORRIS AND MARK MORRIS

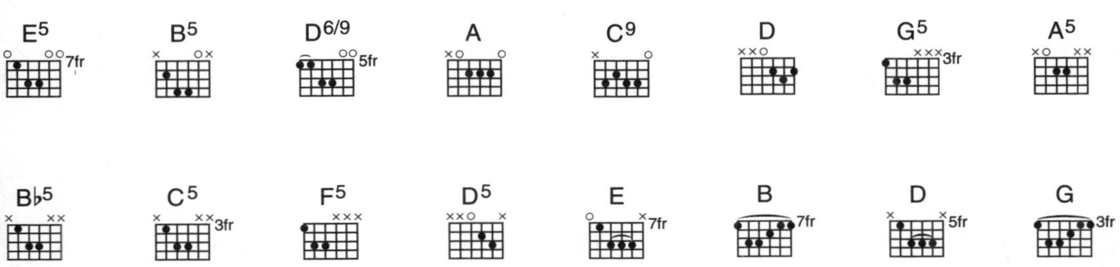

Capo 2nd fret

♩ = 114

Intro

6/4 | E5 / / B5 / / D6/9 / / / / A / / / / :|| x4

Verse 1

| E5 B5 D6/9 A
I'm a fast boy,
| E5 B5 D6/9 A
I've got worry,
| E5 B5 D6/9 A
I've got engagements,
| E5 B5 D6/9
I'm in a hurry.

Chorus

A | E5 B5 D6/9 A | E5 B5 D6/9
So come on, so come on,
A | E5 B5 D6/9 A | E5 B5 D6/9 N.C.
So come on, so come on. / /

Verse 2

| E5 B5 D6/9 A
Don't use telephones,
| E5 B5 D6/9 A
I won't hear you.
| E5 B5 D6/9 A
Beneath the radar
| E5 B5 D6/9
So in - fe - rior.

Chorus 2

A | E5 B5 D6/9 A | E5 B5 D6/9
So come on, so come on,
A | E5 B5 D6/9 A | E5 B5 D6/9 A
So come on, so come on. / /

Bridge

4/4 | C9 | D
Who's the man every weekend?
| C9 | D
Who's the fast boy? Who's your best friend?
3/4 | G5 A5 | B♭5 C5 | G5 A5 | B♭5 F
First you twist my arm, then you grease my palm,
| G5 A5 | B♭5 C5 | G5 A5 | B♭5 F5
Keep me cool and calm not doing any harm.

Link

Verse 3

| E5 B5 D6/9 A
I'm the fast boy,
| E5 B5 D6/9 A
I'm on the guest list;

| E5   B5   D6/9   A
I got a gram of joy
| E5   B5   D6/9
Wrapped in a clenched fist.

orus 3

A | E5 B5 D6/9 A | E5 B5 D6/9
So come on, so come on,
A | E5 B5 D6/9 A | E5 B5 D6/9 A
So come on, so come on. / /

idge 2

4/4 | C9 | D
Who's the man every weekend?
| C9 | D
Who's the fast boy? Who's your best friend?
3/4 | G5 A5 | B♭5 C5 | G5 A5 | B♭5 F5
First you twist my arm, then you grease my palm,
| G5 A5 | B♭5 C5 4/4 | D5 | C5
Keep me cool and calm not doing any harm.

nk 2

‖: E B D | A B | E B D
Please,____ not a word to the mother.____
[1] | A G x3 :‖ [2] A G
So come

orus 4

6/4 | E5 B5 D6/9 A | E5 B5 D6/9
On, so come on,
A | E5 B5 D6/9 A | E5 B5 D6/9 ‖
So come on, so come on.

Don't Think You're The First

Words and Music by
JAMES SKELLY

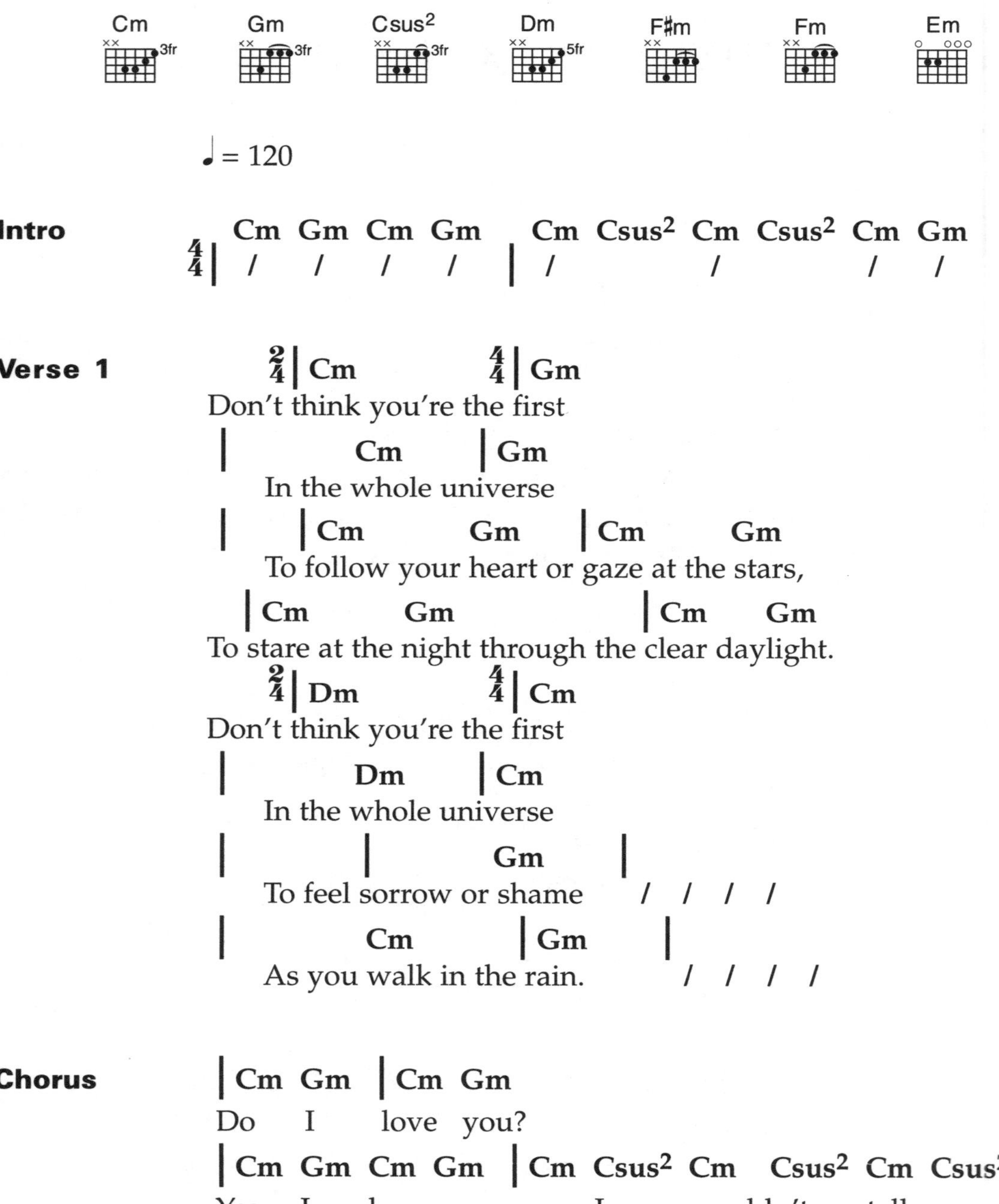
Cm Gm Csus2 Dm F♯m Fm Em
3fr 3fr 3fr 5fr
♩ = 120
Intro
4/4 Cm Gm Cm Gm | Cm Csus2 Cm Csus2 Cm Gm
Verse 1
2/4 Cm 4/4 Gm
Don't think you're the first
Cm Gm
In the whole universe
Cm Gm Cm Gm
To follow your heart or gaze at the stars,
Cm Gm Cm Gm
To stare at the night through the clear daylight.
2/4 Dm 4/4 Cm
Don't think you're the first
Dm Cm
In the whole universe
Gm
To feel sorrow or shame
Cm Gm
As you walk in the rain.
Chorus
Cm Gm Cm Gm
Do I love you?
Cm Gm Cm Gm Cm Csus2 Cm Csus2 Cm Csus2 G
Yes, I love you or I wouldn't tell you so

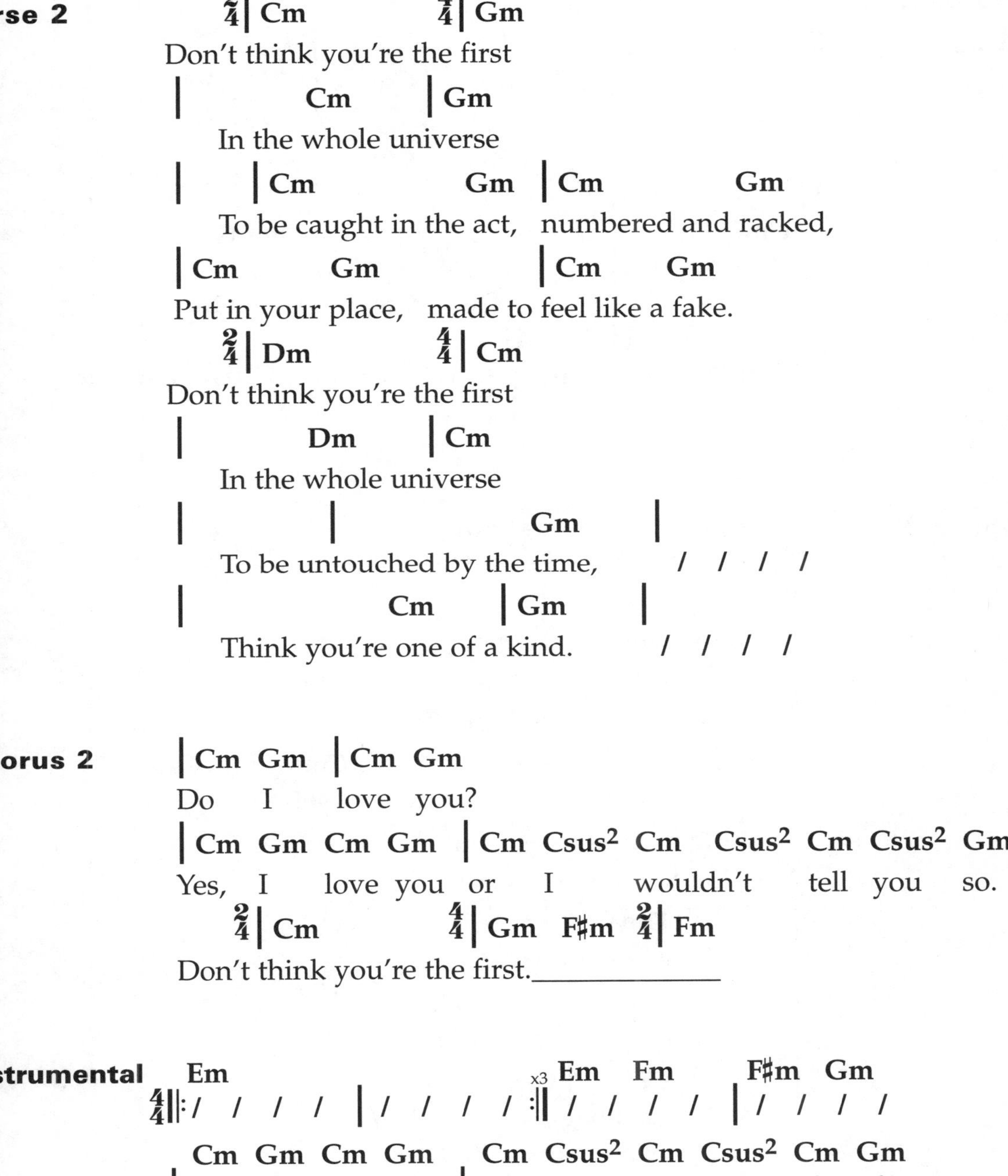
rse 2
2/4 | Cm 4/4 | Gm
Don't think you're the first
| Cm | Gm
In the whole universe
| | Cm Gm | Cm Gm
To be caught in the act, numbered and racked,
| Cm Gm | Cm Gm
Put in your place, made to feel like a fake.
2/4 | Dm 4/4 | Cm
Don't think you're the first
| Dm | Cm
In the whole universe
| | Gm |
To be untouched by the time, / / / /
| Cm | Gm |
Think you're one of a kind. / / / /
orus 2
| Cm Gm | Cm Gm
Do I love you?
| Cm Gm Cm Gm | Cm Csus2 Cm Csus2 Cm Csus2 Gm
Yes, I love you or I wouldn't tell you so.
2/4 | Cm 4/4 | Gm F♯m 2/4 | Fm
Don't think you're the first.
strumental
Em x3 Em Fm F♯m Gm
4/4 ||: / / / / | / / / / :|| / / / / | / / / /
Cm Gm Cm Gm Cm Csus2 Cm Csus2 Cm Gm
| / / / / | / / / /

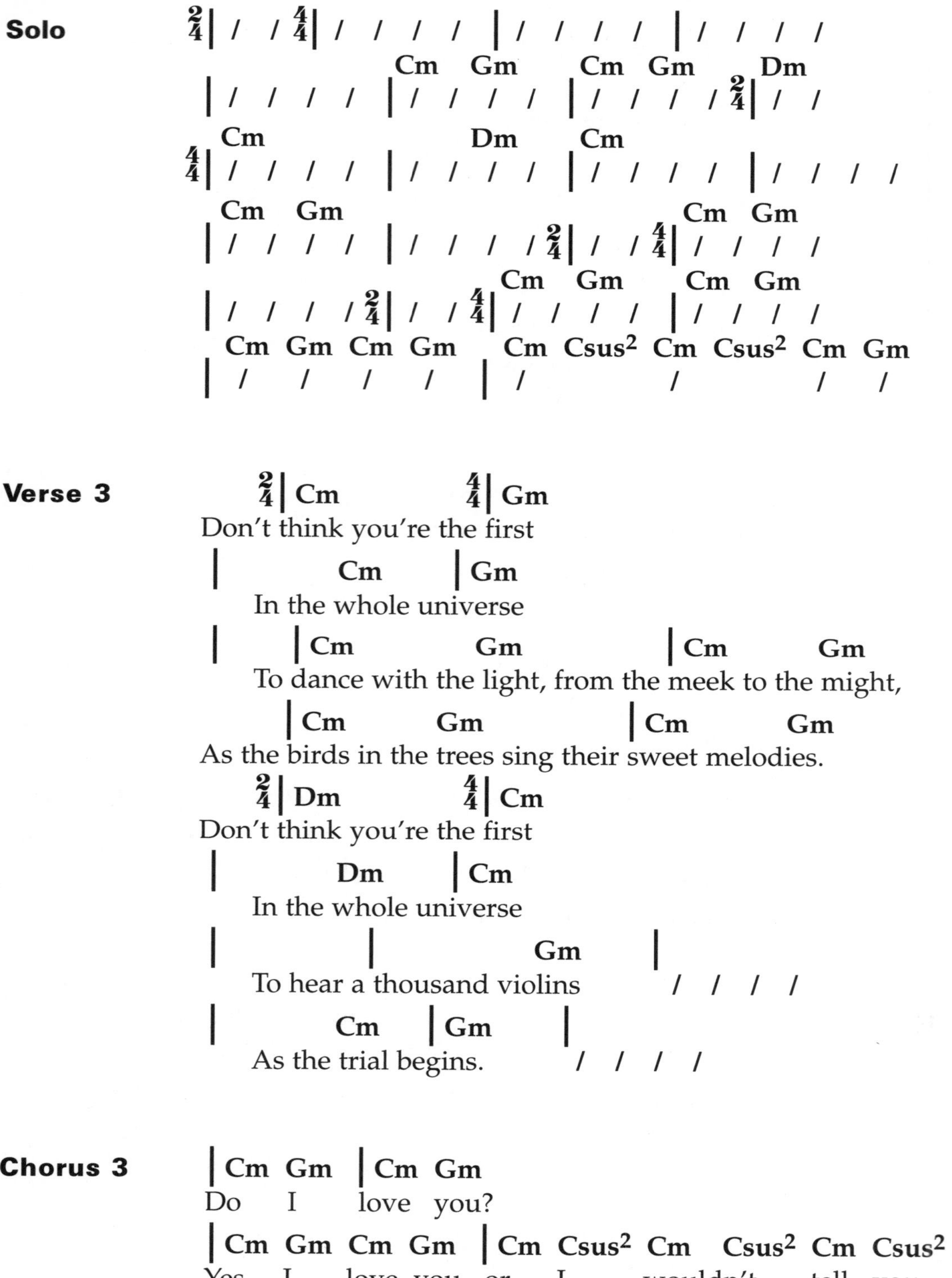
Harmonica Solo
Cm Gm Cm Gm
2/4 | / / 4/4 | / / / / | / / / / | / / / /
Cm Gm Cm Gm Dm
| / / / / | / / / / | / / / / 2/4 | / /
Cm Dm Cm
4/4 | / / / / | / / / / | / / / / | / / / /
Cm Gm Cm Gm
| / / / / | / / / / 2/4 | / / 4/4 | / / / /
Cm Gm Cm Gm
| / / / / 2/4 | / / 4/4 | / / / / | / / / /
Cm Gm Cm Gm Cm Csus2 Cm Csus2 Cm Gm
| / / / / | / / / /
Verse 3
2/4 | Cm 4/4 | Gm
Don't think you're the first
| Cm | Gm
In the whole universe
| | Cm Gm | Cm Gm
To dance with the light, from the meek to the might,
| Cm Gm | Cm Gm
As the birds in the trees sing their sweet melodies.
2/4 | Dm 4/4 | Cm
Don't think you're the first
| Dm | Cm
In the whole universe
| | Gm |
To hear a thousand violins / / / /
| Cm | Gm |
As the trial begins. / / / /
Chorus 3
| Cm Gm | Cm Gm
Do I love you?
| Cm Gm Cm Gm | Cm Csus2 Cm Csus2 Cm Csus2 G
Yes, I love you or I wouldn't tell you so

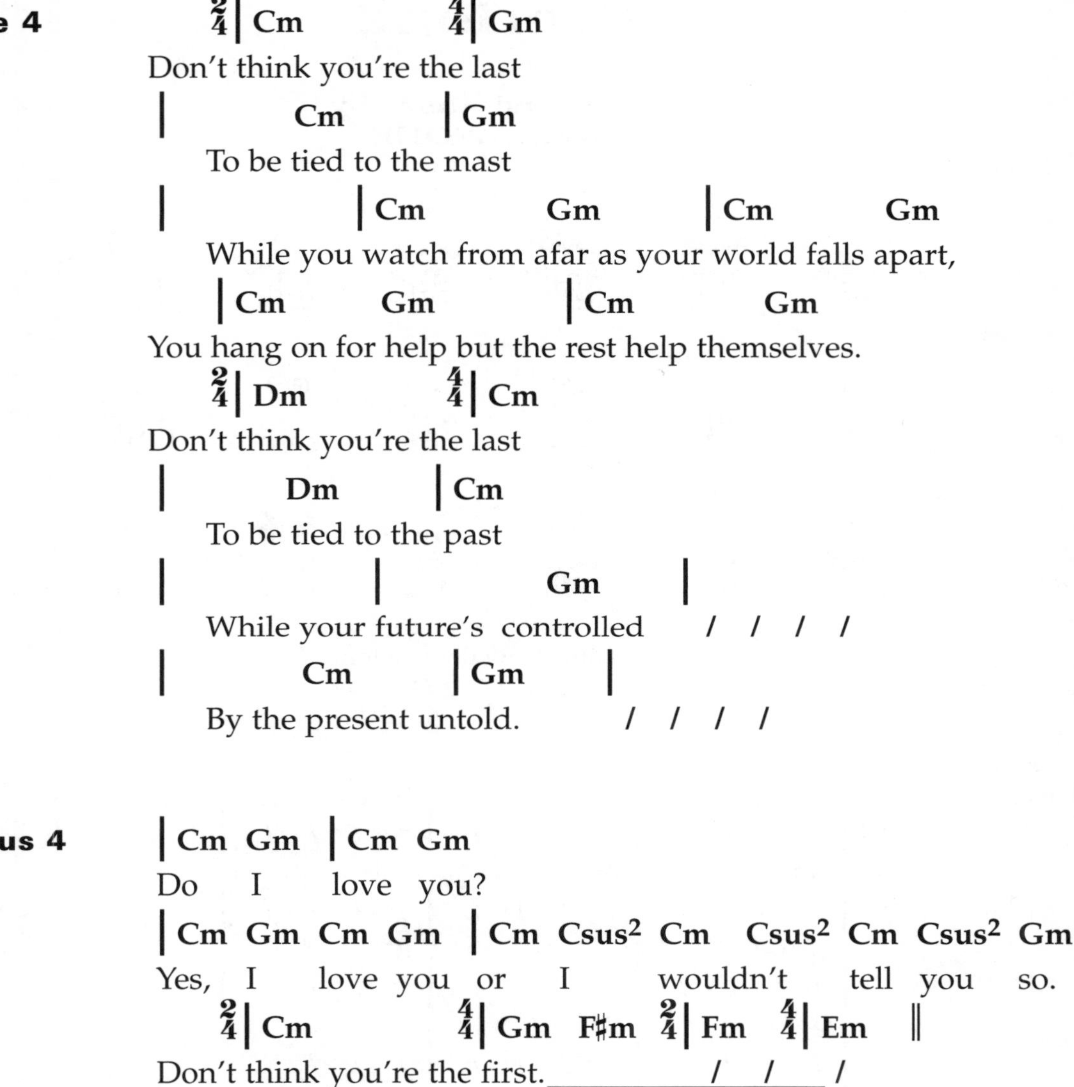

rse 4

2/4 | Cm 4/4 | Gm
Don't think you're the last
| Cm | Gm
To be tied to the mast
| | Cm Gm | Cm Gm
While you watch from afar as your world falls apart,
| Cm Gm | Cm Gm
You hang on for help but the rest help themselves.
2/4 | Dm 4/4 | Cm
Don't think you're the last
| Dm | Cm
To be tied to the past
| | Gm |
While your future's controlled / / / /
| Cm | Gm |
By the present untold. / / / /

orus 4

| Cm Gm | Cm Gm
Do I love you?
| Cm Gm Cm Gm | Cm Csus^2 Cm Csus^2 Cm Csus^2 Gm
Yes, I love you or I wouldn't tell you so.
2/4 | Cm 4/4 | Gm F♯m 2/4 | Fm 4/4 | Em ‖
Don't think you're the first.______ / / / /

Everlong

Words and Music by
DAVID GROHL

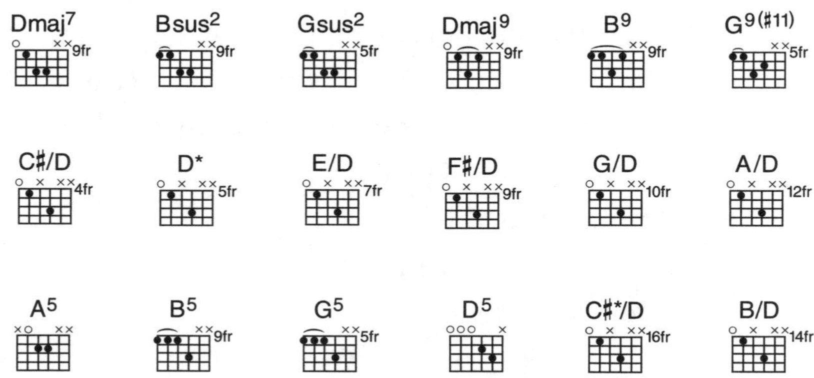

Tune 6th string down a tone
(D A D G B E)

♩ = 155

Intro

4/4
| **Dmaj^7** / / / / | / / / / | **Bsus^2** / / / / | / / / /
| **Gsus^2** / / / / | **Bsus^2** / / / / | / / / / :||
| **Dmaj^9** / / / / | / / / / | **B^9** / / / / | / / / /
| **G$^{9\sharp 11}$** / / / / | **B^9** / / / / | / / / /

Verse 1

| **Dmaj^9** | | **B^9** |
Hello – I've waited here for you
| **Gsus^2** | **Bsus^2** |
Everlong. / / / /
| **Dmaj^9** | | **B^9** |
Tonight I throw myself into
| **Gsus^2** | **Bsus^2** |
And out of the red, out of her head she sang.

nk

Dmaj⁹ B⁹
| / / / / | / / / / | / / / / | / / / /
G9♯11 B⁹
| / / / / | / / / / | / / / /

erse 2

| Dmaj⁹ | | B⁹ |
Come down – and waste away with me
| Gsus² | Bsus² |
Down with me. / / / /
| Dmaj⁹ | | B⁹ |
Show how you wanted it to be
| Gsus² | Bsus² |
I'm over my head, out of her head she sang.
| C♯/D D* E/D | F♯/D G/D A/D

horus

| A⁵ | C♯/D D* E/D | F♯/D G/D A/D
And I_____ wonder______
| A⁵ | C♯/D D* E/D | F♯/D G/D A/D
When I sing along with you____
| B⁵ | G⁵ | D⁵ |
If everything could ever feel this real forever? / / / /
| B⁵ | G⁵ | D⁵ |
If anything could ever be this good a - gain? / / / /
| B⁵ | G⁵
The only thing I'll ever ask of you
| D⁵ | A⁵ | G⁵
You've got to promise not to stop when I say____ when.
|
She sang.

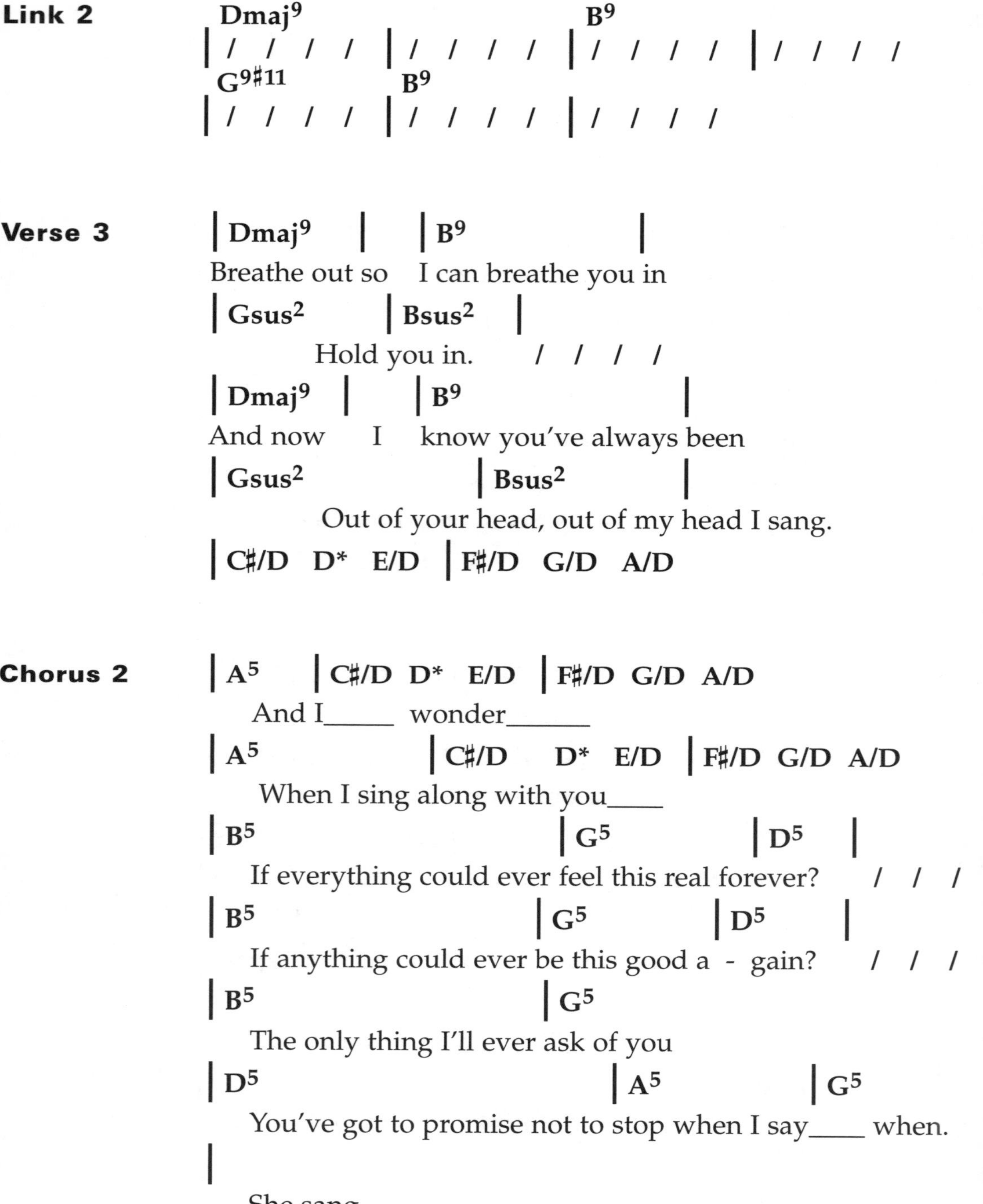

Link 2

Dmaj9 B9
| / / / / | / / / / | / / / / | / / / /
G9♯11 B9
| / / / / | / / / / | / / / /

Verse 3

| Dmaj9 | | B9 |
Breathe out so I can breathe you in
| Gsus2 | Bsus2 |
Hold you in. / / / /
| Dmaj9 | | B9 |
And now I know you've always been
| Gsus2 | Bsus2 |
Out of your head, out of my head I sang.
| C♯/D D* E/D | F♯/D G/D A/D

Chorus 2

| A5 | C♯/D D* E/D | F♯/D G/D A/D
And I_____ wonder______
| A5 | C♯/D D* E/D | F♯/D G/D A/D
When I sing along with you____
| B5 | G5 | D5 |
If everything could ever feel this real forever? / / /
| B5 | G5 | D5 |
If anything could ever be this good a - gain? / / /
| B5 | G5
The only thing I'll ever ask of you
| D5 | A5 | G5
You've got to promise not to stop when I say____ when.
|
She sang.

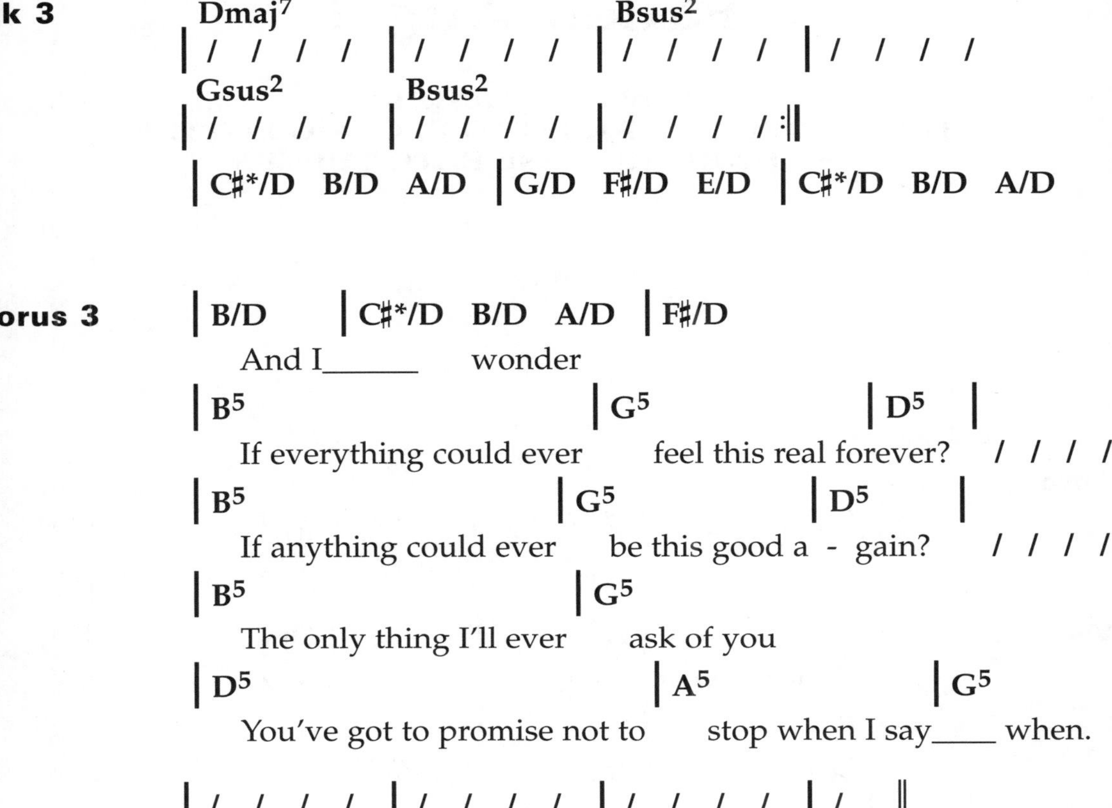
nk 3
Dmaj7 Bsus2
/ / / / | / / / / | / / / / | / / / /
Gsus2 Bsus2
/ / / / | / / / / | / / / / :||
C♯*/D B/D A/D | G/D F♯/D E/D | C♯*/D B/D A/D
horus 3
B/D | C♯*/D B/D A/D | F♯/D
And I______ wonder
B5 | G5 | D5 |
If everything could ever feel this real forever? / / / /
B5 | G5 | D5 |
If anything could ever be this good a - gain? / / / /
B5 | G5
The only thing I'll ever ask of you
D5 | A5 | G5
You've got to promise not to stop when I say____ when.
/ / / / | / / / / | / / / / | / ||

Fallen Angel

Words and Music by
GUY GARVEY, MARK POTTER, CRAIG POTTER,
RICHARD JUPP AND PETE TURNER

♩ = 85

Intro

```
   G7                                                   Dm
4/4| / / / / | / / / / | / / / / | / / / / | / / / /
```

Verse 1

```
|F              |G7        |           |Dm
All the fallen an - - gels   / / / /   / / / /
|F              |G7        |
Roosting in this place      / / / /
|Dm              |F                |G7     |
    Count back the weeks on worried fingers,      / / / /
|Dm      |F              |G7      |
    Virgin mother whats'erface.      / / / /
```

Chorus

```
|G7       |              |
You don't need to sleep alone,
    |
You bring the house down.
|               |
   Choose your favourite shoes
    |                  |              |Dm
And put your blues on cruise control.____
```

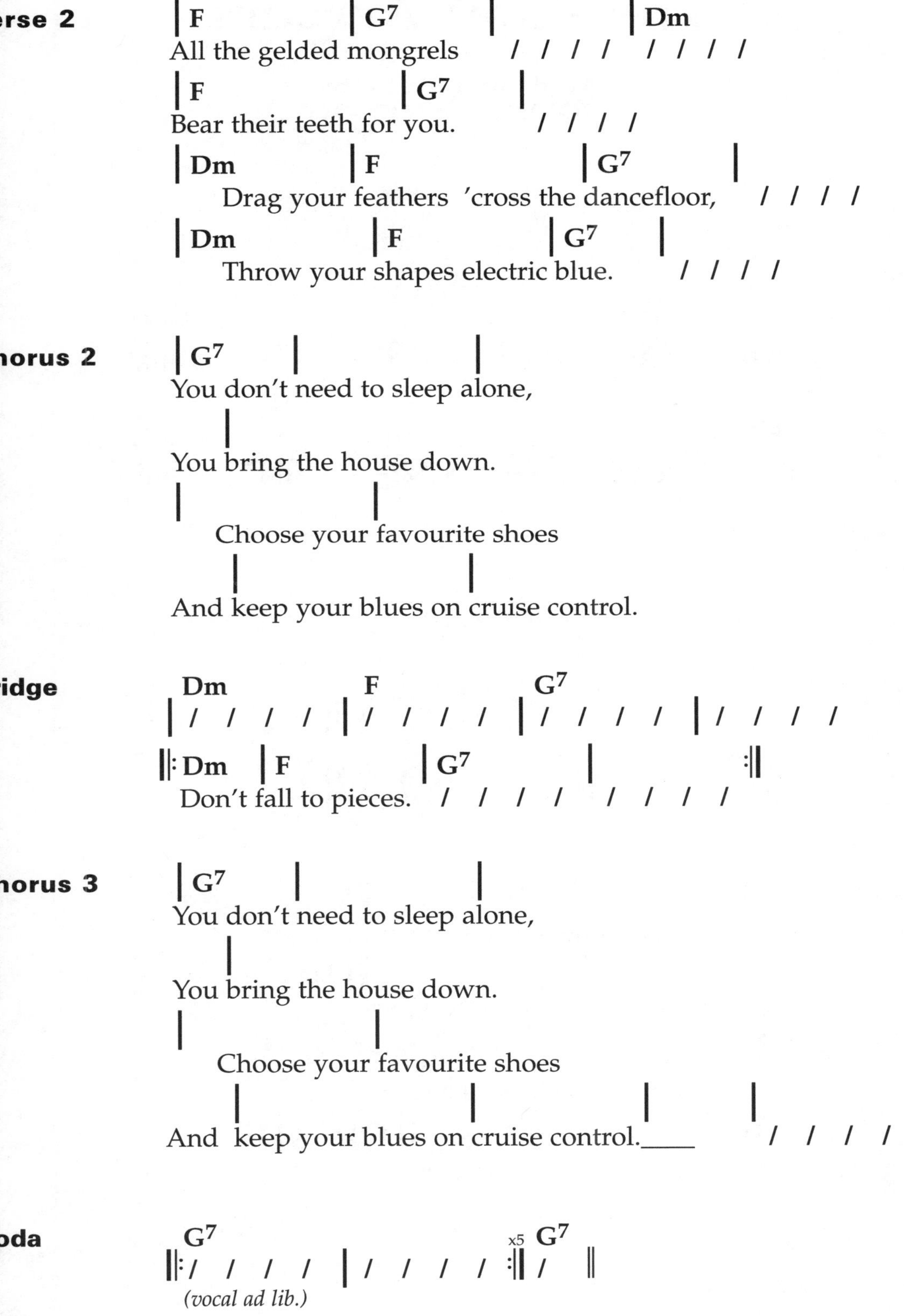

erse 2
F G7 Dm
All the gelded mongrels / / / / / / / /
F G7
Bear their teeth for you. / / / /
Dm F G7
Drag your feathers 'cross the dancefloor, / / / /
Dm F G7
Throw your shapes electric blue. / / / /
horus 2
G7
You don't need to sleep alone,
You bring the house down.
Choose your favourite shoes
And keep your blues on cruise control.
idge
Dm F G7
/ / / / / / / / / / / / / / / /
Dm F G7
Don't fall to pieces. / / / / / / / /
horus 3
G7
You don't need to sleep alone,
You bring the house down.
Choose your favourite shoes
And keep your blues on cruise control.____ / / / /
oda
G7 x5 G7
/ / / / / / / / /
(vocal ad lib.)

The Final Arrears

Words and Music by
COLIN MACINTYRE

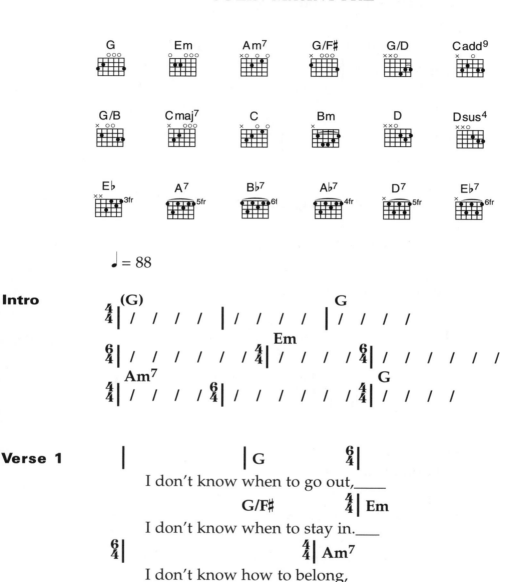

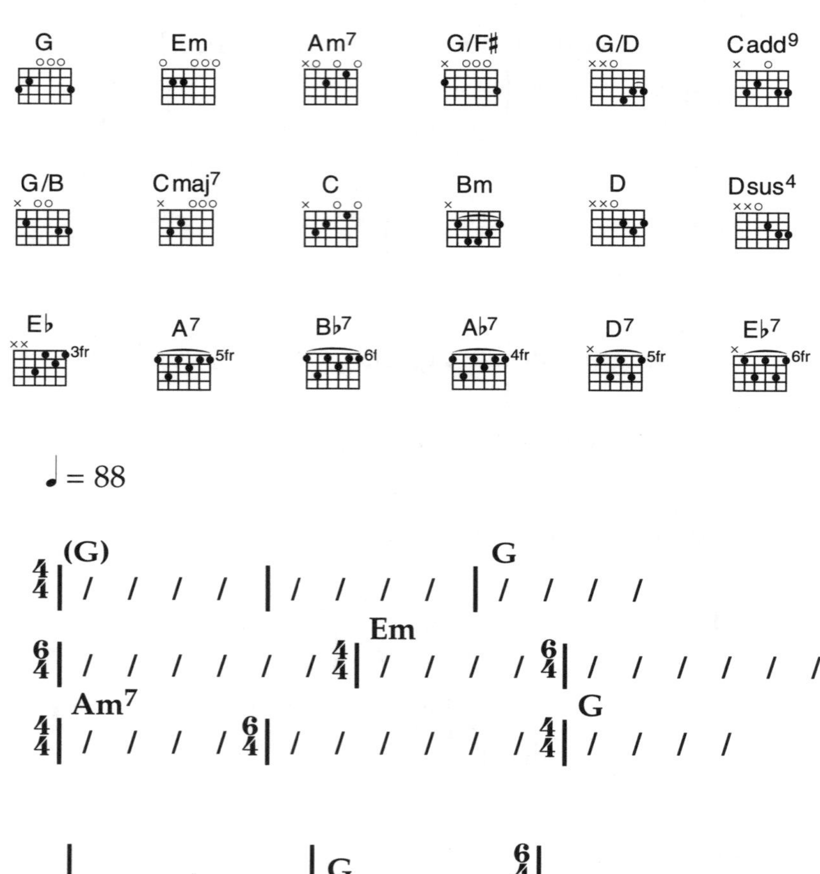

Intro

Verse 1

| | G | 6/4 |
I don't know when to go out,____
G/F♯ | 4/4 Em
I don't know when to stay in.___
6/4 | | 4/4 Am7
I don't know how to belong,
6/4 | | 4/4 G/D | G
I don't know where to begin. / / / /

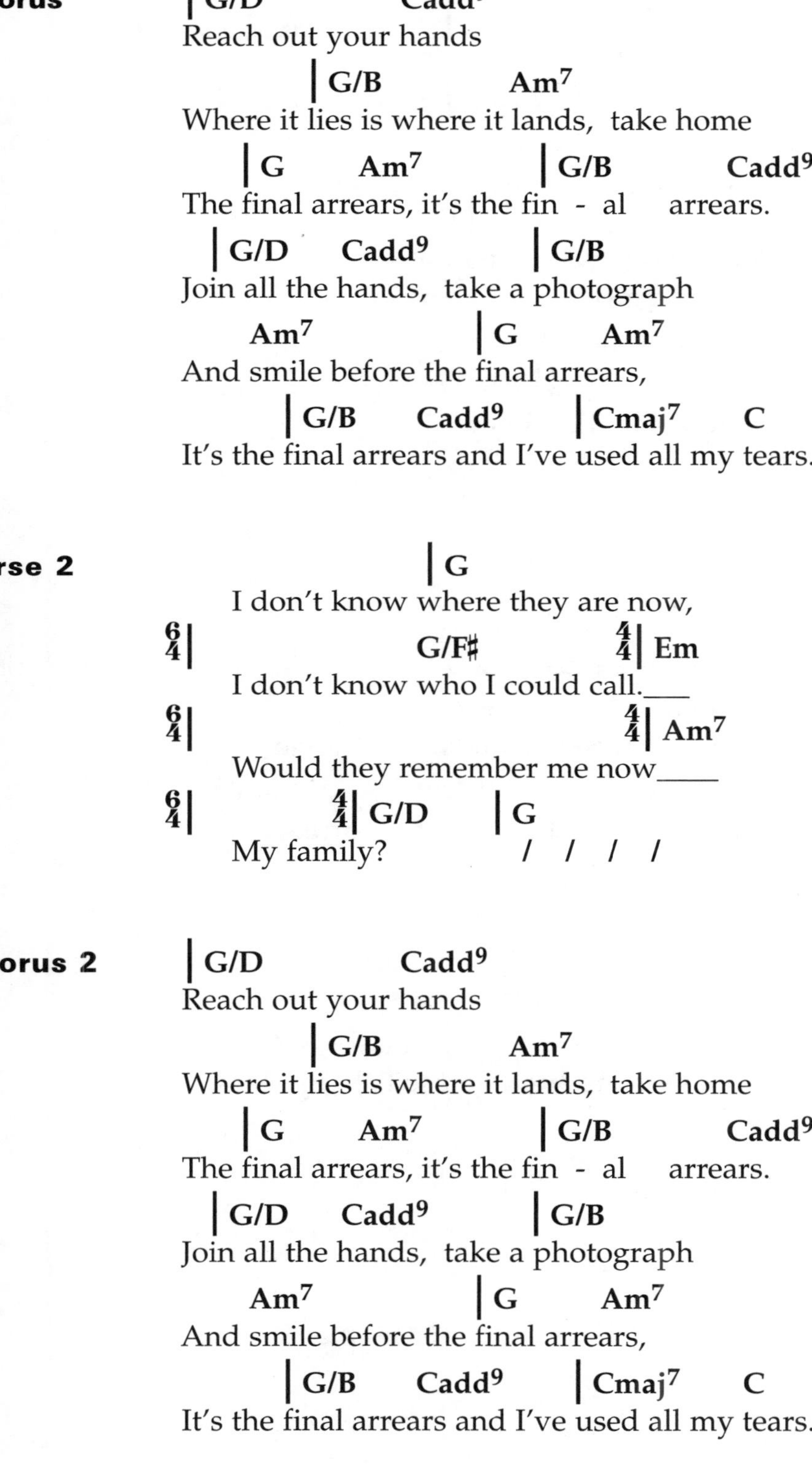

horus

| G/D Cadd^9
Reach out your hands
| G/B Am^7
Where it lies is where it lands, take home
| G Am^7 | G/B Cadd^9
The final arrears, it's the fin - al arrears.
| G/D Cadd^9 | G/B
Join all the hands, take a photograph
Am^7 | G Am^7
And smile before the final arrears,
| G/B Cadd^9 | Cmaj^7 C
It's the final arrears and I've used all my tears.

erse 2

| G
I don't know where they are now,
$\frac{6}{4}$| G/F♯ $\frac{4}{4}$| Em
I don't know who I could call.___
$\frac{6}{4}$| $\frac{4}{4}$| Am^7
Would they remember me now____
$\frac{6}{4}$| $\frac{4}{4}$| G/D | G
My family? / / / /

horus 2

| G/D Cadd^9
Reach out your hands
| G/B Am^7
Where it lies is where it lands, take home
| G Am^7 | G/B Cadd^9
The final arrears, it's the fin - al arrears.
| G/D Cadd^9 | G/B
Join all the hands, take a photograph
Am^7 | G Am^7
And smile before the final arrears,
| G/B Cadd^9 | Cmaj^7 C
It's the final arrears and I've used all my tears.

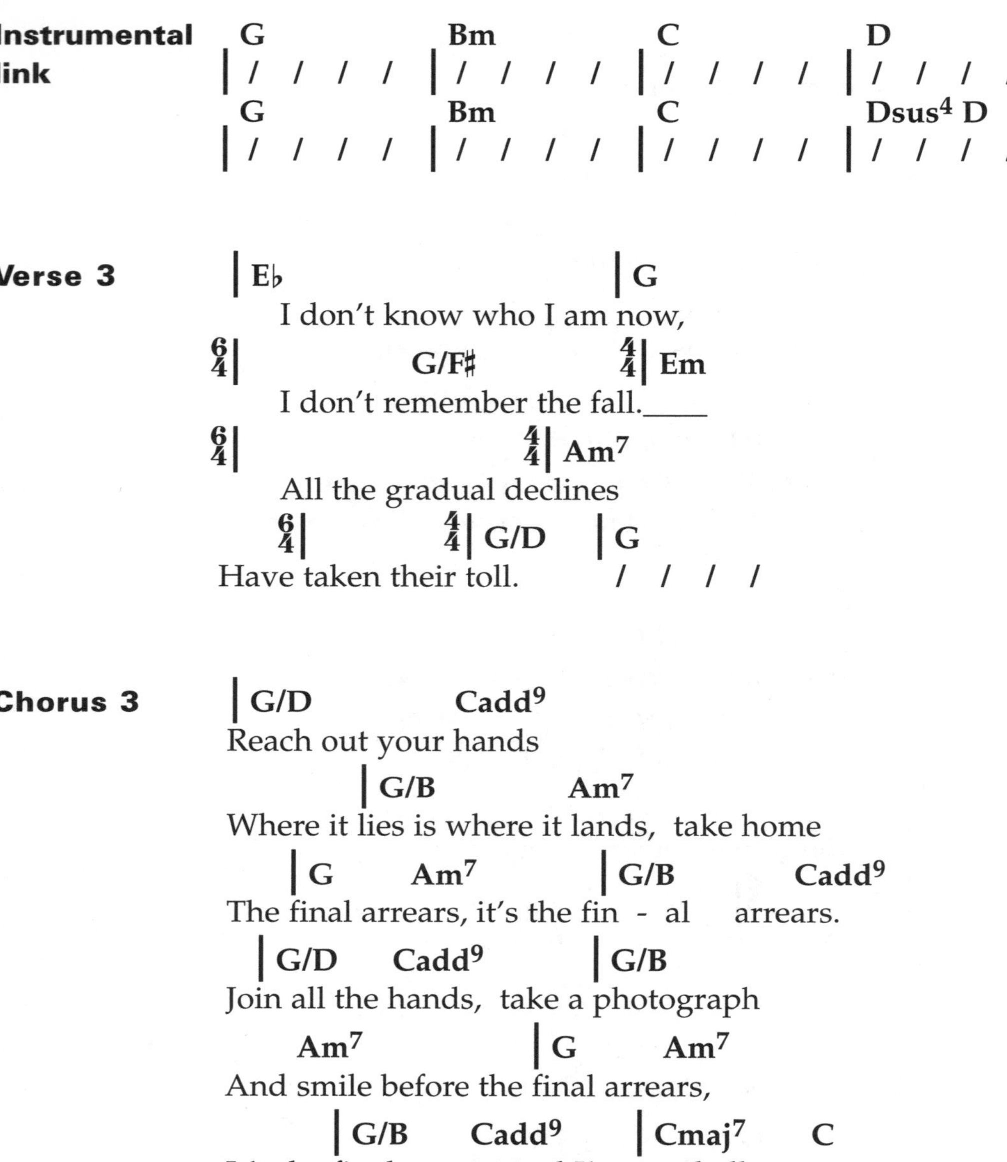

Instrumental link

| G / / / / | Bm / / / / | C / / / / | D / / / / |

| G / / / / | Bm / / / / | C / / / / | Dsus^4 D / / / / |

Verse 3

| E♭ | G
I don't know who I am now,
$\frac{6}{4}$| G/F♯ $\frac{4}{4}$| Em
I don't remember the fall.____
$\frac{6}{4}$| $\frac{4}{4}$| Am^7
All the gradual declines
$\frac{6}{4}$| $\frac{4}{4}$| G/D | G
Have taken their toll. / / / /

Chorus 3

| G/D Cadd^9
Reach out your hands
| G/B Am^7
Where it lies is where it lands, take home
| G Am^7 | G/B Cadd^9
The final arrears, it's the fin - al arrears.
| G/D Cadd^9 | G/B
Join all the hands, take a photograph
Am^7 | G Am^7
And smile before the final arrears,
| G/B Cadd^9 | Cmaj^7 C
It's the final arrears and I've used all my tears.

oda

| A7   Bb7 | Ab7   D7
Hold onto the photographs,
| A7   Bb7 | Ab7   Eb7
Hold onto your friends.
| A7   Bb7 | Ab7   D7
Make hay with the memories,
x4
||: A7   Bb7 | Ab7   Eb7 :||
They're part of the pain I'm feeling now,____
||: Ab7 | :|| *Repeat ad lib. to end*
Feeling now, feeling now, feeling now.

Forget About Tomorrow

Words and Music by
GRANT NICHOLAS

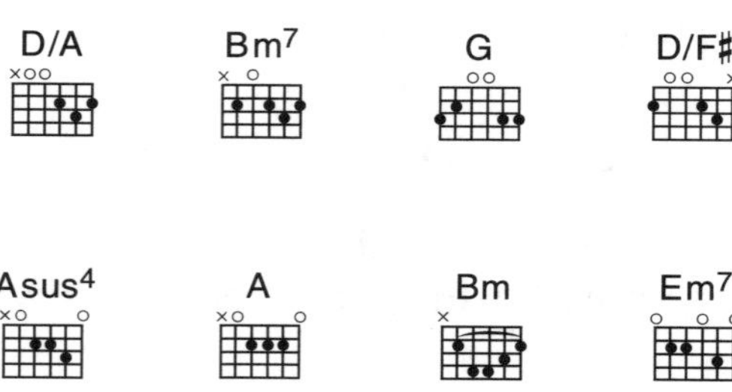

♩ = 68

Intro

4/4 | **D/A Bm7** / / / / | **D/A Bm7** / / / /

Verse 1

| **D/A Bm7** | **D/A Bm7**
Call - ing, distort - ing,
| **G D/F♯ Asus4** | **G D/F♯ Asus4**
Reach the ends for you, burn a hole right through.
| **D/A Bm7** | **D/A Bm7**
Talk - ing, we keep talk - ing
| **G D/F♯ Asus4** | **G D/F♯ Asus4**
Filling emp-ty space in this lonely frame
| **G D/F♯ Asus4** | **D/F♯**
As the im - age fades in to one.

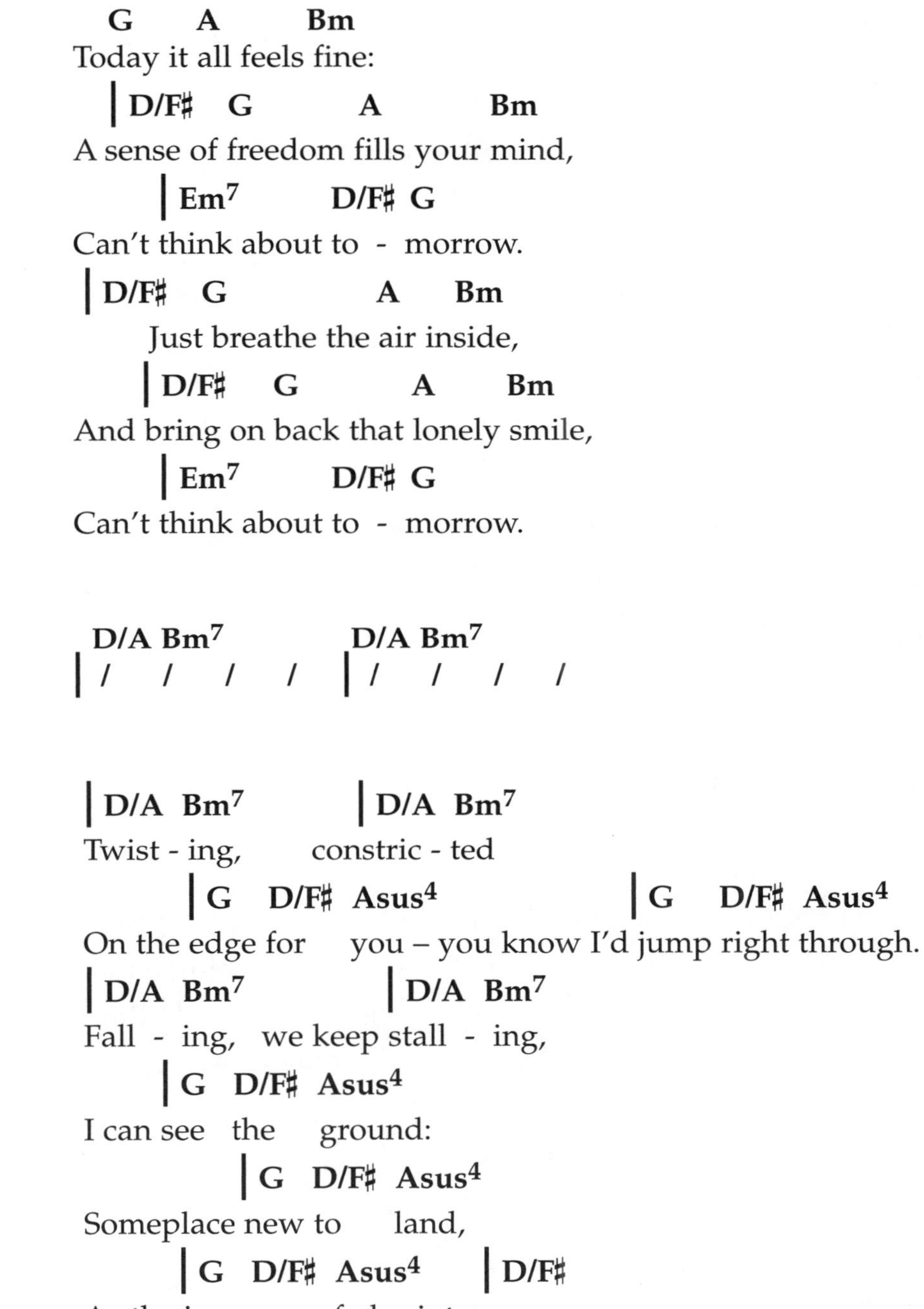
Chorus
G A Bm
Today it all feels fine:
| D/F♯ G A Bm
A sense of freedom fills your mind,
| Em7 D/F♯ G
Can't think about to - morrow.
| D/F♯ G A Bm
Just breathe the air inside,
| D/F♯ G A Bm
And bring on back that lonely smile,
| Em7 D/F♯ G
Can't think about to - morrow.
Link
D/A Bm7 D/A Bm7
| / / / / | / / / /
Verse 2
| D/A Bm7 | D/A Bm7
Twist - ing, constric - ted
| G D/F♯ Asus4 | G D/F♯ Asus4
On the edge for you – you know I'd jump right through.
| D/A Bm7 | D/A Bm7
Fall - ing, we keep stall - ing,
| G D/F♯ Asus4
I can see the ground:
| G D/F♯ Asus4
Someplace new to land,
| G D/F♯ Asus4 | D/F♯
As the im - age fades into one.

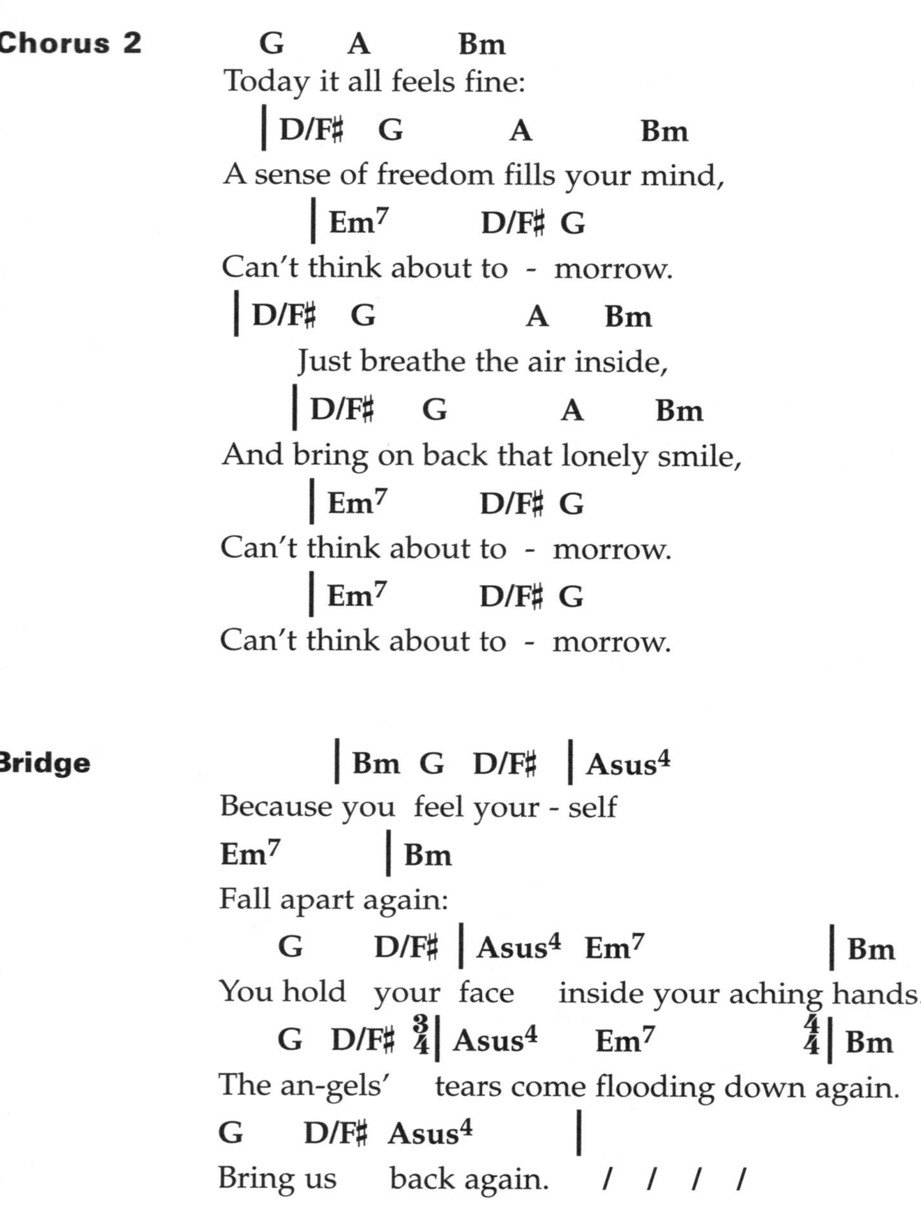

Chorus 2

G A Bm
Today it all feels fine:
| D/F♯ G A Bm
A sense of freedom fills your mind,
| Em7 D/F♯ G
Can't think about to - morrow.
| D/F♯ G A Bm
Just breathe the air inside,
| D/F♯ G A Bm
And bring on back that lonely smile,
| Em7 D/F♯ G
Can't think about to - morrow.
| Em7 D/F♯ G
Can't think about to - morrow.

Bridge

| Bm G D/F♯ | Asus4
Because you feel your - self
Em7 | Bm
Fall apart again:
G D/F♯ | Asus4 Em7 | Bm
You hold your face inside your aching hands.
G D/F♯ 3/4 | Asus4 Em7 4/4 | Bm
The an-gels' tears come flooding down again.
G D/F♯ Asus4 |
Bring us back again. / / / /

Link

D/A Bm7 D/A Bm7
| / / / / | / / / /

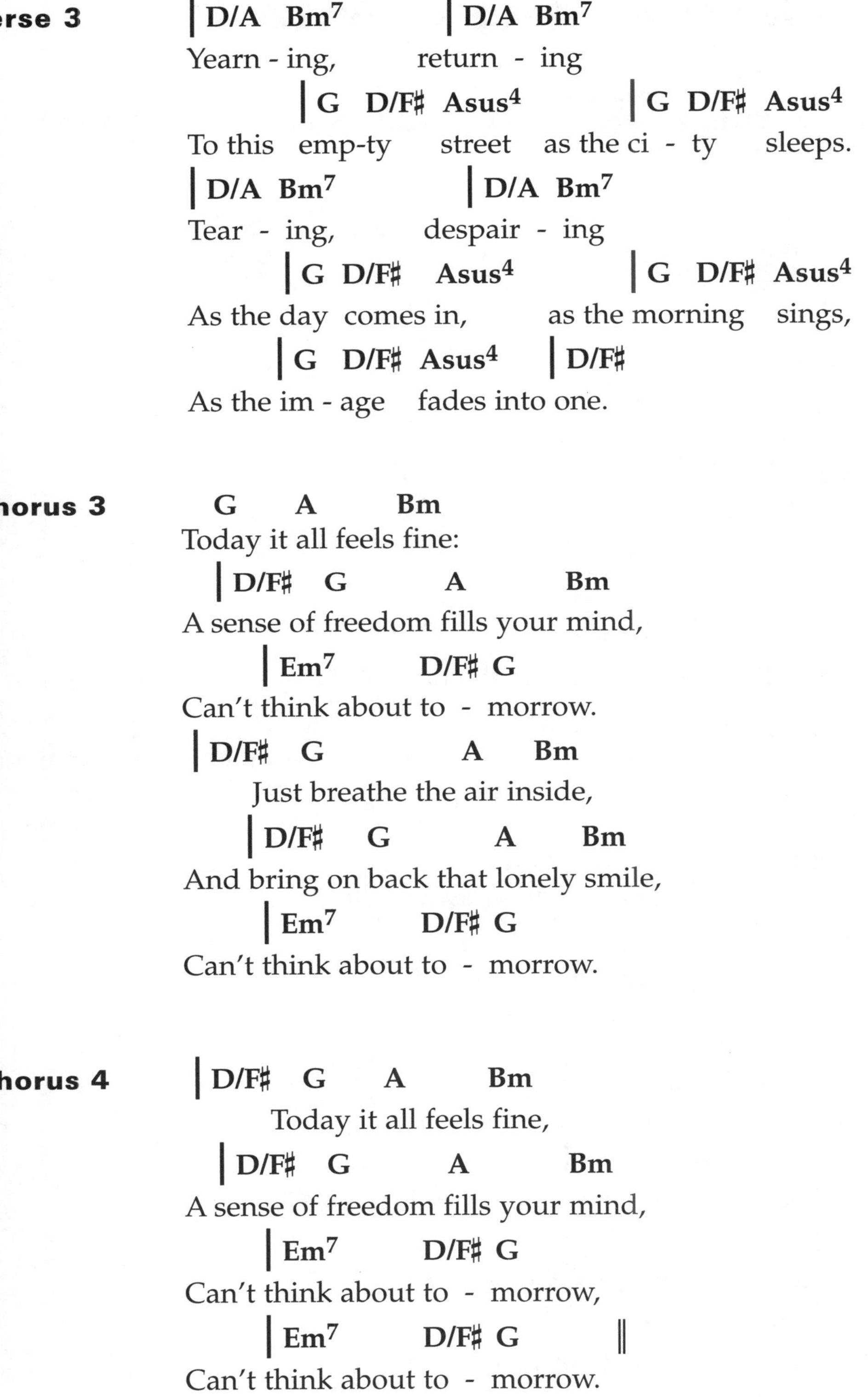

erse 3

| D/A Bm^7 | D/A Bm^7
Yearn - ing, return - ing
| G D/F♯ Asus^4 | G D/F♯ Asus^4
To this emp-ty street as the ci - ty sleeps.
| D/A Bm^7 | D/A Bm^7
Tear - ing, despair - ing
| G D/F♯ Asus^4 | G D/F♯ Asus^4
As the day comes in, as the morning sings,
| G D/F♯ Asus^4 | D/F♯
As the im - age fades into one.

horus 3

G A Bm
Today it all feels fine:
| D/F♯ G A Bm
A sense of freedom fills your mind,
| Em^7 D/F♯ G
Can't think about to - morrow.
| D/F♯ G A Bm
Just breathe the air inside,
| D/F♯ G A Bm
And bring on back that lonely smile,
| Em^7 D/F♯ G
Can't think about to - morrow.

horus 4

| D/F♯ G A Bm
Today it all feels fine,
| D/F♯ G A Bm
A sense of freedom fills your mind,
| Em^7 D/F♯ G
Can't think about to - morrow,
| Em^7 D/F♯ G ‖
Can't think about to - morrow.

Getting Away With It

Words and Music by
JOHNNY MARR, BERNARD SUMNER AND NEIL TENNANT

Gm7 C F E♭maj7 Gm

♩ = 123

Intro

```
  Gm7                     C
4/4| / / / / | / / / / | / / / / | / / / / :||
  Gm7                     C
 | / / / / | / / / / | / / / /
```

Verse 1

```
|        |Gm7            |                    |C
    I've been walking in the rain just to get wet on purpose,
|C    F      |Gm7             |                 |C
 / / / I've been forcing myself not to forget just to  feel worse
```

Chorus

```
|C    F       |Gm7
 / / / I've been getting away with it
|         |C         F
All   my   life  (getting away).
```

Bridge

```
     |E♭maj7    |F
However I look it's clear to see
      |Gm       |C
That I love you more than you love me.
|E♭maj7         |F
However I look it's clear to see
|Gm                |
I love you more than you love me.
```

Verse 2

```
|Gm7                |                 |C
I hate that mirror, it makes me feel so worthless.
|C    F          |Gm7                    |
 / / /  I'm an original sinner  but when I'm with you
          |C
I couldn't    care less.
```

Chorus 2

```
|C    F           |Gm7                  |        |C
 / / /  I've been getting away with it all   my   life.
|        F        |Gm7  |          |C     |        F
Getting away with it        all   my   life    (getting away).
```

Bridge 2

```
     |E♭maj7     |F
However I look it's clear to see
     |Gm         |C
That I love you more than you love me.
     |E♭maj7     |F
However I look it's clear to see
|Gm                   |            |E♭maj7    |F
I love you more than you love me.______         / / / /
|Gm                  |C            |E♭maj7    |F
I love you more than you love me.______         / / / /
|Gm              |
    (More than you love me).___
```

Verse 3

```
|Gm7                |                 |C                |
I thought I gave up falling in love a long, long time ago.
        |Gm7       |                    |C             |
I guess I like it but I can't tell you,    you shouldn't really know.
```

Chorus 3

| Gm7 | | C
And it's been true all my life.
| F | Gm7 | | C | F |
Yes, it's been true all my life. / / / /

Guitar solo

Ebmaj7 F Gm C
| / / / / | / / / / | / / / / | / / / /
Ebmaj7 F Gm
| / / / / | / / / / | / / / /

Verse 4

| | Gm7 | | C
I've been talking to myself just to suggest that I'm selfish
| F
(Getting ahead).
| Gm7 | | C
I've been trying to impress that more is less and I'm repressed
| F
(I should do what he said).

Bridge 3

| Ebmaj7 | F
However I look it's clear to see
| Gm | C
That I love you more than you love me.
| Ebmaj7 | F
However I look it's clear to see
| Gm | | Ebmaj7 | F
I love you more than you love me.______ / / / /
| Gm |
I love you more than you love me.

oda

E♭maj⁷ F Gm C
‖: / / / / | / / / / | / / / / | / / / /

E♭maj⁷ F Gm
| / / / / | / / / / | / / / / | / / / / :‖

| E♭maj⁷ | F | Gm | C
Getting away with it. / / / /

| E♭maj⁷ | F | Gm | C
Getting away with it. / / / /

E♭maj⁷ F Gm C
‖: / / / / | / / / / | / / / / | / / / /

E♭maj⁷ F Gm
| / / / / | / / / / | / / / / | / / / / :‖

Repeat to fade

Go To Sleep

Words and Music by
THOMAS YORKE, PHILIP SELWAY, EDWARD O'BRIEN,
JONATHAN GREENWOOD AND COLIN GREENWOOD

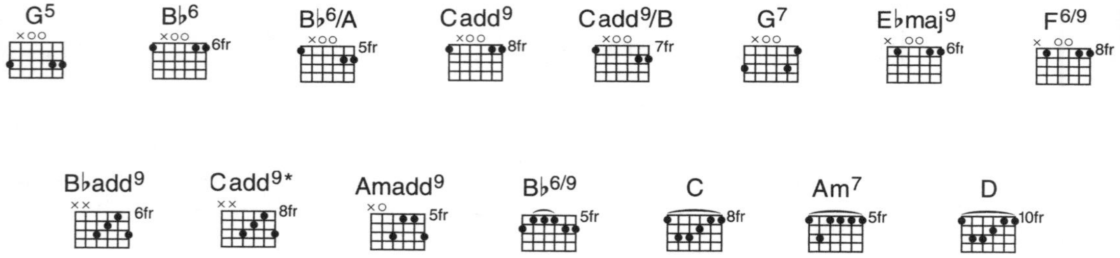

G5 Bb6 Bb6/A Cadd9 Cadd9/B G7 Ebmaj9 F6/9

Bbadd9 Cadd9* Amadd9 Bb6/9 C Am7 D

♩ = 153

Intro

4/4 G5 / / / / | 6/8 Bb6 / Bb6/A / | Cadd9 / Cadd9/B / :| x4

Verse 1

4/4 G5 | 6/8 Bb6 Bb6/A | Cadd9 Cadd9/B | 4/4 G5 G7
Something for___ the rag and bone___ man___

6/8 Bb6 / Bb6/A / | Cadd9 / Cadd9/B /

4/4 G5 | 6/8 Bb6 Bb6/A | Cadd9 Cadd9/B | 4/4 G5
"Over my dead bo - - - - - dy."_____

6/8 Bb6 / Bb6/A / | Cadd9 / Cadd9/B /

4/4 G5 | 6/8 Bb6 Bb6/A | Cadd9 Cadd9/B | 4/4 G5 G7
Something big is gon - - - na hap - pen,______

6/8 Bb6 / Bb6/A / | Cadd9 / Cadd9/B /

4/4 G5 | 6/8 Bb6 Bb6/A | Cadd9 Cadd9/B | 4/4 G5
"Over my dead bo - - - - - dy."_____

6/8 Bb6 / Bb6/A / | Cadd9 / Cadd9/B /

nk

G5 G7 Eb maj9 Bb6 F6/9 Cadd9
4/4 | / / / / 6/8 | / / | / /

erse 2

4/4 | G5 6/8 | Bb6 Bb6/A | Cadd9 Cadd9/B 4/4 | G5 G7
Someone's son or some - one's daughter_______

Eb maj9 Bb6 F6/9 Cadd9
6/8 | / / | / /

4/4 | G5 6/8 | Bb6 Bb6/A | Cadd9 Cadd9/B 4/4 | G5
"Over my dead bo - - - - - dy."_____

Eb maj9 Bb6 F6/9 Cadd9
6/8 | / / | / /

4/4 | G5 6/8 | Bb6 Bb6/A | Cadd9 Cadd9/B 4/4 | G5 G7
This is how___ I end up sucked in______

Eb maj9 Bb6 F6/9 Cadd9
6/8 | / / | / /

4/4 | G5 6/8 | Bb6 Bb6/A | Cadd9 Cadd9/B 4/4 | G5
"Over my dead bo - - - - - dy."_____

Bb6 Bb6/A Cadd9 Cadd9/B
6/8 | / / | / /

ridge

| Bb add9 | Cadd9*
I'm gonna go to sleep
| Bb add9 | Amadd9 | G5 | Bb6/9
And let this wash all over me.___ / / / /

nk

G5 Bb6/9 G5 Bb6/9
| / / / / | / / / / | / / / / | / / / / |

C G5
| / / / / | / / / /

Bridge 2

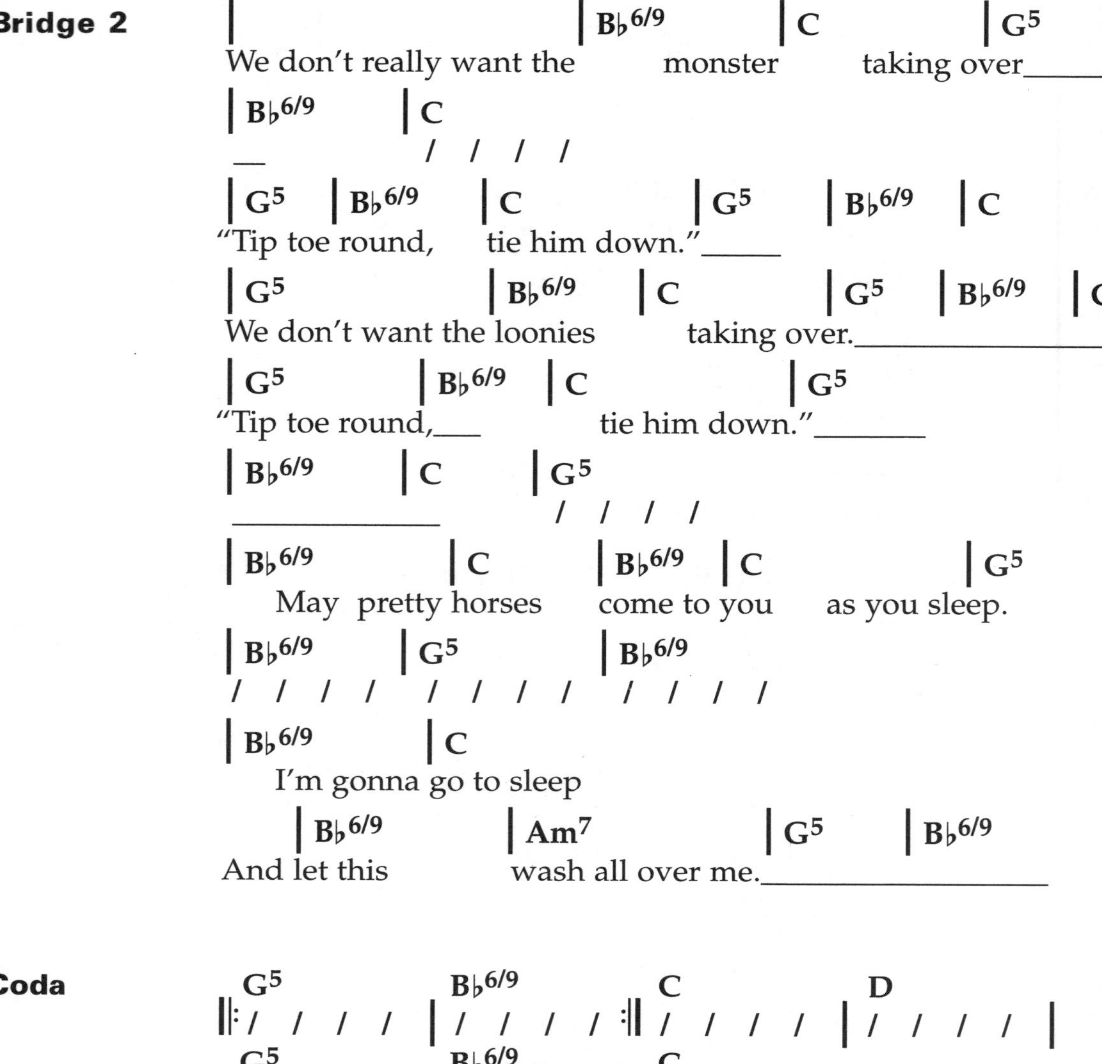

| | B♭6/9 | C | G5
We don't really want the monster taking over_____
| B♭6/9 | C
__ / / / /
| G5 | B♭6/9 | C | G5 | B♭6/9 | C
"Tip toe round, tie him down."_____
| G5 | B♭6/9 | C | G5 | B♭6/9 | C
We don't want the loonies taking over.________________
| G5 | B♭6/9 | C | G5
"Tip toe round,___ tie him down."_______
| B♭6/9 | C | G5
_____________ / / / /
| B♭6/9 | C | B♭6/9 | C | G5
May pretty horses come to you as you sleep.
| B♭6/9 | G5 | B♭6/9
/ / / / / / / / / / / /
| B♭6/9 | C
I'm gonna go to sleep
| B♭6/9 | Am7 | G5 | B♭6/9
And let this wash all over me._________________

Coda

G5 B♭6/9 C D
‖: / / / / | / / / / :‖ / / / / | / / / / |

G5 B♭6/9 C
‖: / / / / | / / / / | / / / / :‖ *(repeat to fade)*

Grace

Words and Music by
DANIEL GOFFEY, GARETH COOMBES,
MICHAEL QUINN AND ROBERT COOMBES

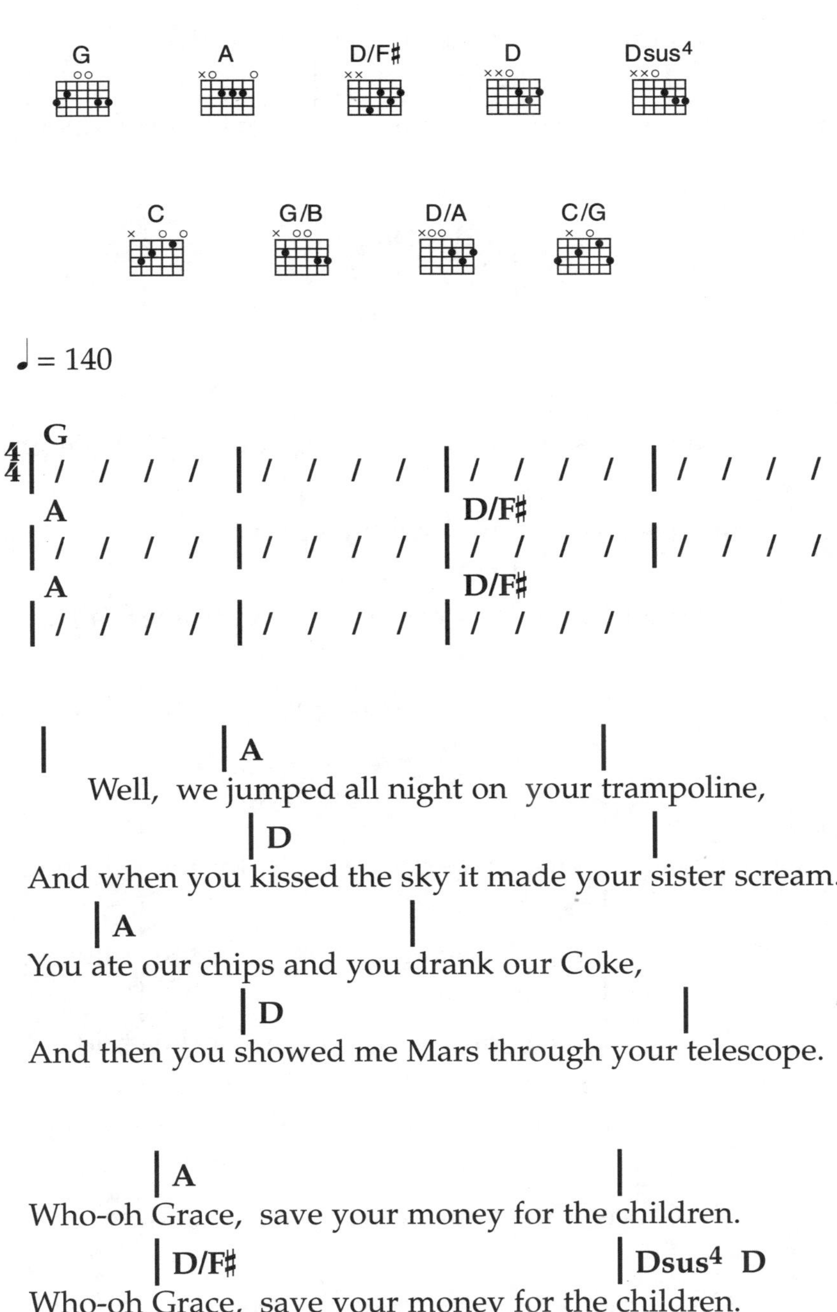
G
A
D/F♯
D
Dsus4
C
G/B
D/A
C/G
♩ = 140
tro
G
A D/F♯
A D/F♯
erse 1
A
Well, we jumped all night on your trampoline,
D
And when you kissed the sky it made your sister scream.
A
You ate our chips and you drank our Coke,
D
And then you showed me Mars through your telescope.
horus
A
Who-oh Grace, save your money for the children.
D/F♯ Dsus4 D
Who-oh Grace, save your money for the children.

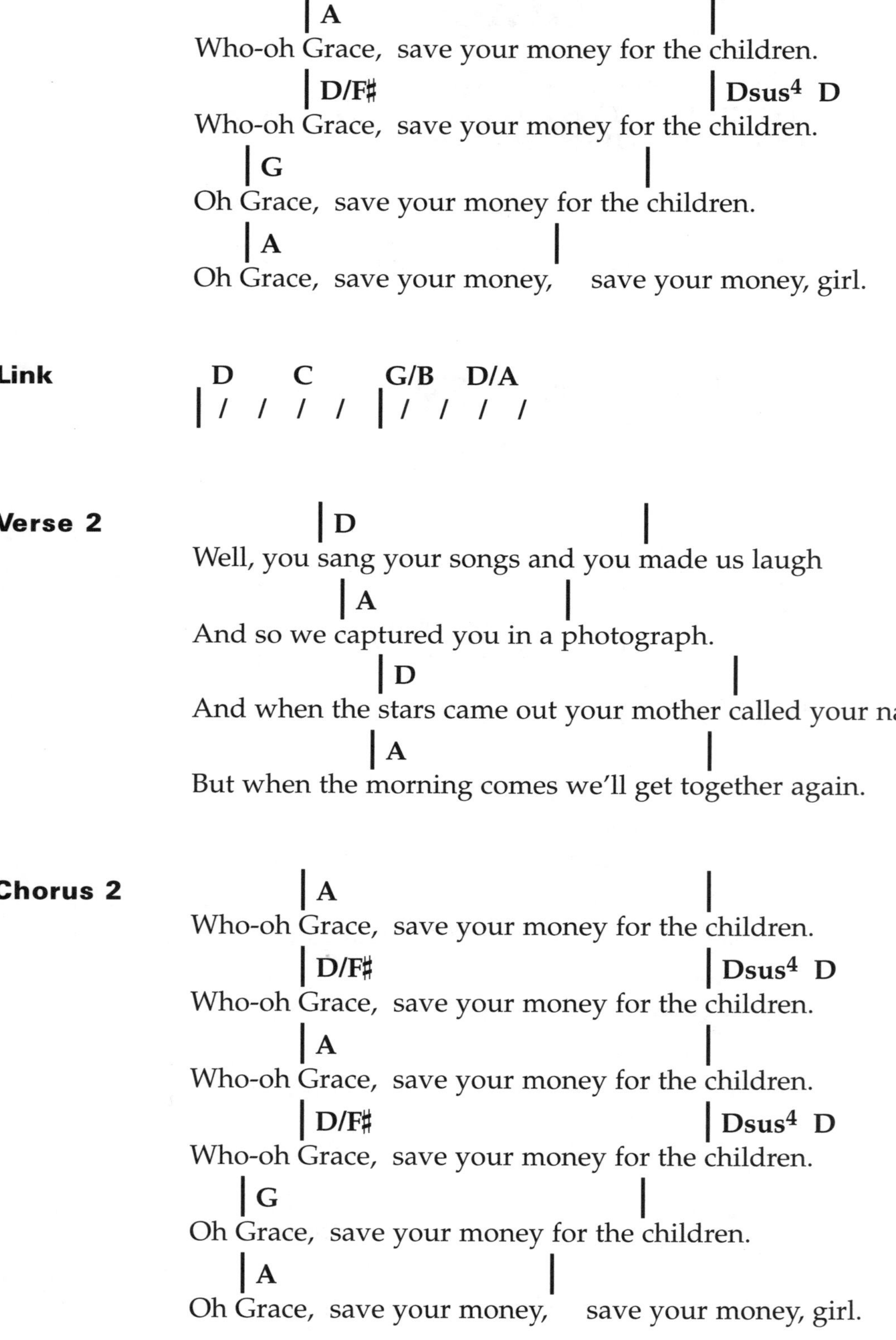

| A |
Who-oh Grace, save your money for the children.
| D/F♯ | Dsus4 D
Who-oh Grace, save your money for the children.
| G |
Oh Grace, save your money for the children.
| A |
Oh Grace, save your money, save your money, girl.

Link

D C G/B D/A
| / / / / | / / / /

Verse 2

| D |
Well, you sang your songs and you made us laugh
| A |
And so we captured you in a photograph.
| D |
And when the stars came out your mother called your name
| A |
But when the morning comes we'll get together again.

Chorus 2

| A |
Who-oh Grace, save your money for the children.
| D/F♯ | Dsus4 D
Who-oh Grace, save your money for the children.
| A |
Who-oh Grace, save your money for the children.
| D/F♯ | Dsus4 D
Who-oh Grace, save your money for the children.
| G |
Oh Grace, save your money for the children.
| A |
Oh Grace, save your money, save your money, girl.

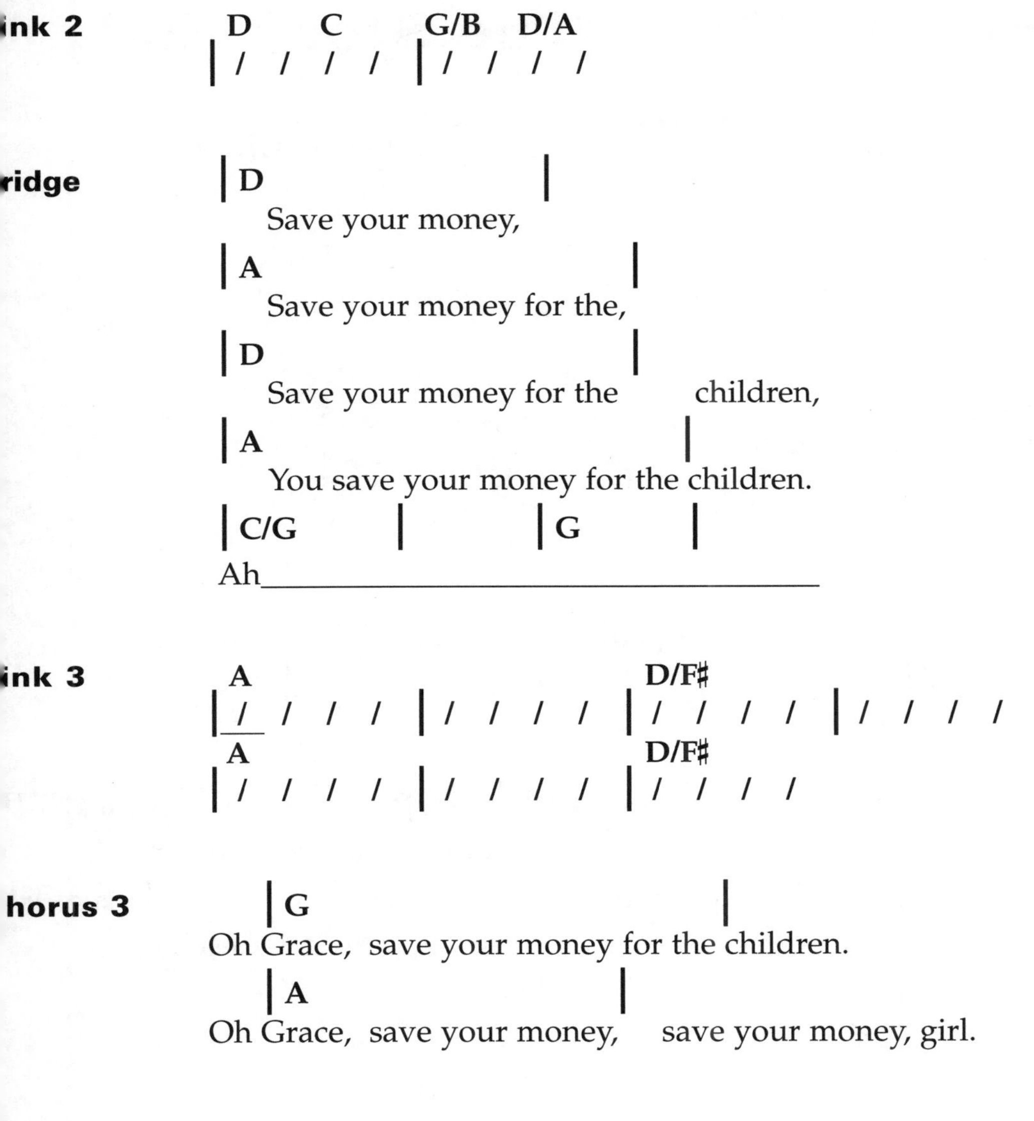

ink 2

```
 D      C      G/B   D/A
| / / / / | / / / /
```

ridge

```
| D                  |
   Save your money,
| A                        |
   Save your money for the,
| D                        |
   Save your money for the      children,
| A                                 |
   You save your money for the children.
| C/G      |        | G        |
Ah_________________________________
```

ink 3

```
 A                 D/F♯
| / / / / | / / / / | / / / / | / / / /
 A                 D/F♯
| / / / / | / / / / | / / / /
```

horus 3

```
    | G                          |
Oh Grace,  save your money for the children.
    | A                    |
Oh Grace,  save your money,    save your money, girl.
```

oda

```
 D      C      G/B   D/A    D      C      G/B   D/A
| / / / / | / / / / | / / / / | / / / / ||
```

Here's Where The Story Ends

Words and Music by
HARRIET WHEELER AND DAVID GAVURIN

Gmaj7 Cmaj7(♯11) Gmaj7* C9(♯11) Cmaj9

G Gmaj7/D Cadd9/E Gmaj7add13 2fr

♩ = 106

Intro

4/4 | Gmaj7 / / / / | Cmaj7(♯11) / / / / | Gmaj7 / / / / | Cmaj7(♯11) / / / / |

Verse 1

| Gmaj7 | Cmaj7(♯11) | Gmaj7 | Cmaj7(♯11)
People I know, places I go, make me feel tongue-tied.______
| Gmaj7 | Cmaj7(♯11) | Gmaj7 | Cmaj7(♯11)
I can see how people look down – they're on the inside._____
| Gmaj7 | Cmaj7(♯11) | Gmaj7 | Cmaj7(♯11)
Here's where the story ends.

Verse 2

| Gmaj7 | Cmaj7(♯11) | Gmaj7 | Cmaj7(♯11)
People I see weary of me showing my good side.______
| Gmaj7 | Cmaj7(♯11) | Gmaj7 | Cmaj7(♯11)
I can see how people look down – I'm on the outside.______
| Gmaj7* | C9(♯11) | Gmaj7* | C9(♯11)
Here's where the story ends.
| Gmaj7* | C9(♯11) | Gmaj7*
Ooh, here's where the story ends.

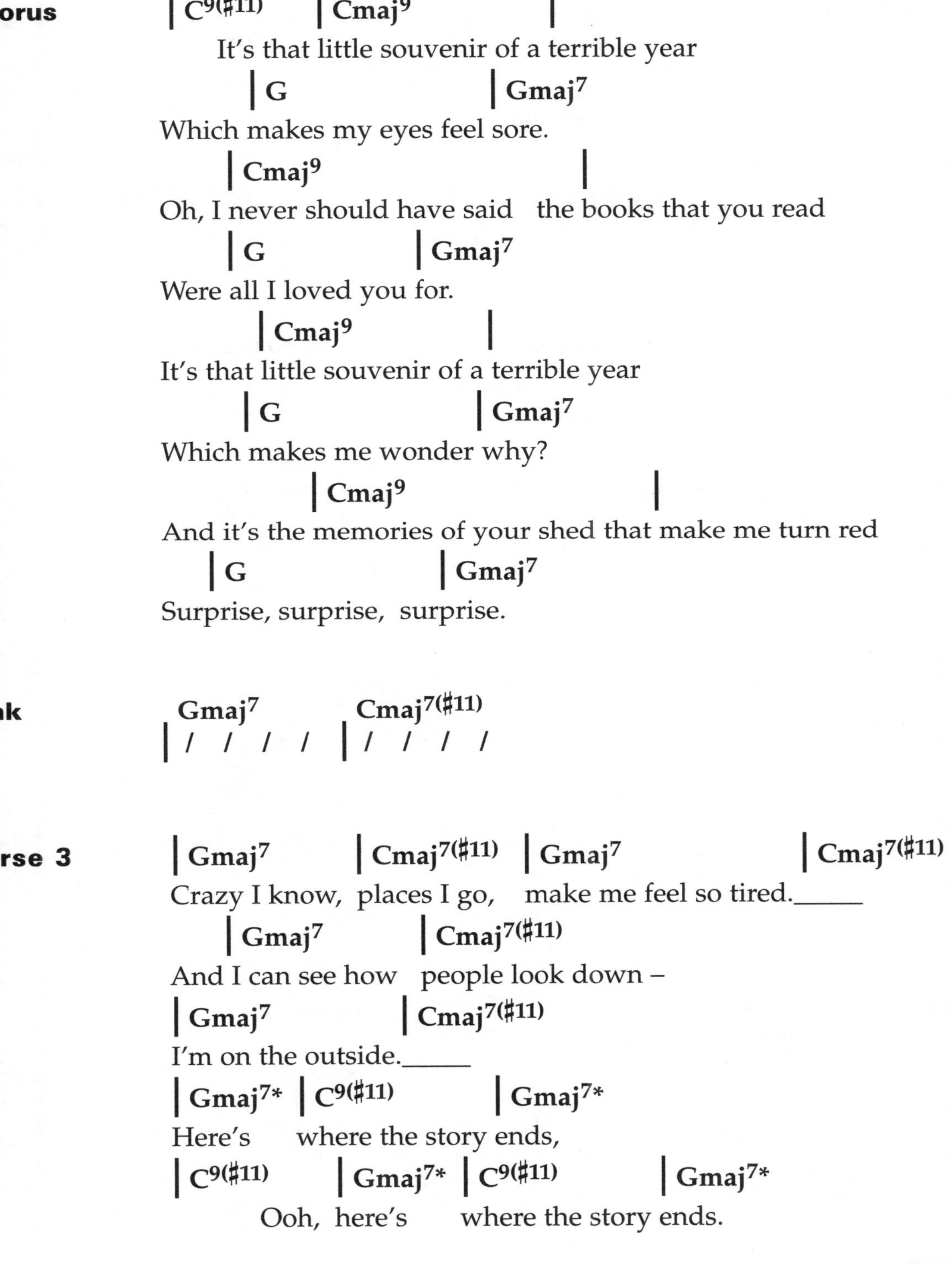

horus

| C$^{9(\sharp 11)}$ | Cmaj^{9} |
It's that little souvenir of a terrible year
| G | Gmaj^{7}
Which makes my eyes feel sore.
| Cmaj^{9} |
Oh, I never should have said the books that you read
| G | Gmaj^{7}
Were all I loved you for.
| Cmaj^{9} |
It's that little souvenir of a terrible year
| G | Gmaj^{7}
Which makes me wonder why?
| Cmaj^{9} |
And it's the memories of your shed that make me turn red
| G | Gmaj^{7}
Surprise, surprise, surprise.

ink

Gmaj^{7} Cmaj$^{7(\sharp 11)}$
| / / / / | / / / /

erse 3

| Gmaj^{7} | Cmaj$^{7(\sharp 11)}$ | Gmaj^{7} | Cmaj$^{7(\sharp 11)}$
Crazy I know, places I go, make me feel so tired._____
| Gmaj^{7} | Cmaj$^{7(\sharp 11)}$
And I can see how people look down –
| Gmaj^{7} | Cmaj$^{7(\sharp 11)}$
I'm on the outside._____
| Gmaj^{7*} | C$^{9(\sharp 11)}$ | Gmaj^{7*}
Here's where the story ends,
| C$^{9(\sharp 11)}$ | Gmaj^{7*} | C$^{9(\sharp 11)}$ | Gmaj^{7*}
Ooh, here's where the story ends.

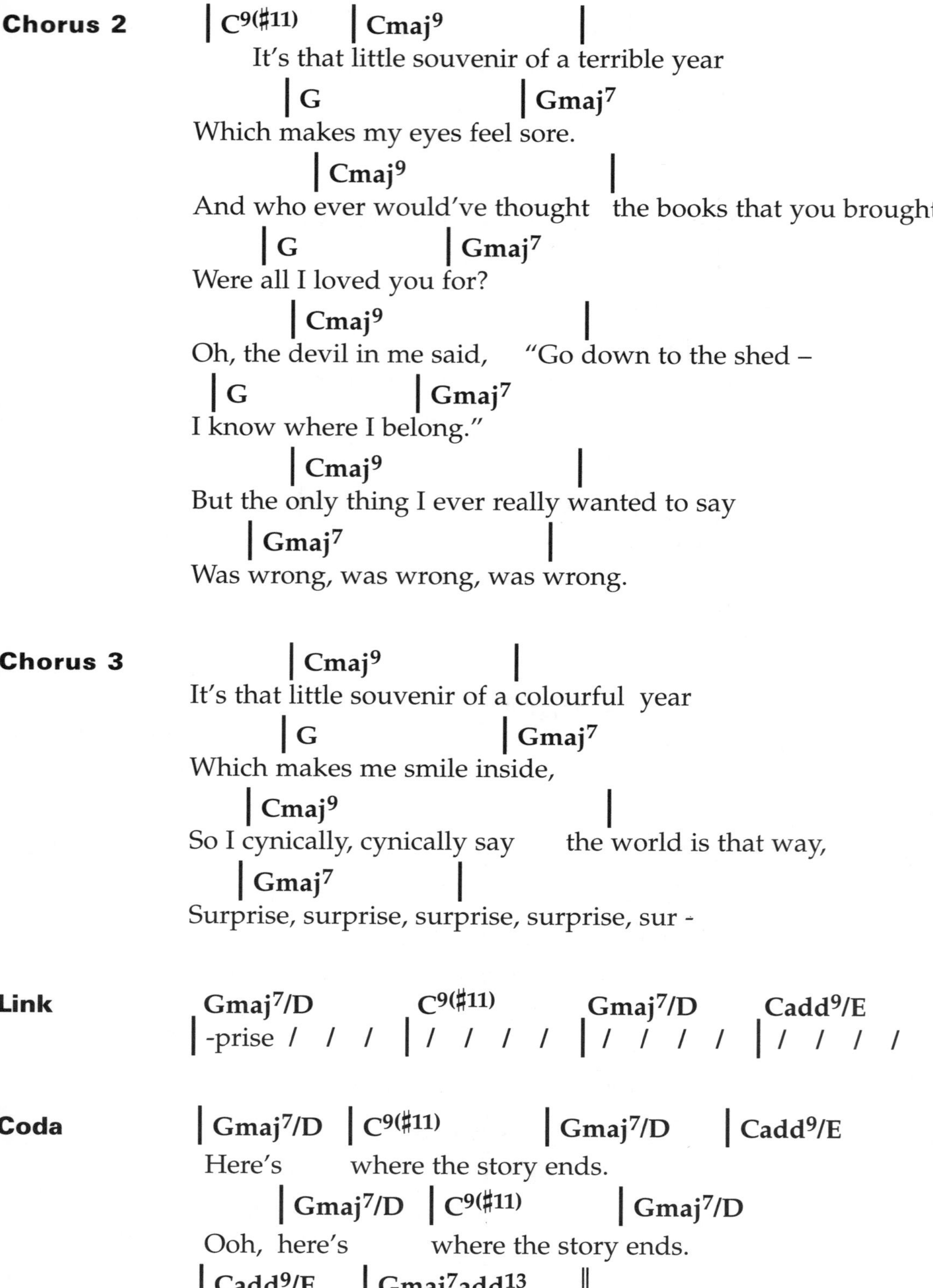

Chorus 2

| C$^{9(\sharp 11)}$ | Cmaj^9 |
It's that little souvenir of a terrible year
| G | Gmaj^7
Which makes my eyes feel sore.
| Cmaj^9 |
And who ever would've thought the books that you brought
| G | Gmaj^7
Were all I loved you for?
| Cmaj^9 |
Oh, the devil in me said, "Go down to the shed –
| G | Gmaj^7
I know where I belong."
| Cmaj^9 |
But the only thing I ever really wanted to say
| Gmaj^7 |
Was wrong, was wrong, was wrong.

Chorus 3

| Cmaj^9 |
It's that little souvenir of a colourful year
| G | Gmaj^7
Which makes me smile inside,
| Cmaj^9 |
So I cynically, cynically say the world is that way,
| Gmaj^7 |
Surprise, surprise, surprise, surprise, sur -

Link

Gmaj^7/D C$^{9(\sharp 11)}$ Gmaj^7/D Cadd^9/E
| -prise / / / | / / / / | / / / / | / / / /

Coda

| Gmaj^7/D | C$^{9(\sharp 11)}$ | Gmaj^7/D | Cadd^9/E
Here's where the story ends.
| Gmaj^7/D | C$^{9(\sharp 11)}$ | Gmaj^7/D
Ooh, here's where the story ends.
| Cadd^9/E | Gmaj^{7}add^{13} ‖

Hooligan

Words and Music by
DANIEL McNAMARA AND RICHARD McNAMARA

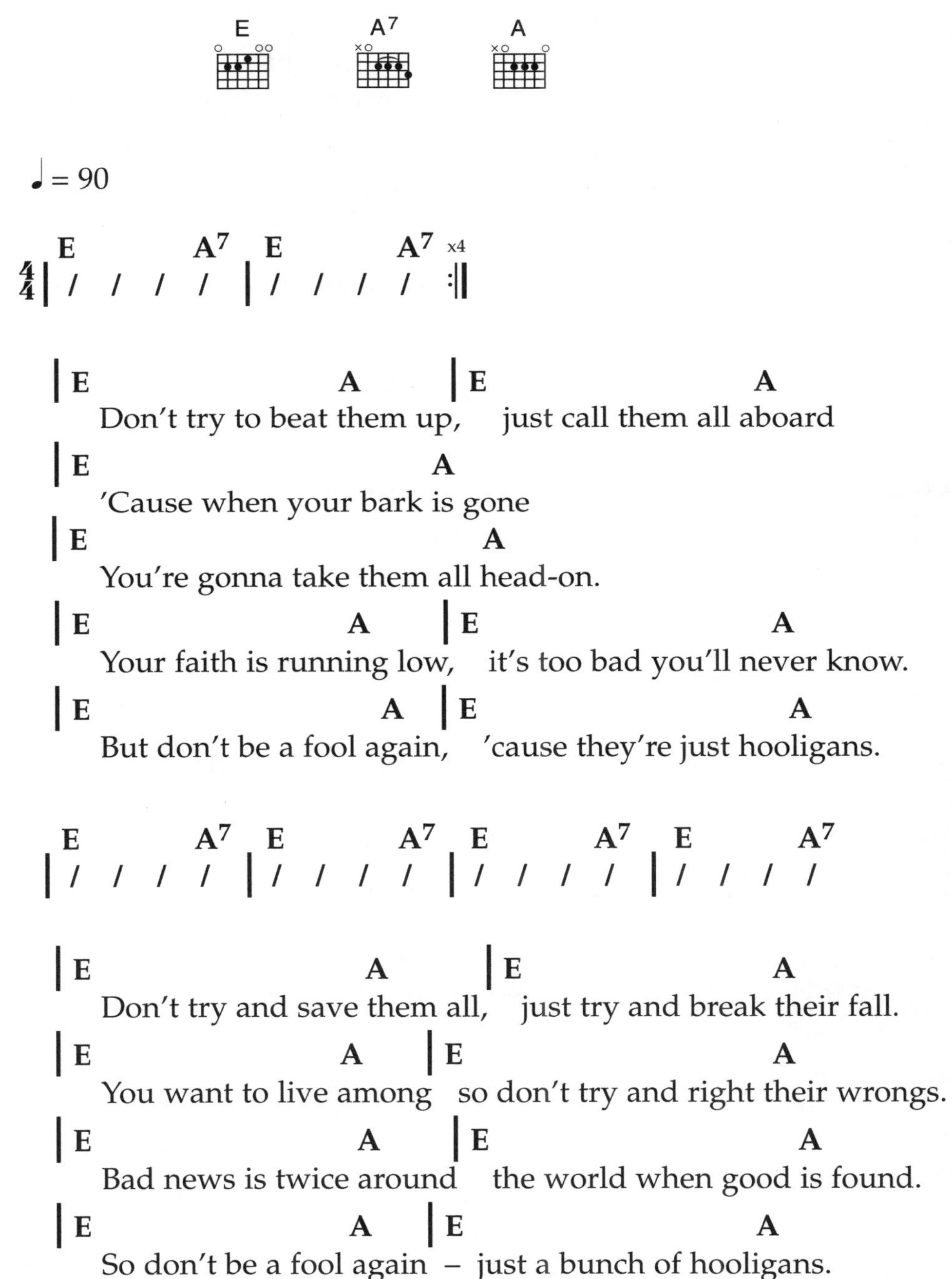
E
A7
A
♩ = 90
tro
E A7 E A7 x4
4/4 | / / / / | / / / / :||
rse 1
| E A | E A
Don't try to beat them up, just call them all aboard
| E A
'Cause when your bark is gone
| E A
You're gonna take them all head-on.
| E A | E A
Your faith is running low, it's too bad you'll never know.
| E A | E A
But don't be a fool again, 'cause they're just hooligans.
nk
E A7 E A7 E A7 E A7
| / / / / | / / / / | / / / / | / / / /
rse 2
| E A | E A
Don't try and save them all, just try and break their fall.
| E A | E A
You want to live among so don't try and right their wrongs.
| E A | E A
Bad news is twice around the world when good is found.
| E A | E A
So don't be a fool again – just a bunch of hooligans.

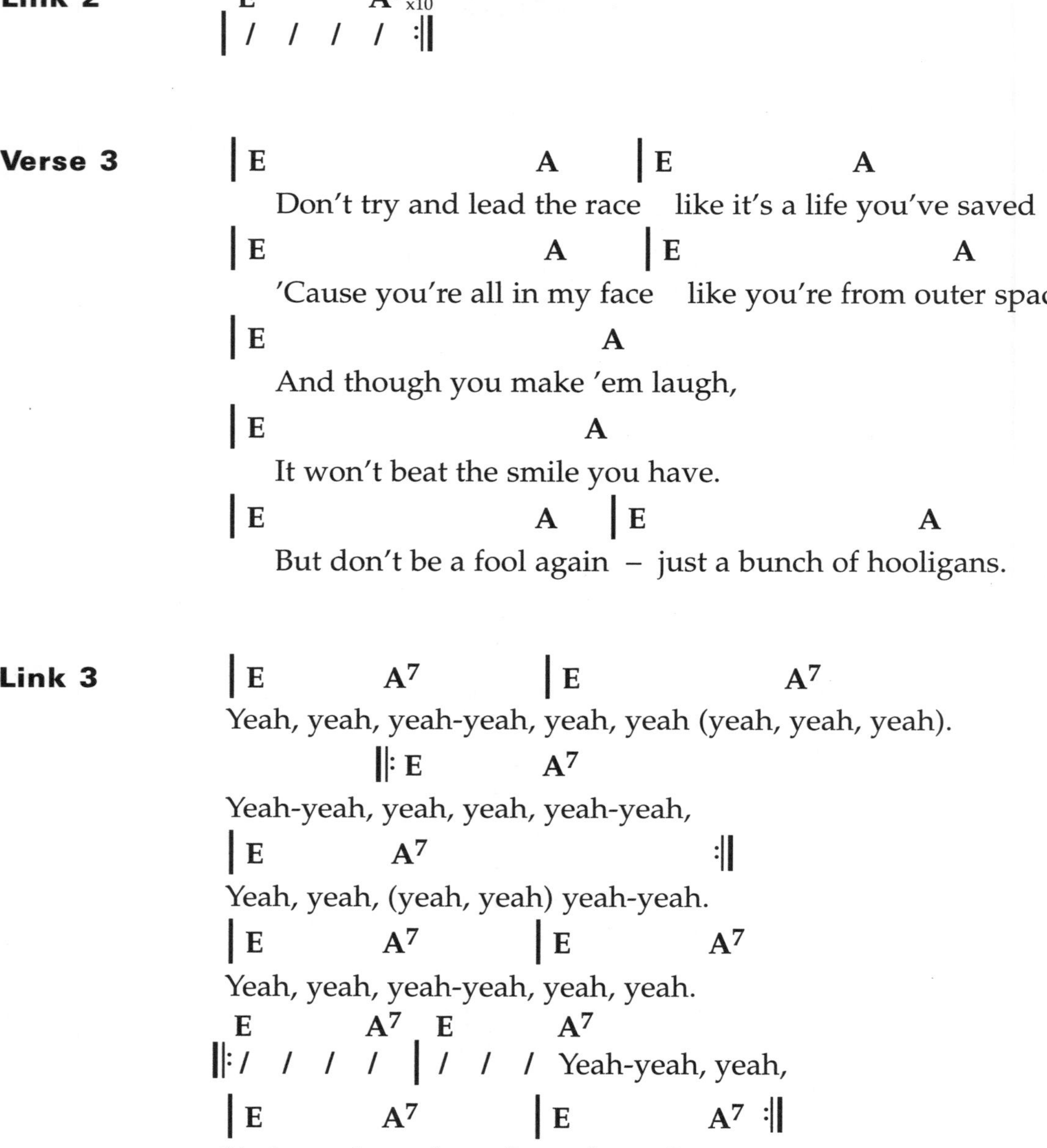
Link 2
E A7 x10
| / / / / :||
Verse 3
| E A | E A
Don't try and lead the race like it's a life you've saved
| E A | E A
'Cause you're all in my face like you're from outer space;
| E A
And though you make 'em laugh,
| E A
It won't beat the smile you have.
| E A | E A
But don't be a fool again – just a bunch of hooligans.
Link 3
| E A7 | E A7
Yeah, yeah, yeah-yeah, yeah, yeah (yeah, yeah, yeah).
||: E A7
Yeah-yeah, yeah, yeah, yeah-yeah,
| E A7 :||
Yeah, yeah, (yeah, yeah) yeah-yeah.
| E A7 | E A7
Yeah, yeah, yeah-yeah, yeah, yeah.
E A7 E A7
||: / / / / | / / / Yeah-yeah, yeah,
| E A7 | E A7 :||
Yeah, yeah, yeah-yeah, yeah, yeah.

rse 4

oda

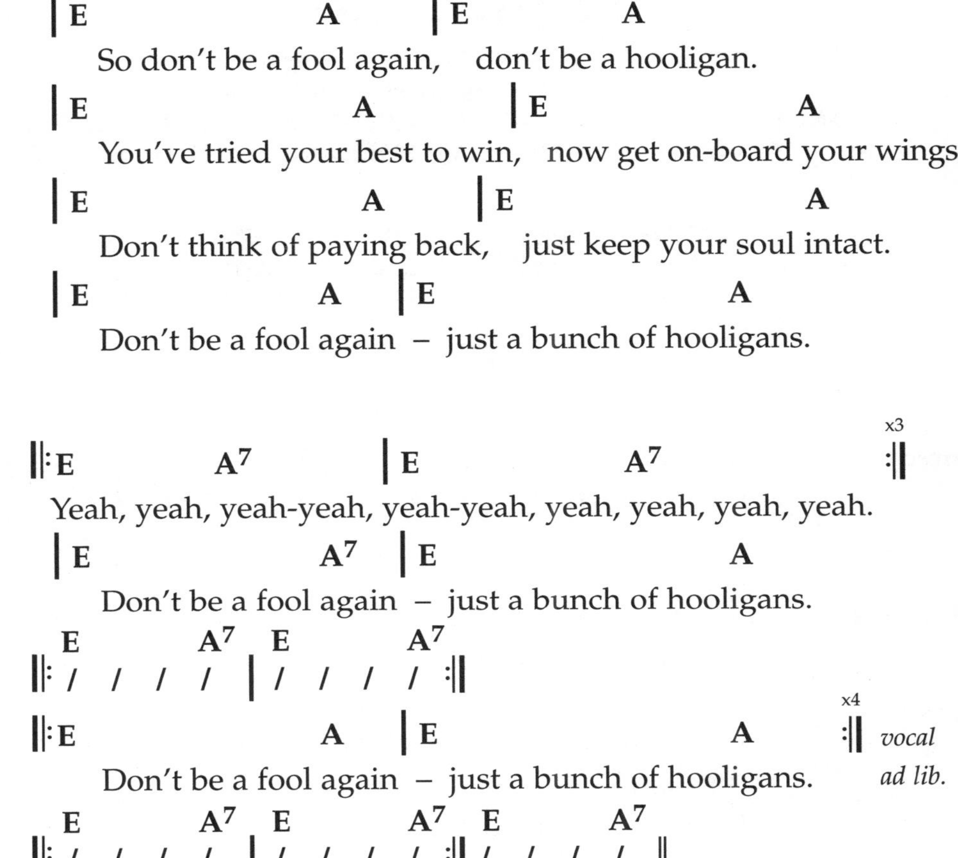
E A E A
So don't be a fool again, don't be a hooligan.
E A E A
You've tried your best to win, now get on-board your wings.
E A E A
Don't think of paying back, just keep your soul intact.
E A E A
Don't be a fool again – just a bunch of hooligans.
x3
E A7 E A7
Yeah, yeah, yeah-yeah, yeah-yeah, yeah, yeah, yeah, yeah.
E A7 E A
Don't be a fool again – just a bunch of hooligans.
E A7 E A7
/ / / / / / / /
x4
E A E A
Don't be a fool again – just a bunch of hooligans.
vocal
ad lib.
E A7 E A7 E A7
/ / / / / / / / / / / /

High And Dry

Words and Music by
THOMAS YORKE, EDWARD O'BRIEN, COLIN GREENWOOD,
JONATHAN GREENWOOD AND PHILIP SELWAY

F♯7sus4 Asus2 E5 E Esus4

♩ = 86

Intro

```
     F♯7sus4          Asus2            E5
4/4 ||: /  /  /  /  | /  /  /  /  | /  /  /  /  | /  /  /  /  :||
```

Verse 1

```
| F♯7sus4
Two jumps in a week
            | Asus2                            | E            |
I bet you think that's pretty clever don't    you boy?
| F♯7sus4
Flying on your motorcycle,
| Asus2                               | E  Esus4  | E  Esus4  E |
Watching all the ground beneath you drop.
     | F♯7sus4
You'd kill yourself for recognition,
| Asus2                       | E             |
Kill yourself to never ever stop.
   | F♯7sus4
You broke another mirror,
      | Asus2                        | E          |
You're turning into something you are not.
```

Chorus

```
                  | F♯7sus4  | Asus2              | E        |
Don't leave me high,____        don't leave me dry,
                  | F♯7sus4  | Asus2              | E        |
Don't leave me high,            don't leave me dry.
```

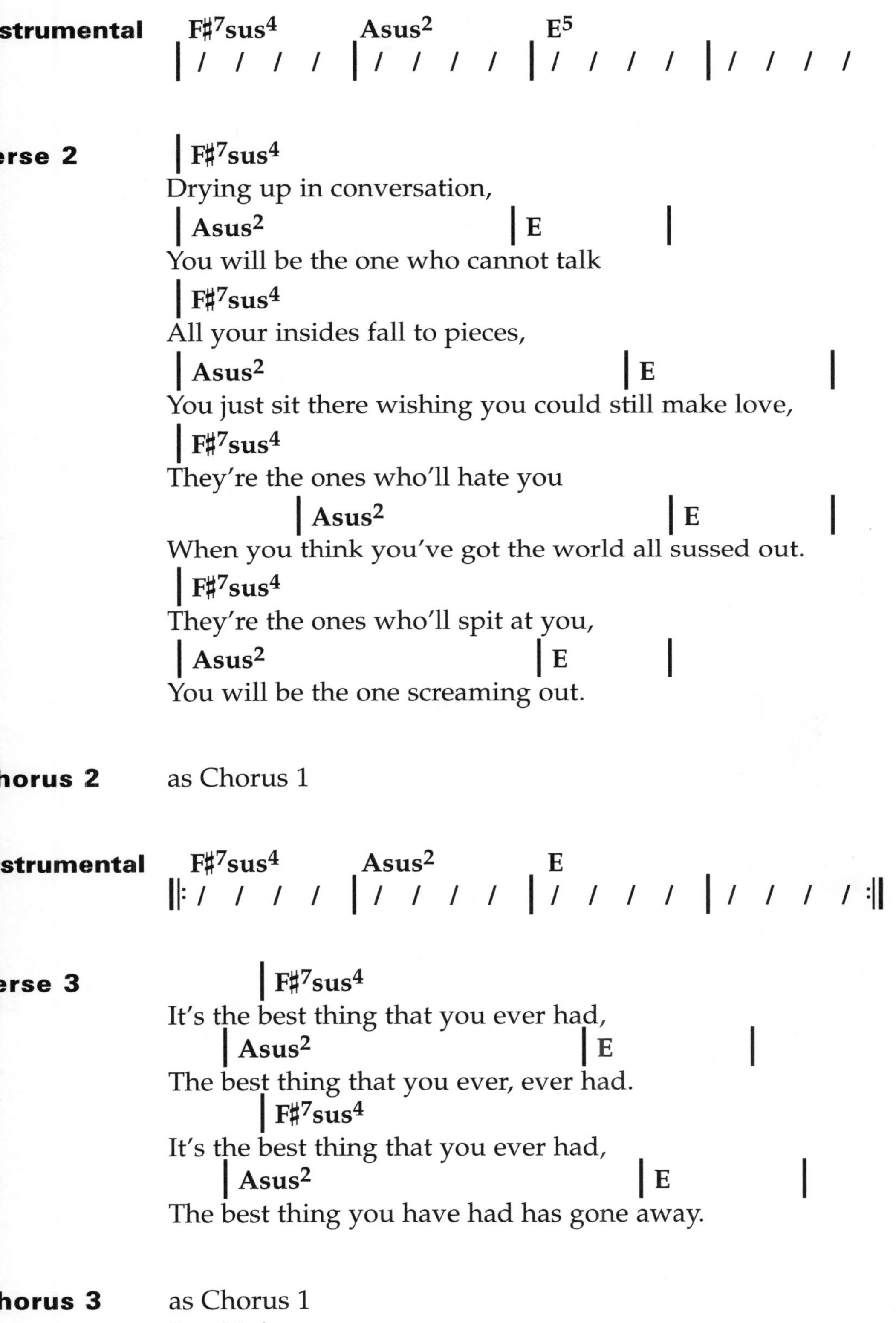

strumental F♯7sus4 Asus2 E5
| / / / / | / / / / | / / / / | / / / /

erse 2
| F♯7sus4
Drying up in conversation,
| Asus2 | E |
You will be the one who cannot talk
| F♯7sus4
All your insides fall to pieces,
| Asus2 | E |
You just sit there wishing you could still make love,
| F♯7sus4
They're the ones who'll hate you
| Asus2 | E |
When you think you've got the world all sussed out.
| F♯7sus4
They're the ones who'll spit at you,
| Asus2 | E |
You will be the one screaming out.

horus 2 as Chorus 1

strumental F♯7sus4 Asus2 E
‖: / / / / | / / / / | / / / / | / / / / :‖

erse 3
| F♯7sus4
It's the best thing that you ever had,
| Asus2 | E |
The best thing that you ever, ever had.
| F♯7sus4
It's the best thing that you ever had,
| Asus2 | E |
The best thing you have had has gone away.

horus 3 as Chorus 1
Repeat twice

History

Words and Music by
SIMON JONES, PETER SALISBURY,
NICK McCABE AND RICHARD ASHCROFT

G D A E Asus2 Em C

♩ = 65

Intro 4/4 | G / / / / | D / / / / | A / / / / | E / / / / :||

Verse 1

| G | D
I wander lonely streets
| A | E
Behind where the old Thames does flow,
| G | D
And in every face I meet
| A | E
Reminds me of what I have run from.
| Asus2
In every man, in every hand,
| Em
In every kiss you understand
| C
That living is for other men,
| D
I hope you too will understand.

erse 2

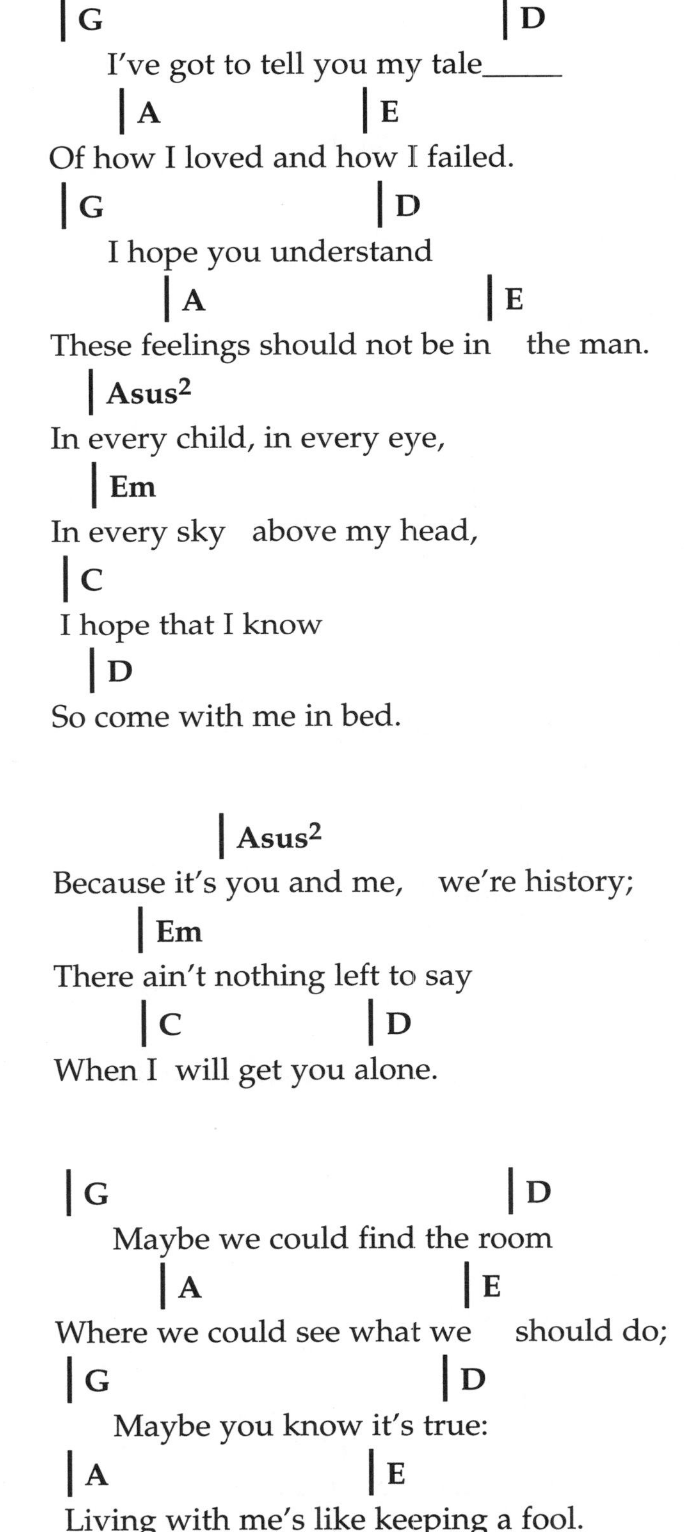

G D
I've got to tell you my tale_____
A E
Of how I loved and how I failed.
G D
I hope you understand
A E
These feelings should not be in the man.
Asus2
In every child, in every eye,
Em
In every sky above my head,
C
I hope that I know
D
So come with me in bed.

horus

Asus2
Because it's you and me, we're history;
Em
There ain't nothing left to say
C D
When I will get you alone.

erse 3

G D
Maybe we could find the room
A E
Where we could see what we should do;
G D
Maybe you know it's true:
A E
Living with me's like keeping a fool.

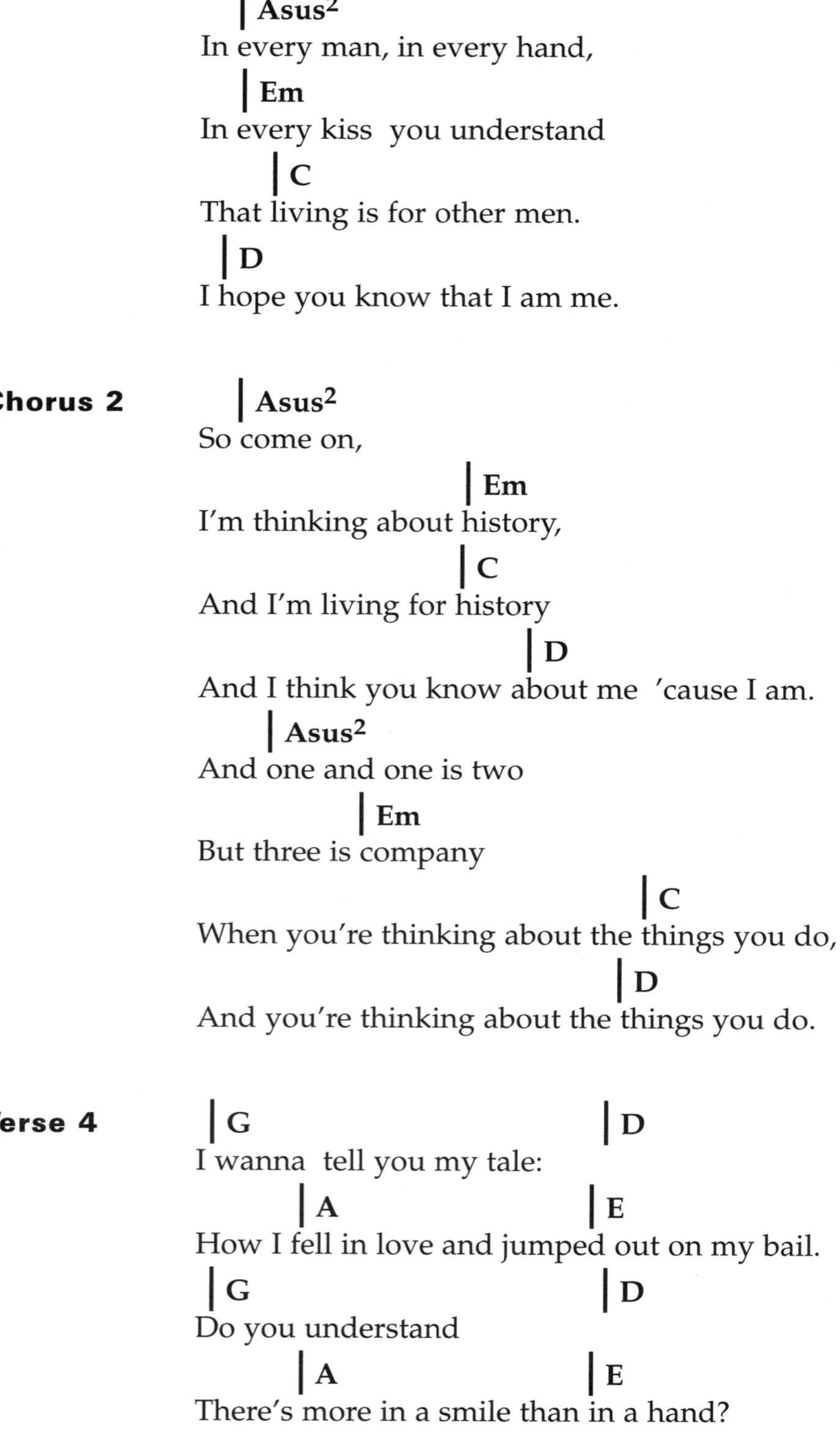

| Asus2
In every man, in every hand,
| Em
In every kiss you understand
| C
That living is for other men.
| D
I hope you know that I am me.

Chorus 2

| Asus2
So come on,
| Em
I'm thinking about history,
| C
And I'm living for history
| D
And I think you know about me 'cause I am.
| Asus2
And one and one is two
| Em
But three is company
| C
When you're thinking about the things you do,
| D
And you're thinking about the things you do.

Verse 4

| G | D
I wanna tell you my tale:
| A | E
How I fell in love and jumped out on my bail.
| G | D
Do you understand
| A | E
There's more in a smile than in a hand?

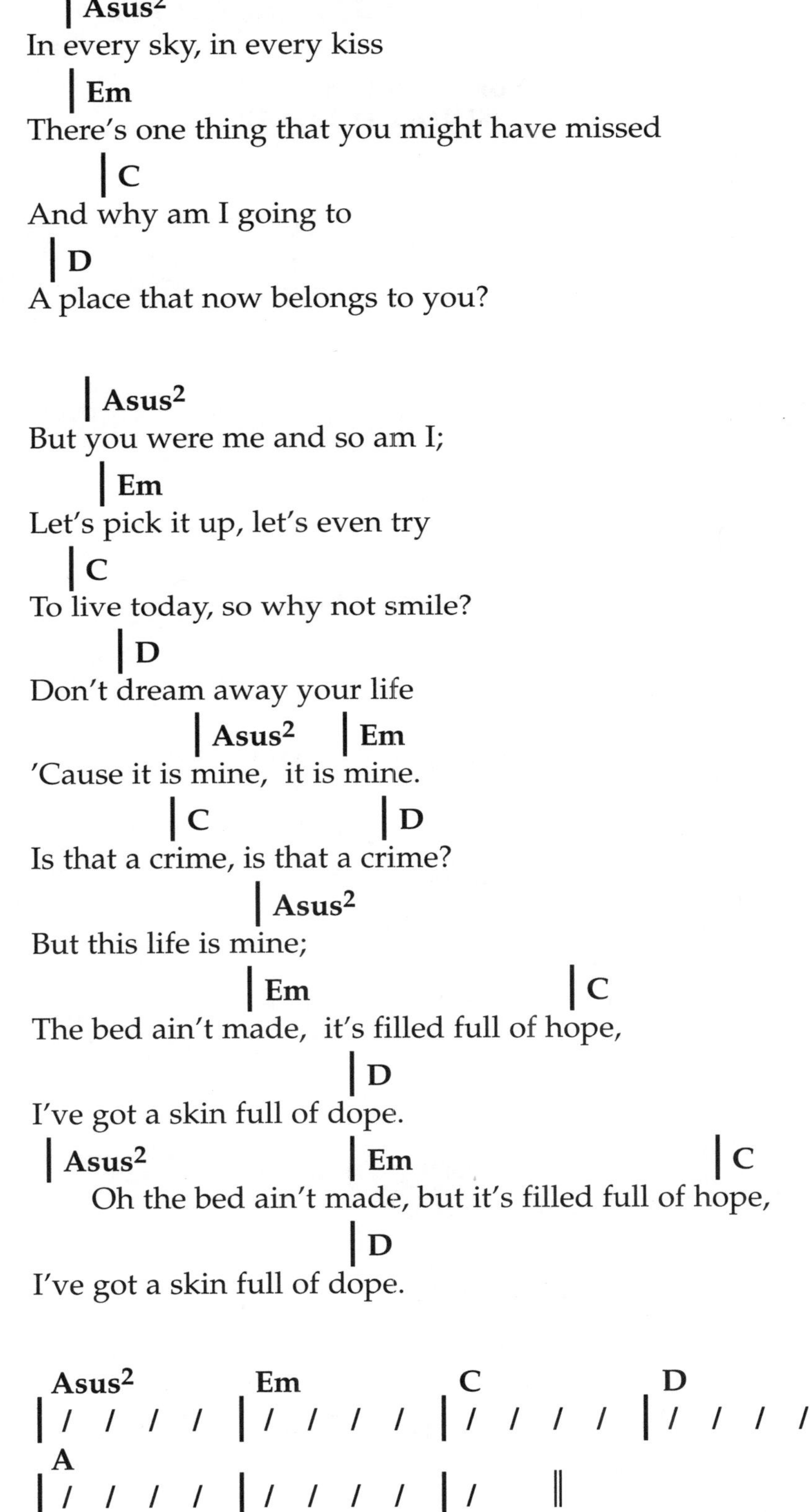

| Asus^2
In every sky, in every kiss

| Em
There's one thing that you might have missed

| C
And why am I going to

| D
A place that now belongs to you?

orus

| Asus^2
But you were me and so am I;

| Em
Let's pick it up, let's even try

| C
To live today, so why not smile?

| D
Don't dream away your life

| Asus^2 | Em
'Cause it is mine, it is mine.

| C | D
Is that a crime, is that a crime?

| Asus^2
But this life is mine;

| Em | C
The bed ain't made, it's filled full of hope,

| D
I've got a skin full of dope.

| Asus^2 | Em | C
Oh the bed ain't made, but it's filled full of hope,

| D
I've got a skin full of dope.

oda

Asus^2 Em C D
| / / / / | / / / / | / / / / | / / / /

A
| / / / / | / / / / | / ‖

I Need Direction

Words and Music by
GERARD LOVE

C* G/B* E♭/B♭ Dm* F/A C Csus4 G/B

E♭ Dm F G B♭ Em Dm7

♩ = 112

Intro

4/4 ‖: C / G/B / / / | E♭/B♭ / Dm / / / :‖

Verse 1

| C G/B | E♭/B♭ Dm
I used to feel fine,
| F/A G/B | F/A G/B
You were to be mine.
| C G/B | E♭/B♭ Dm
I need direction
| F/A G/B | F/A G/B | C Csus4 C
To take me to you. / / / /

Verse 2

| C G/B | E♭ Dm
I've asked the sunshine,
| F G | F G
Shadowed the skyline.
| C G/B | E♭ Dm
I need direction
| F G | F G | C Csus4
To take me to you. / / / /

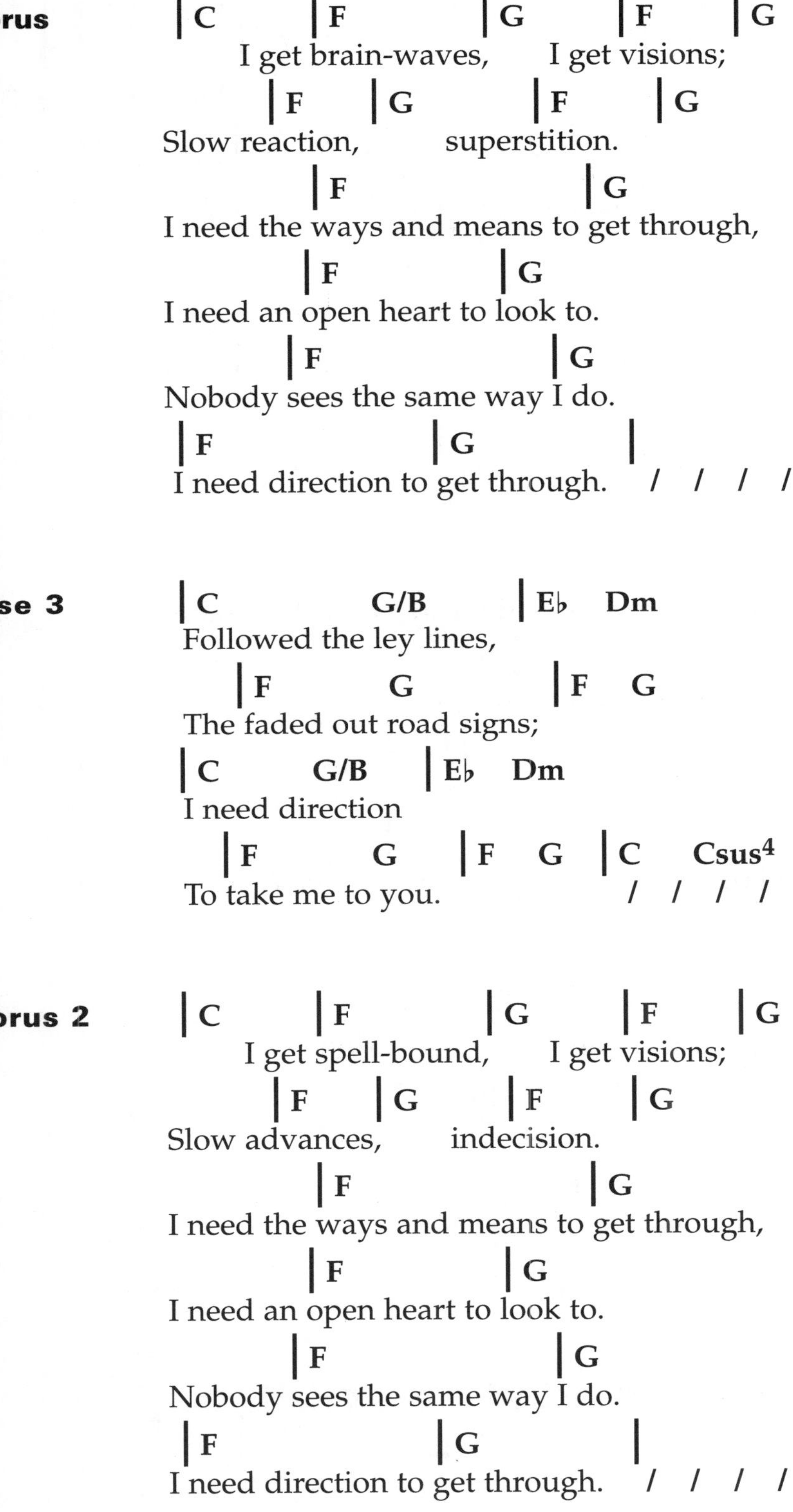

orus

| C | F | G | F | G
I get brain-waves, I get visions;
| F | G | F | G
Slow reaction, superstition.
| F | G
I need the ways and means to get through,
| F | G
I need an open heart to look to.
| F | G
Nobody sees the same way I do.
| F | G |
I need direction to get through. / / / /

rse 3

| C G/B | E♭ Dm
Followed the ley lines,
| F G | F G
The faded out road signs;
| C G/B | E♭ Dm
I need direction
| F G | F G | C Csus4
To take me to you. / / / /

orus 2

| C | F | G | F | G
I get spell-bound, I get visions;
| F | G | F | G
Slow advances, indecision.
| F | G
I need the ways and means to get through,
| F | G
I need an open heart to look to.
| F | G
Nobody sees the same way I do.
| F | G |
I need direction to get through. / / / /

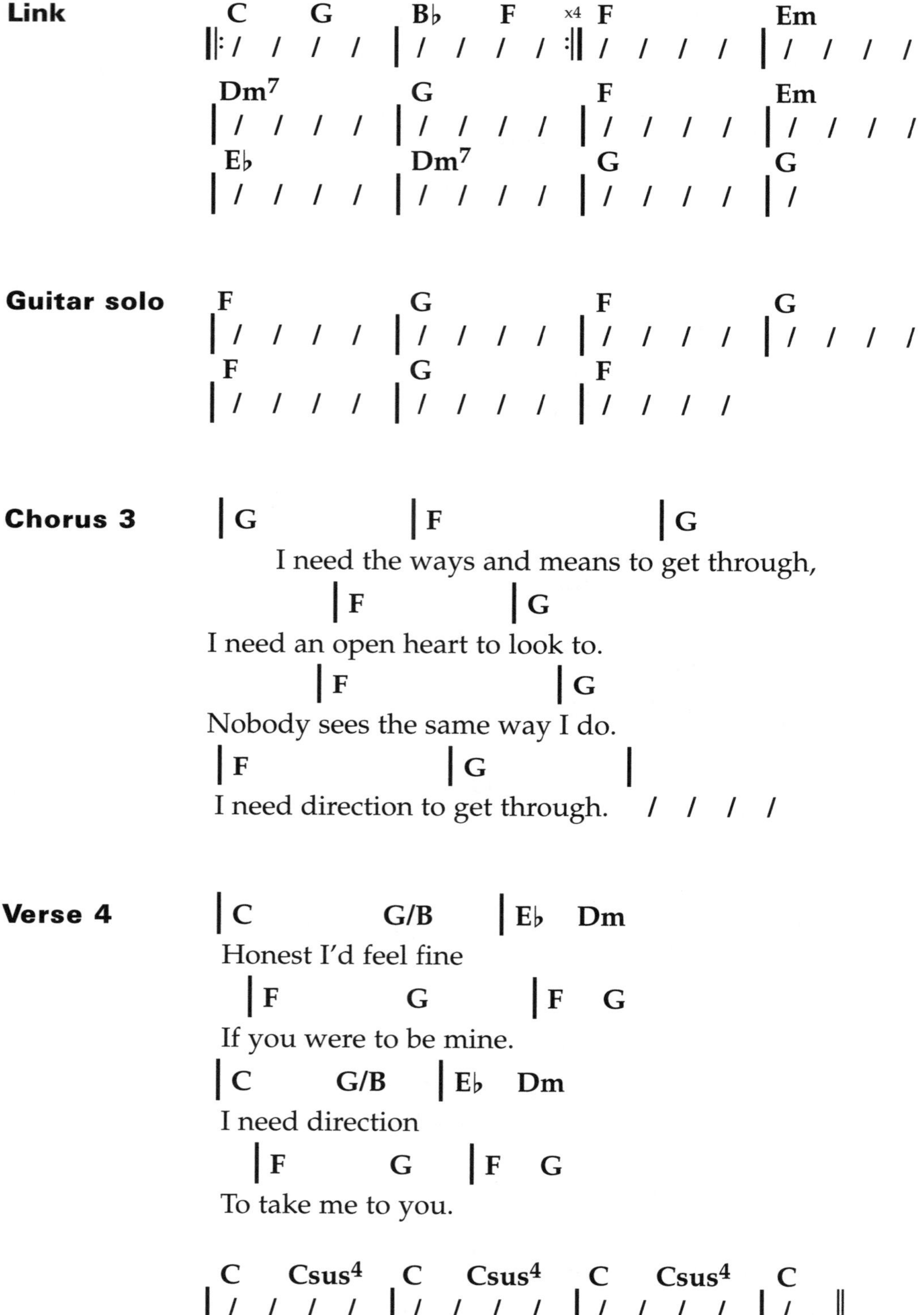
Link
C G Bb F x4 F Em
Dm7 G F Em
Eb Dm7 G G
Guitar solo
F G F G
F G F
Chorus 3
G F G
I need the ways and means to get through,
F G
I need an open heart to look to.
F G
Nobody sees the same way I do.
F G
I need direction to get through.
Verse 4
C G/B Eb Dm
Honest I'd feel fine
F G F G
If you were to be mine.
C G/B Eb Dm
I need direction
F G F G
To take me to you.
C Csus4 C Csus4 C Csus4 C

I Will

Words and Music by
THOMAS YORKE, EDWARD O'BRIEN, COLIN GREENWOOD,
JONATHAN GREENWOOD AND PHILIP SELWAY

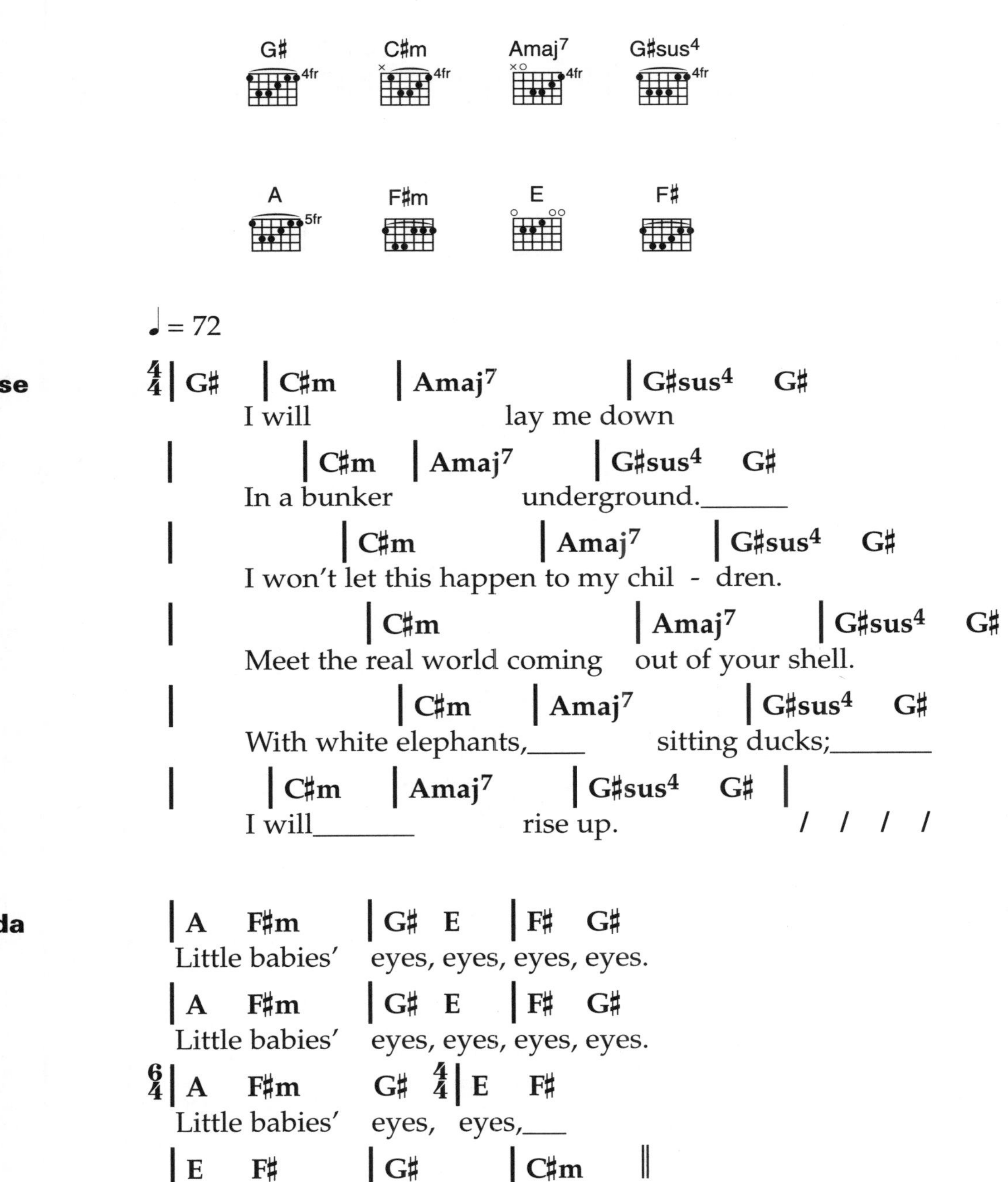
G♯ 4fr
C♯m 4fr
Amaj7 4fr
G♯sus4 4fr
A 5fr
F♯m
E
F♯
♩ = 72
rse
4/4 | G♯ | C♯m | Amaj7 | G♯sus4 G♯
I will lay me down
| | C♯m | Amaj7 | G♯sus4 G♯
In a bunker underground.
| | C♯m | Amaj7 | G♯sus4 G♯
I won't let this happen to my chil - dren.
| | C♯m | Amaj7 | G♯sus4 G♯
Meet the real world coming out of your shell.
| | C♯m | Amaj7 | G♯sus4 G♯
With white elephants, sitting ducks;
| | C♯m | Amaj7 | G♯sus4 G♯ |
I will rise up. / / / /
•da
| A F♯m | G♯ E | F♯ G♯
Little babies' eyes, eyes, eyes, eyes.
| A F♯m | G♯ E | F♯ G♯
Little babies' eyes, eyes, eyes, eyes.
6/4 | A F♯m G♯ 4/4 | E F♯
Little babies' eyes, eyes,
| E F♯ | G♯ | C♯m ||
Eyes.

(I'm Gonna) Cry Myself Blind

Words and Music by
BOBBY GILLESPIE, ANDREW INNES AND ROBERT YOUNG

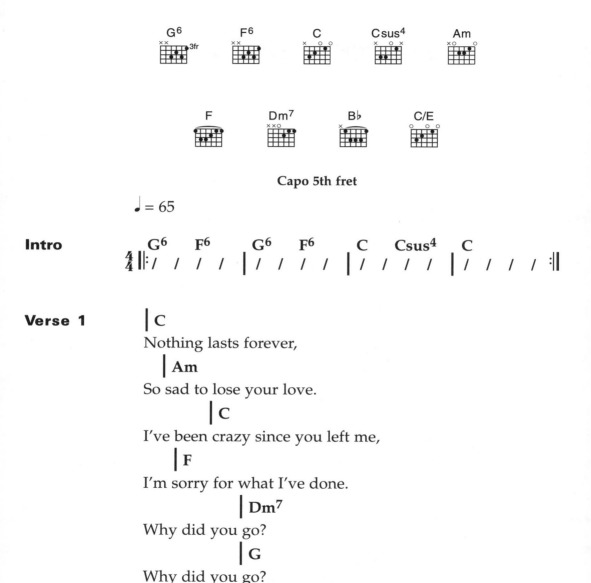

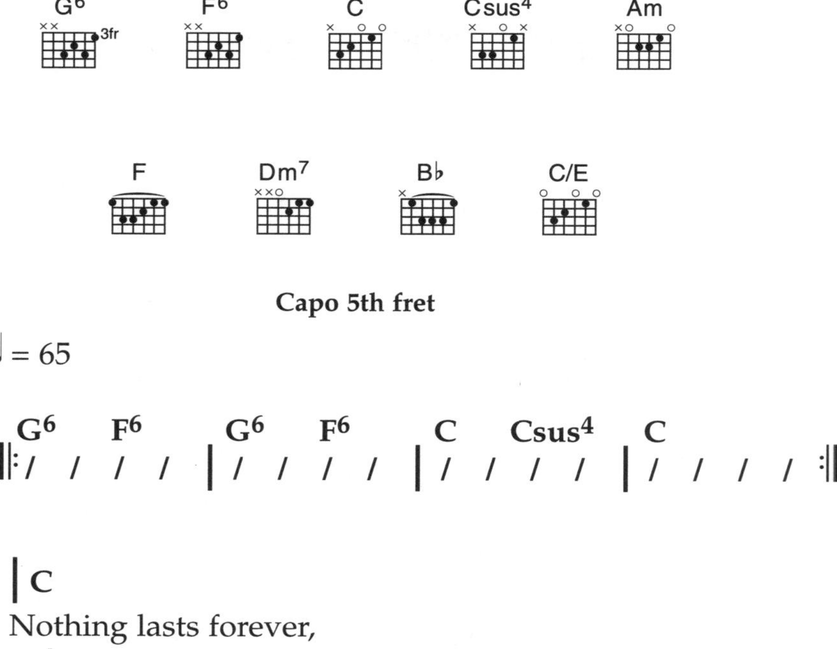

Capo 5th fret

♩ = 65

Intro

Verse 1

| **C**
Nothing lasts forever,
| **Am**
So sad to lose your love.
| **C**
I've been crazy since you left me,
| **F**
I'm sorry for what I've done.
| **Dm7**
Why did you go?
| **G**
Why did you go?

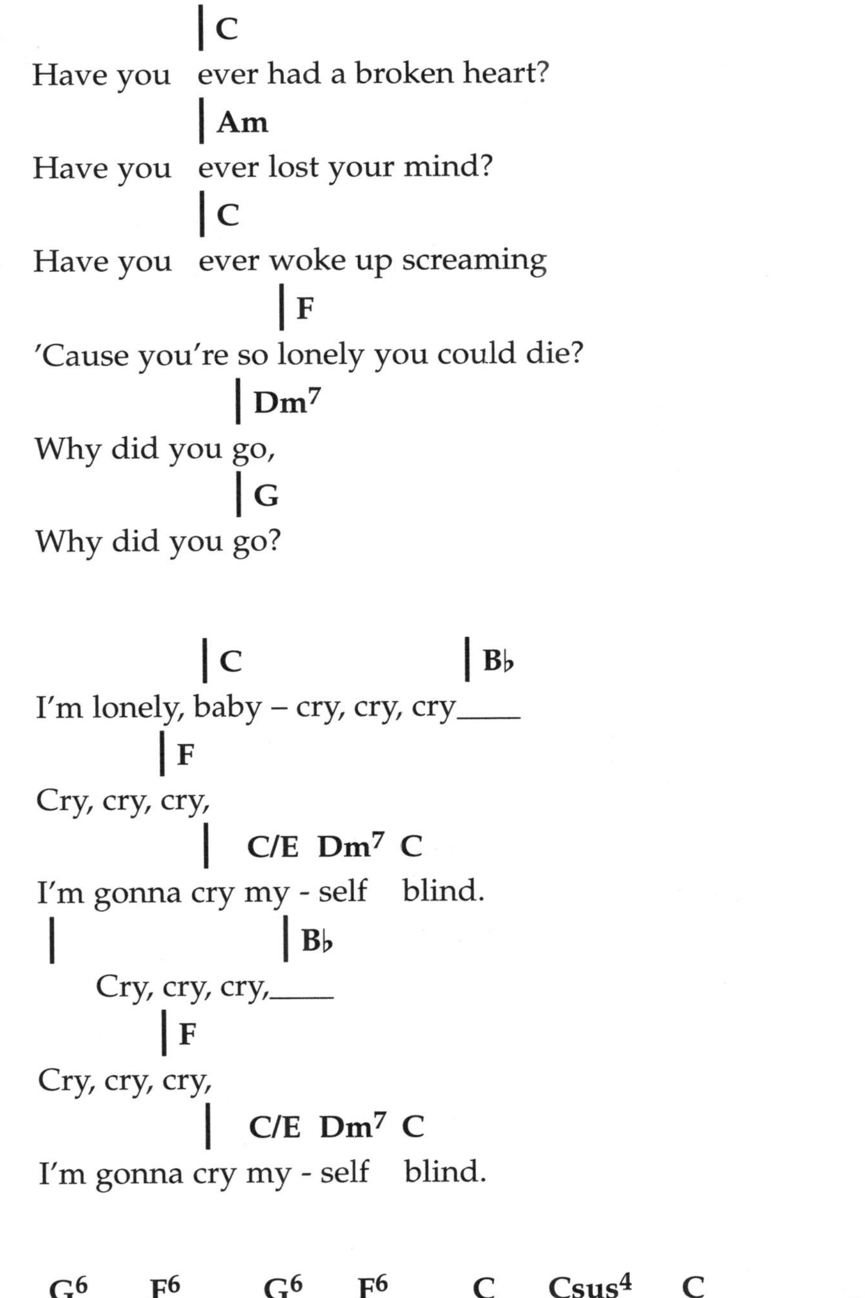

rse 2

|C
Have you ever had a broken heart?
|Am
Have you ever lost your mind?
|C
Have you ever woke up screaming
|F
'Cause you're so lonely you could die?
|Dm7
Why did you go,
|G
Why did you go?

horus

|C |B♭
I'm lonely, baby – cry, cry, cry____
|F
Cry, cry, cry,
| C/E Dm7 C
I'm gonna cry my - self blind.
| |B♭
Cry, cry, cry,____
|F
Cry, cry, cry,
| C/E Dm7 C
I'm gonna cry my - self blind.

nk

G6 F6 | G6 F6 | C Csus4 | C
||: / / / / | / / / / | / / / / | / / / / :||

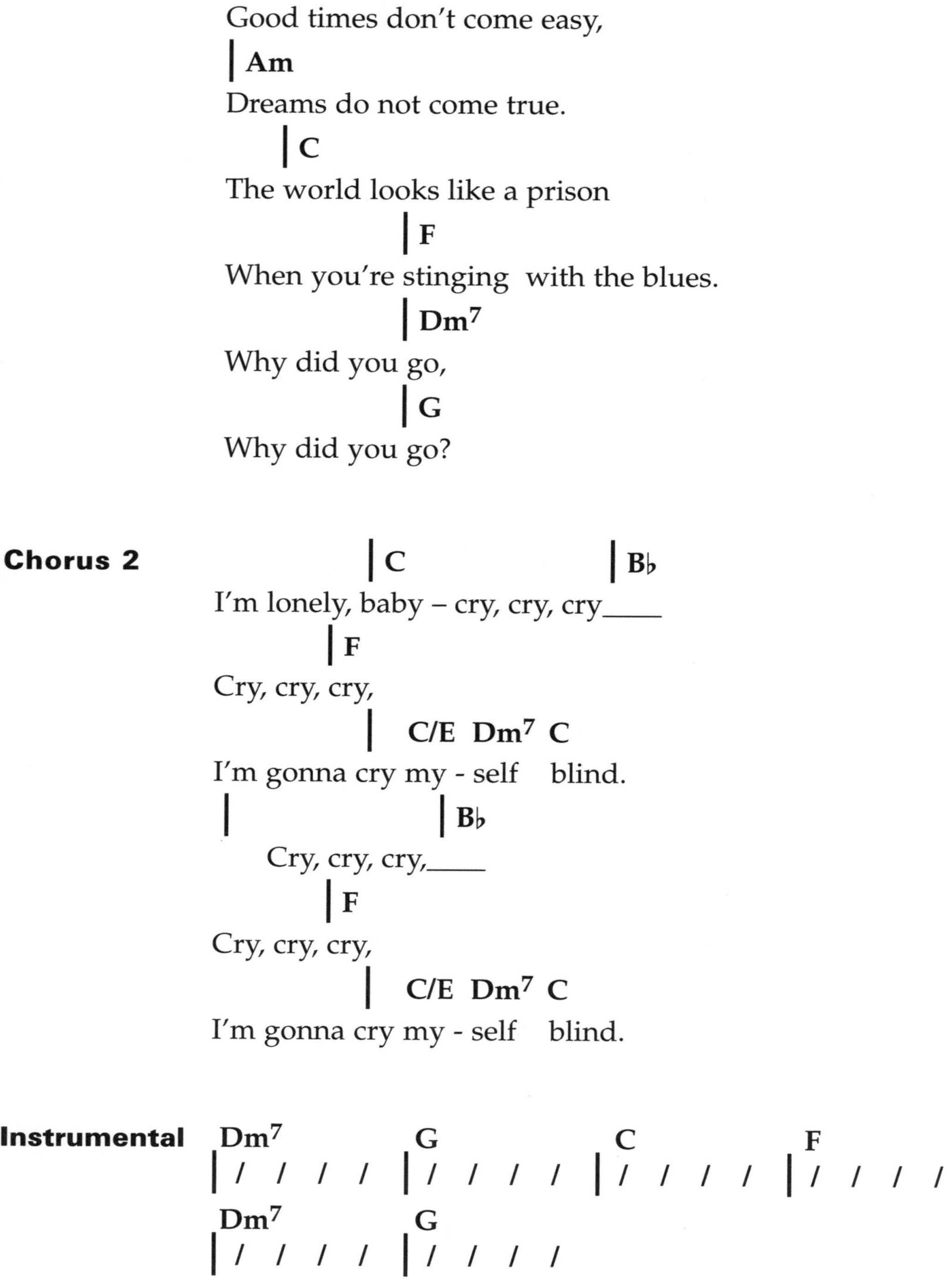

Verse 3

| C
Good times don't come easy,
| Am
Dreams do not come true.
| C
The world looks like a prison
| F
When you're stinging with the blues.
| Dm7
Why did you go,
| G
Why did you go?

Chorus 2

| C | B♭
I'm lonely, baby – cry, cry, cry____
| F
Cry, cry, cry,
| C/E Dm7 C
I'm gonna cry my - self blind.
| | B♭
Cry, cry, cry,____
| F
Cry, cry, cry,
| C/E Dm7 C
I'm gonna cry my - self blind.

Instrumental

Dm7 G C F
| / / / / | / / / / | / / / / | / / / /
Dm7 G
| / / / / | / / / /

Chorus 3 ‖: C | B♭
Cry, cry, cry,____
| F
Cry, cry, cry,
| C/E Dm7 C :‖
I'm gonna cry my - self blind.

Coda ‖: G6 | F6
Cry, cry, cry,____
| C Csus4 | C :‖ *fade*
Cry, cry, cry.____ / / / /

In a Room

Words and Music by
NIGEL CLARK, MATHEW PRIEST AND ANDREW MILLER

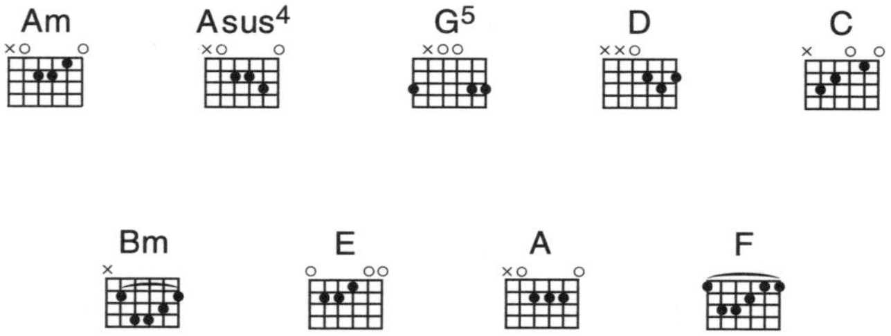

Am Asus4 G5 D C

Bm E A F

♩ = 121

Intro

```
   Am   Asus4  G5    D   x4  Am   Asus4 Am  G5     Dsus4 D
4/4 ||: / / / / | / / / / :||: /  /  /  / | /  /  /  /
   Am  Asus4 Am  G5   D
   | /  /   /  / | / / / / :||
```

Verse 1

```
|Am  Asus4            |G5  D
     In a room there's no other faces,
|Am             Asus4  |G5       D
     Don't know why I'm feeling like this.
|Am    Asus4  |G5        D
     Tell me lies, I won't believe them;
|Am            Asus4     |    G5 D
     Why don't they always turn out right.
```

Chorus

```
|C        D     |Am
If we are together again
|C              D    |Am
Surely this will never end:
          |C       D             |Am
These times have changed, this has never gone before;
       |C       D           |Am       |
I'm waiting for you behind the door.________/ / / /
```

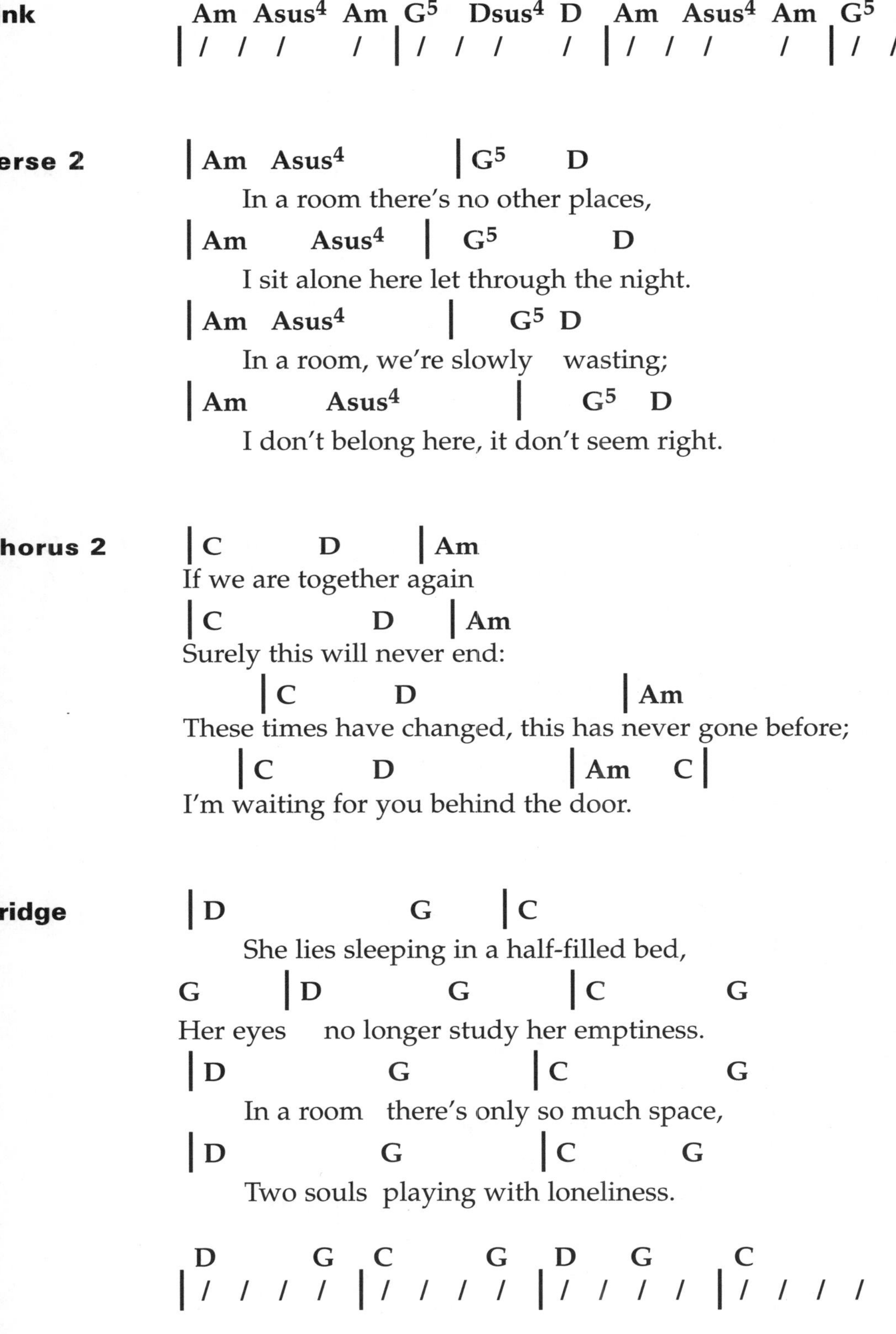

ink
Am Asus4 Am G5 Dsus4 D Am Asus4 Am G5 D
| / / / / | / / / / | / / / / | / / / /
erse 2
| Am Asus4 | G5 D
In a room there's no other places,
| Am Asus4 | G5 D
I sit alone here let through the night.
| Am Asus4 | G5 D
In a room, we're slowly wasting;
| Am Asus4 | G5 D
I don't belong here, it don't seem right.
horus 2
| C D | Am
If we are together again
| C D | Am
Surely this will never end:
| C D | Am
These times have changed, this has never gone before;
| C D | Am C |
I'm waiting for you behind the door.
ridge
| D G | C
She lies sleeping in a half-filled bed,
G | D G | C G
Her eyes no longer study her emptiness.
| D G | C G
In a room there's only so much space,
| D G | C G
Two souls playing with loneliness.
D G C G D G C
| / / / / | / / / / | / / / / | / / / /

Bridge 2

```
|Bm                          |E
     I've thrown away the key,
               |A                     |D                     |Bm
I've gone and locked myself in for good.
                                   (locked myself in for good)
                   |E
No-one can reach me,
        |A                   |D          |
No-one hears my voice anymore,
                              (hears my voice)
        |F         |
Not anymore____  /  /  /  /
```

Guitar solo

```
  Am  Asus4  Am  G5    Dsus4  D    Am  Asus4  Am   G5    D
||: /  /  /    /  | /  /  /    /  | /  /  /    /  | /  /  /  / :||
```

Chorus 3

```
|C         D      |Am
If we are together again
|C               D    |Am
Surely this will never end:
       |C       D                    |Am
These times have changed, this has never gone before;
     |C        D                |Am
I'm waiting for you behind the door.
```

Chorus 4

```
|C         D      |Am
If we are together again
|C               D    |Am
Surely this will never end:
       |C       D                    |Am
These times have changed, this has never gone before;
     |C        D                |Am        |        G
I'm waiting for you behind the door.          /  /  /  /
```

Coda

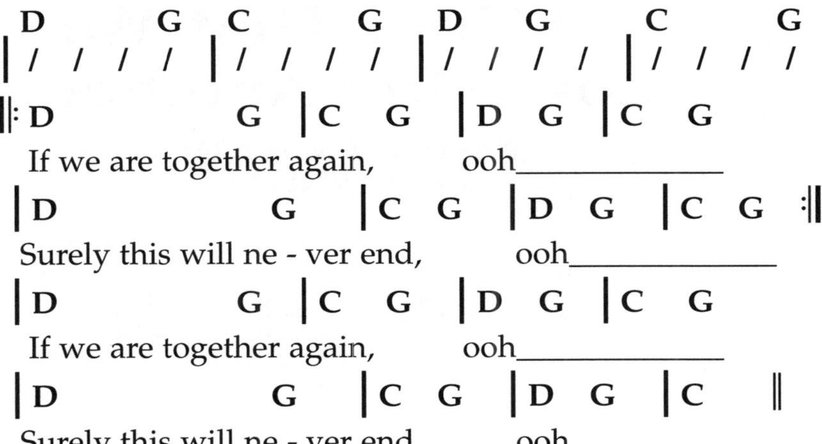
D G C G D G C G
D G C G D G C G
If we are together again, ooh
D G C G D G C G
Surely this will ne - ver end, ooh
D G C G D G C G
If we are together again, ooh
D G C G D G C
Surely this will ne - ver end, ooh

It's True That We Love One Another

Words and Music by
JACK WHITE

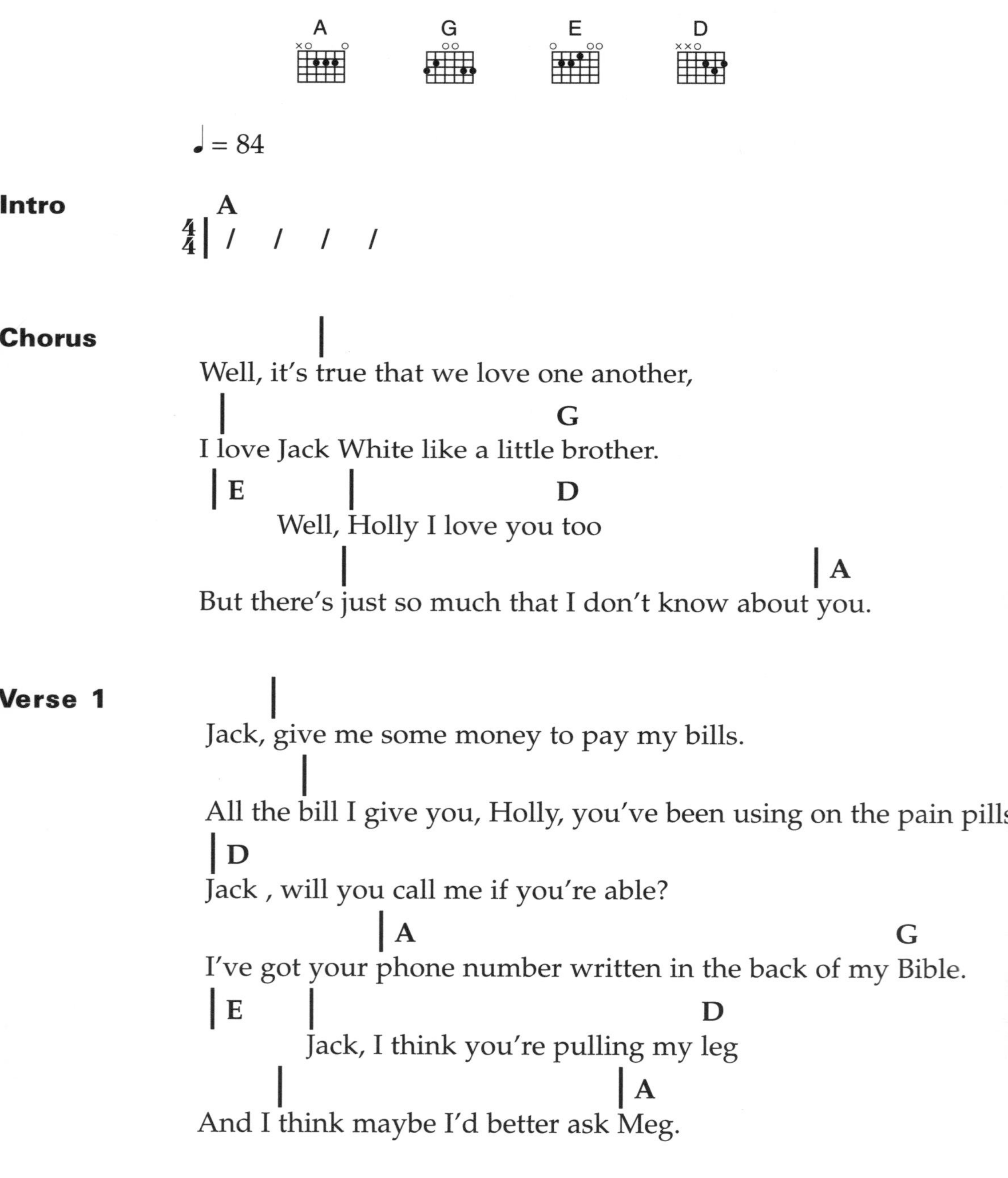
A
G
E
D
♩ = 84
Intro
A
4/4
Chorus
Well, it's true that we love one another,
G
I love Jack White like a little brother.
E
D
Well, Holly I love you too
A
But there's just so much that I don't know about you.
Verse 1
Jack, give me some money to pay my bills.
All the bill I give you, Holly, you've been using on the pain pills
D
Jack , will you call me if you're able?
A
G
I've got your phone number written in the back of my Bible.
E
D
Jack, I think you're pulling my leg
A
And I think maybe I'd better ask Meg.

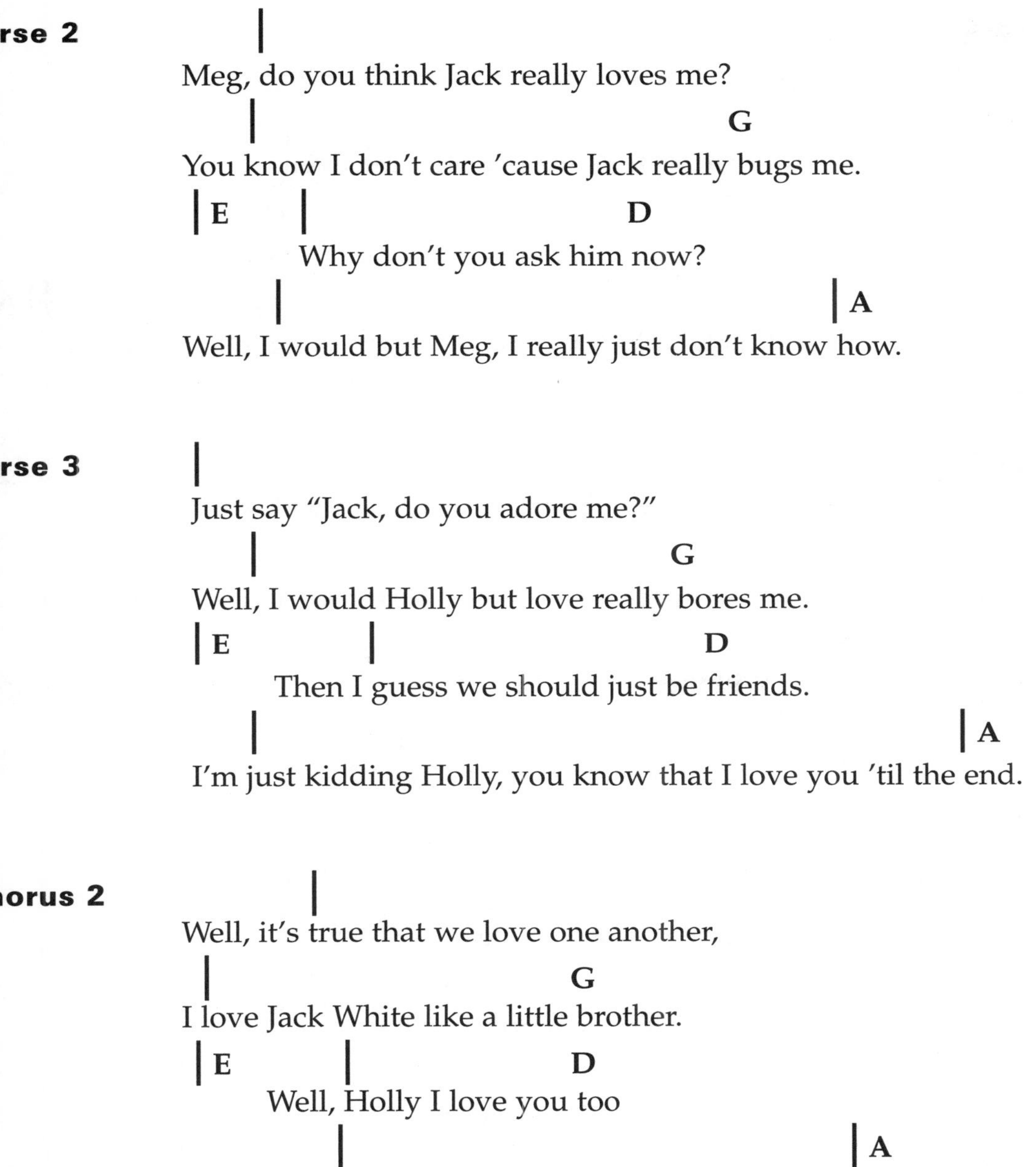

Verse 2

| G
Meg, do you think Jack really loves me?
You know I don't care 'cause Jack really bugs me.
| E | D
Why don't you ask him now?
| | A
Well, I would but Meg, I really just don't know how.

Verse 3

| G
Just say "Jack, do you adore me?"
Well, I would Holly but love really bores me.
| E | D
Then I guess we should just be friends.
| | A
I'm just kidding Holly, you know that I love you 'til the end.

Chorus 2

| G
Well, it's true that we love one another,
I love Jack White like a little brother.
| E | D
Well, Holly I love you too
| | A
But there's just so much that I don't know about you.

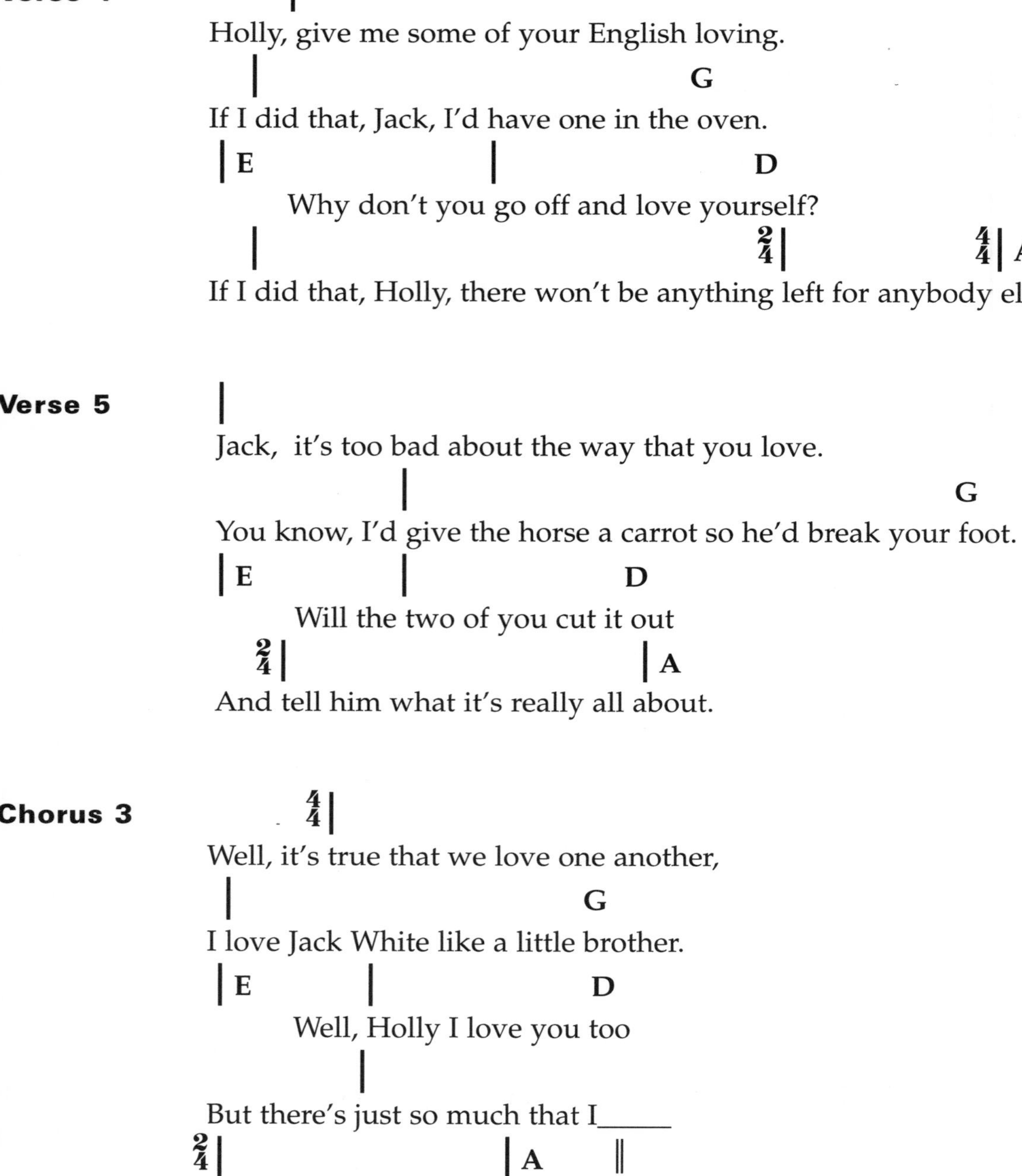
Verse 4
Holly, give me some of your English loving.
G
If I did that, Jack, I'd have one in the oven.
E D
Why don't you go off and love yourself?
2/4 4/4 A
If I did that, Holly, there won't be anything left for anybody else
Verse 5
Jack, it's too bad about the way that you love.
G
You know, I'd give the horse a carrot so he'd break your foot.
E D
Will the two of you cut it out
2/4 A
And tell him what it's really all about.
Chorus 3
4/4
Well, it's true that we love one another,
G
I love Jack White like a little brother.
E D
Well, Holly I love you too
But there's just so much that I_____
2/4 A
Don't know about you.

La Breeze

Words and Music by
SIMON LORD, JAMES FORD,
ALEXANDER MACNAUGHTEN AND JAMES SHAW

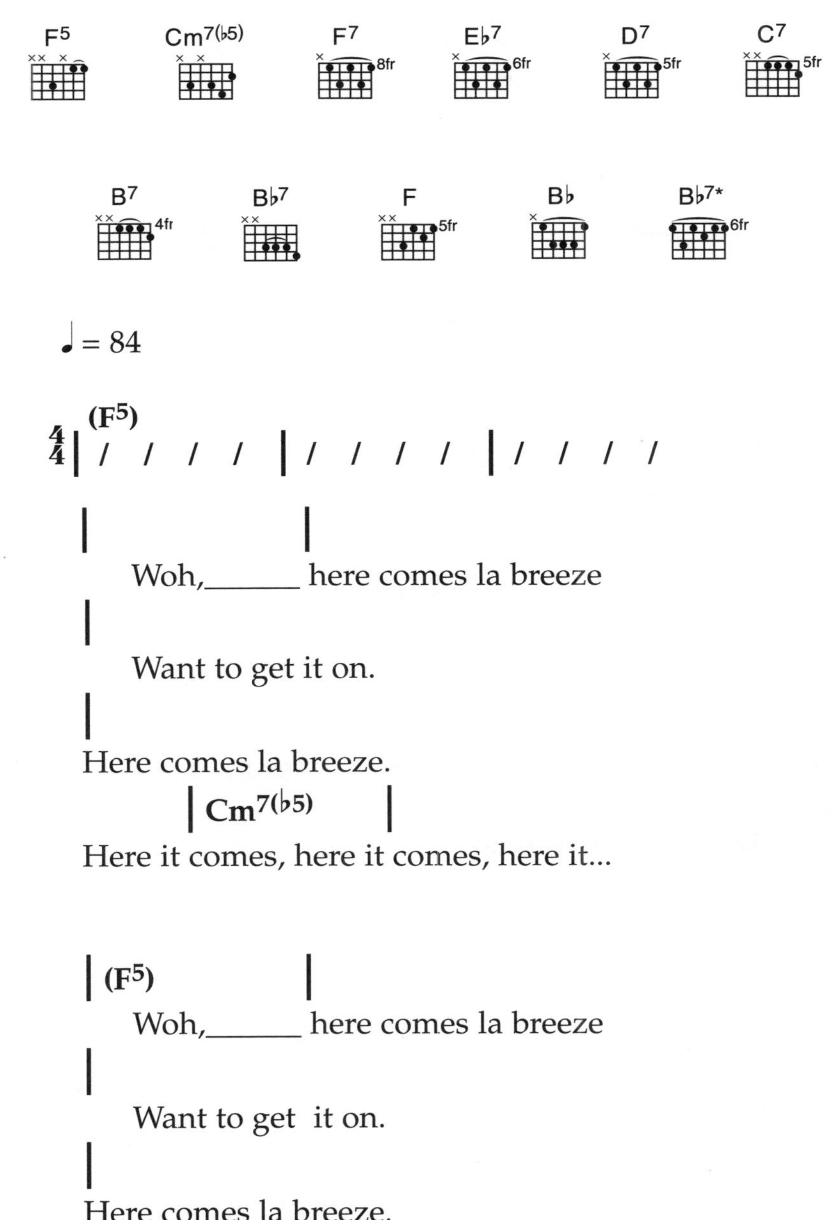
F5
Cm7(♭5)
F7
E♭7
D7
C7
B7
B♭7
F
B♭
B♭7*
♩ = 84
tro
(F5)
Woh,______ here comes la breeze
Want to get it on.
Here comes la breeze.
Cm7(♭5)
Here it comes, here it comes, here it...
horus
(F5)
Woh,______ here comes la breeze
Want to get it on.
Here comes la breeze.

Verse 1

| Cm$^{7(\flat 5)}$ |
Here it comes, here it comes,
| |
Here it comes, here it comes:
| F^7
Here it comes, la breeze to blow away
| E♭^{7} D^7
All your reason and your sane,
| C^7 | B^7 B♭^{7}
Sane little minds.____
| F^7
So do your best to run away
| E♭^{7} D^7
But take a breath and you will pay.
| C^7 | B^7 B♭^{7}
You cannot hide,_____
| C^7 | B^7 B♭^{7} | F | B♭
There's no place to hide._______

Chorus 2

x4
||: F^7 | B♭^{7}* :||
Woh,______ here comes la breeze.

Here comes la breeze.

Verse 2

| Cm$^{7(\flat 5)}$ |
Here it comes, here it comes,
| |
Here it comes, here it comes:
| F^7
Here it comes, la breeze to blow away
| E♭^{7} D^7
All your reason and your sane,

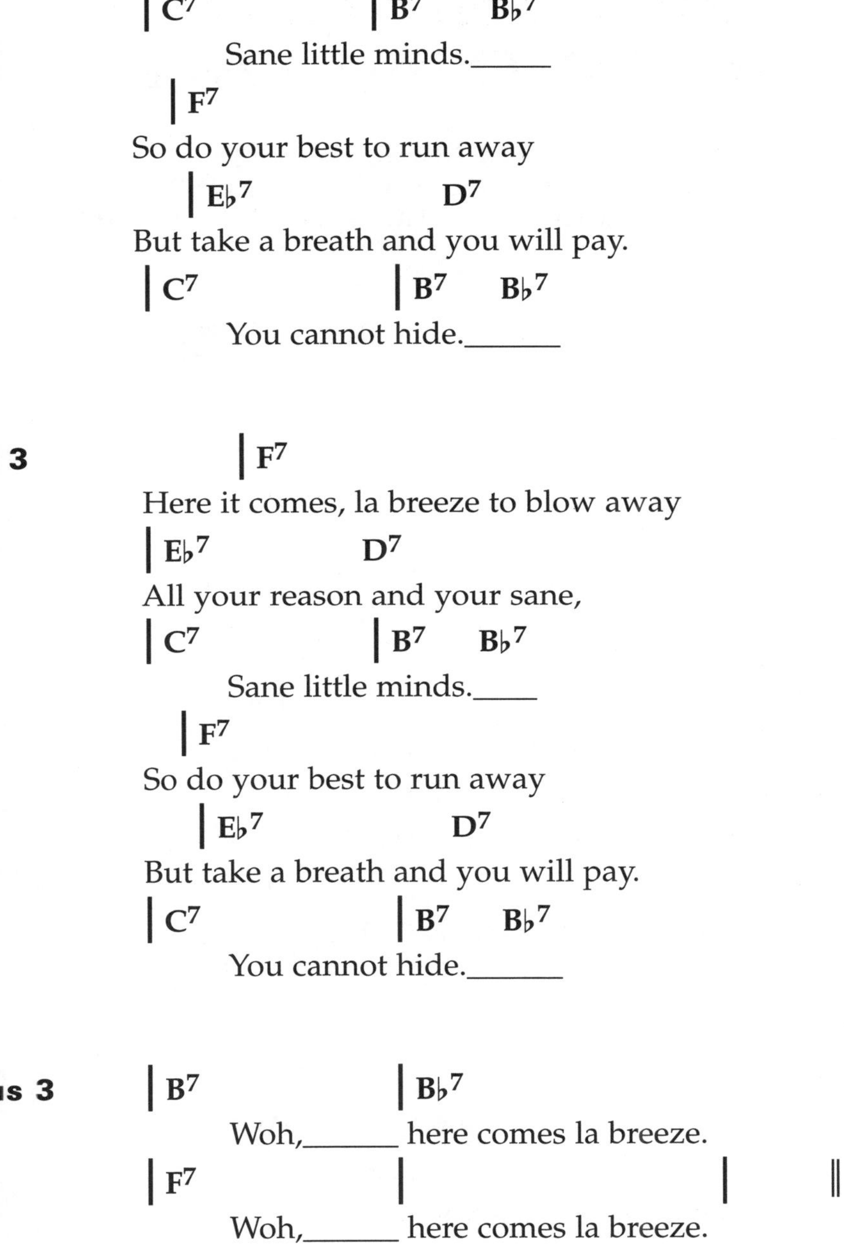

| C^7 | B^7 $B\flat^7$

Sane little minds.____

| F^7

So do your best to run away

| $E\flat^7$ D^7

But take a breath and you will pay.

| C^7 | B^7 $B\flat^7$

You cannot hide.____

erse 3

| F^7

Here it comes, la breeze to blow away

| $E\flat^7$ D^7

All your reason and your sane,

| C^7 | B^7 $B\flat^7$

Sane little minds.____

| F^7

So do your best to run away

| $E\flat^7$ D^7

But take a breath and you will pay.

| C^7 | B^7 $B\flat^7$

You cannot hide.____

horus 3

| B^7 | $B\flat^7$

Woh,____ here comes la breeze.

| F^7 | | ||

Woh,____ here comes la breeze.

Just When You're Thinkin' Things Over

Words and Music by
TIMOTHY BURGESS, MARTIN BLUNT,
MARK COLLINS, ROBERT COLLINS AND JON BROOKES

E A D G B

♩ = 100

Intro

4/4 | E / / / / | A / / / / | E / / / / | A / / / / |

Verse 1

| E | A
Just when you're thinking things over
| E | A
And you need a set of vows,
| E | A
And all your friends seem disappointed
| E | A
To see the sun going down;
| E | A
And when the sweetness you're saving
| E | A
Is all the sweetness you doubt,

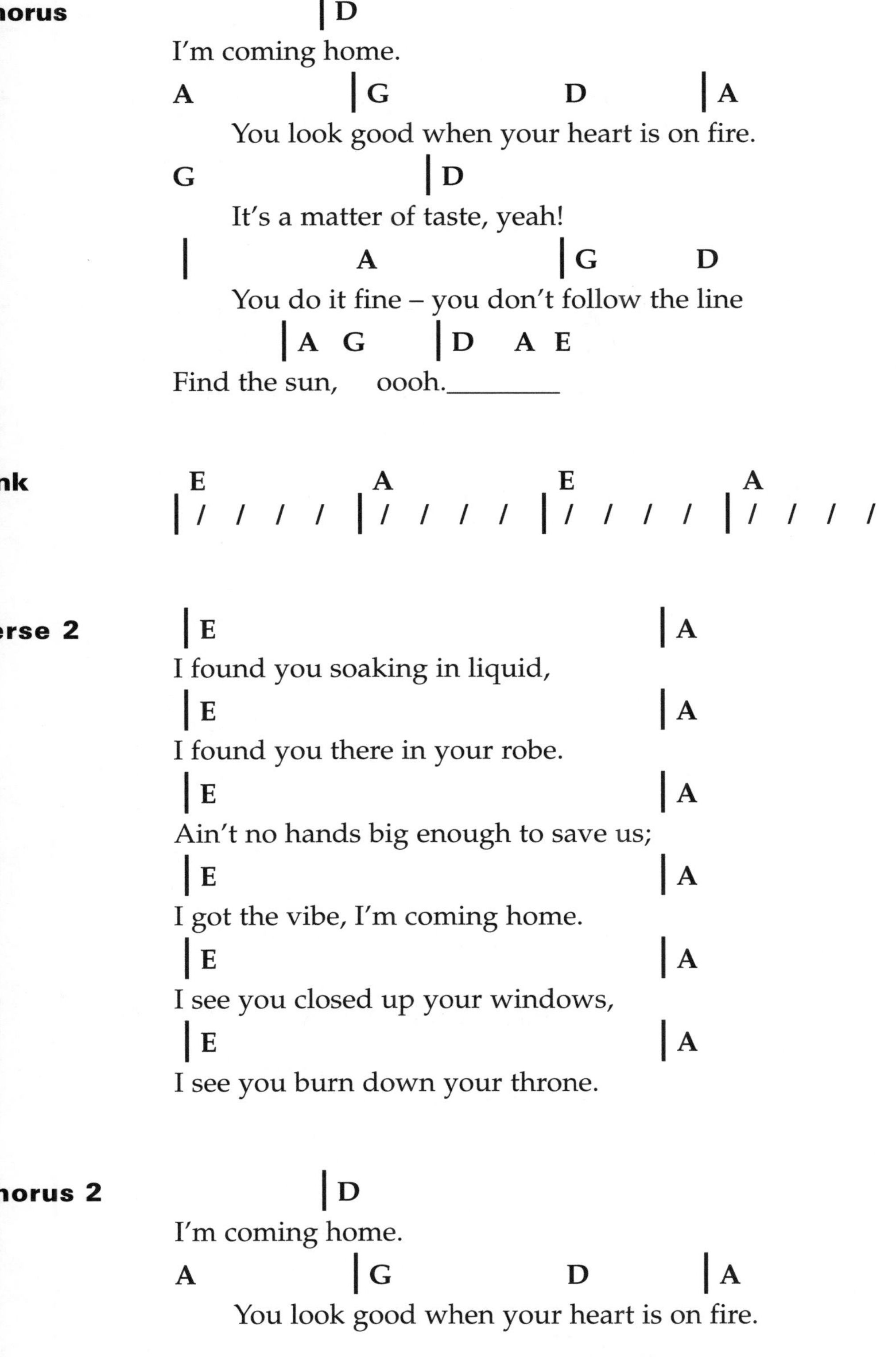

horus

| D
I'm coming home.
A | G D | A
You look good when your heart is on fire.
G | D
It's a matter of taste, yeah!
| A | G D
You do it fine – you don't follow the line
| A G | D A E
Find the sun, oooh.________

nk

E A E A
| / / / / | / / / / | / / / / | / / / /

erse 2

| E | A
I found you soaking in liquid,
| E | A
I found you there in your robe.
| E | A
Ain't no hands big enough to save us;
| E | A
I got the vibe, I'm coming home.
| E | A
I see you closed up your windows,
| E | A
I see you burn down your throne.

horus 2

| D
I'm coming home.
A | G D | A
You look good when your heart is on fire.

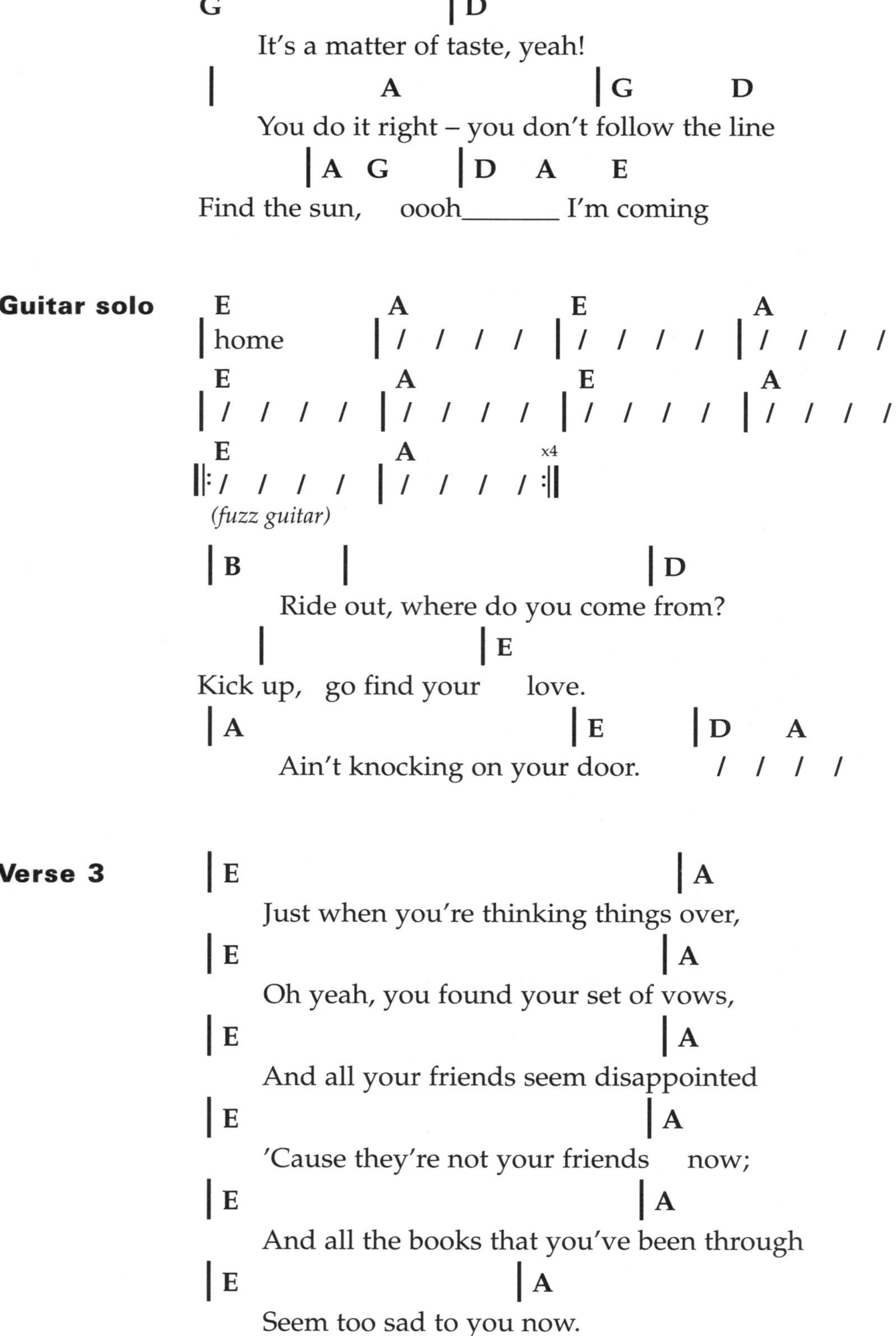

G | D

It's a matter of taste, yeah!

| A | G D

You do it right – you don't follow the line

| A G | D A E

Find the sun, oooh_______ I'm coming

Guitar solo

| E home | A / / / / | E / / / / | A / / / /

| E / / / / | A / / / / | E / / / / | A / / / /

|: E / / / / | A / / / / :| x4

(fuzz guitar)

| B | | D

Ride out, where do you come from?

| | E

Kick up, go find your love.

| A | E | D A

Ain't knocking on your door. / / / /

Verse 3

| E | A

Just when you're thinking things over,

| E | A

Oh yeah, you found your set of vows,

| E | A

And all your friends seem disappointed

| E | A

'Cause they're not your friends now;

| E | A

And all the books that you've been through

| E | A

Seem too sad to you now.

horus 3

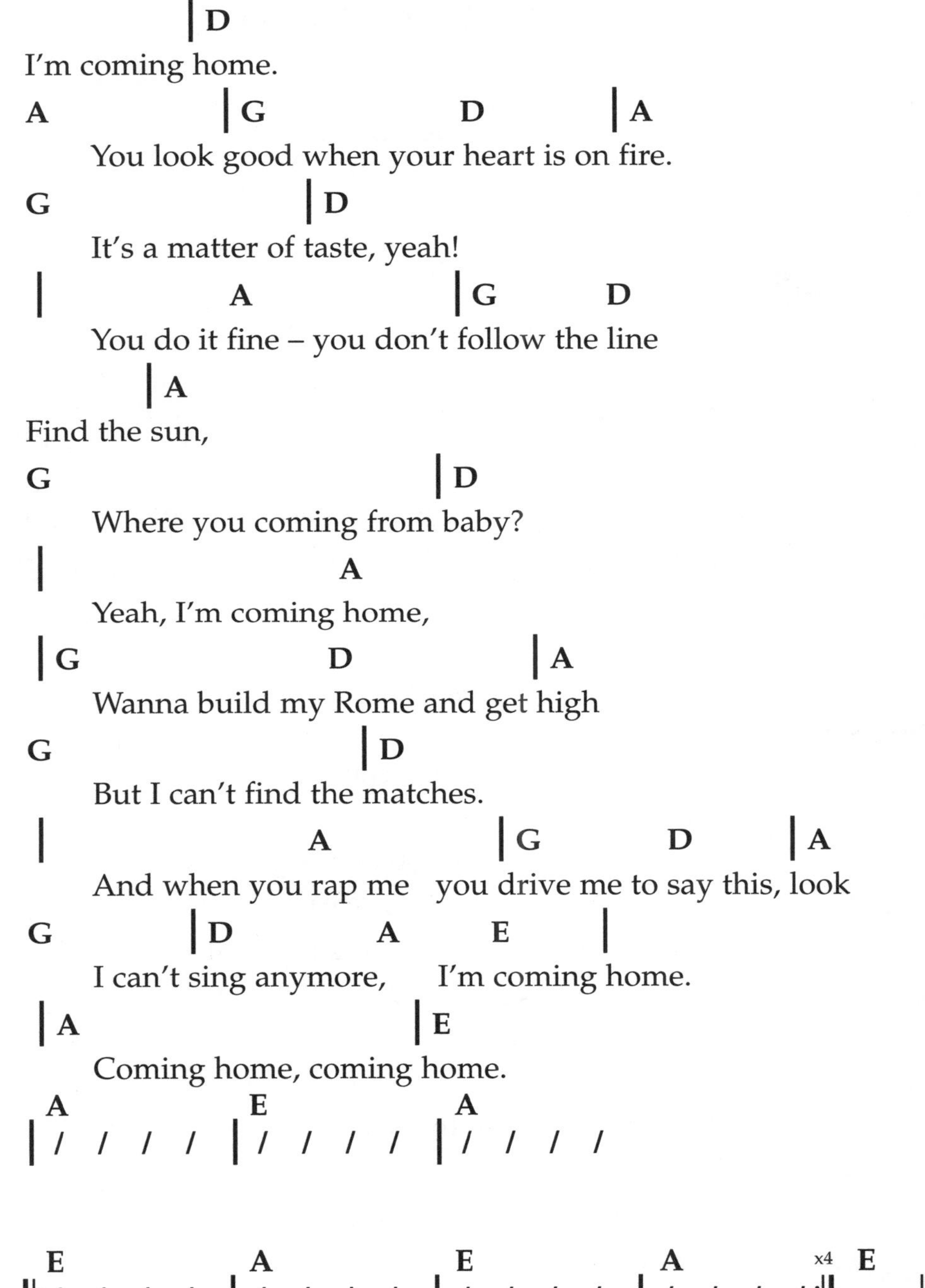

| D
I'm coming home.
A | G D | A
You look good when your heart is on fire.
G | D
It's a matter of taste, yeah!
| A | G D
You do it fine – you don't follow the line
| A
Find the sun,
G | D
Where you coming from baby?
| A
Yeah, I'm coming home,
| G D | A
Wanna build my Rome and get high
G | D
But I can't find the matches.
| A | G D | A
And when you rap me you drive me to say this, look
G | D A E |
I can't sing anymore, I'm coming home.
| A | E
Coming home, coming home.
A E A
| / / / / | / / / / | / / / /

oda

E A E A x4 E
‖: / / / / | / / / / | / / / / | / / / / :‖ ‖

Lilac Wine

Words and Music by
JAMES SHELTON

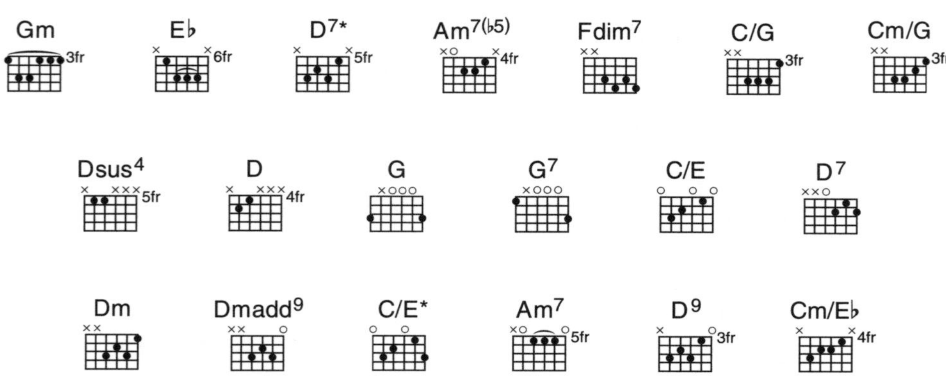

(freely)

Verse 1

Gm
I lost myself on a cool damp night;
E♭
I gave myself in that misty light,
D7* **Am7(♭5)**
Was hypnotized by a strange delight
D7* **Gm**
Under a lilac tree.

I made wine from the lilac tree
E♭
Put my heart in its recipe
Am7(♭5)
It makes me see what I want to see
D7* **Gm**
And be what I want to be.

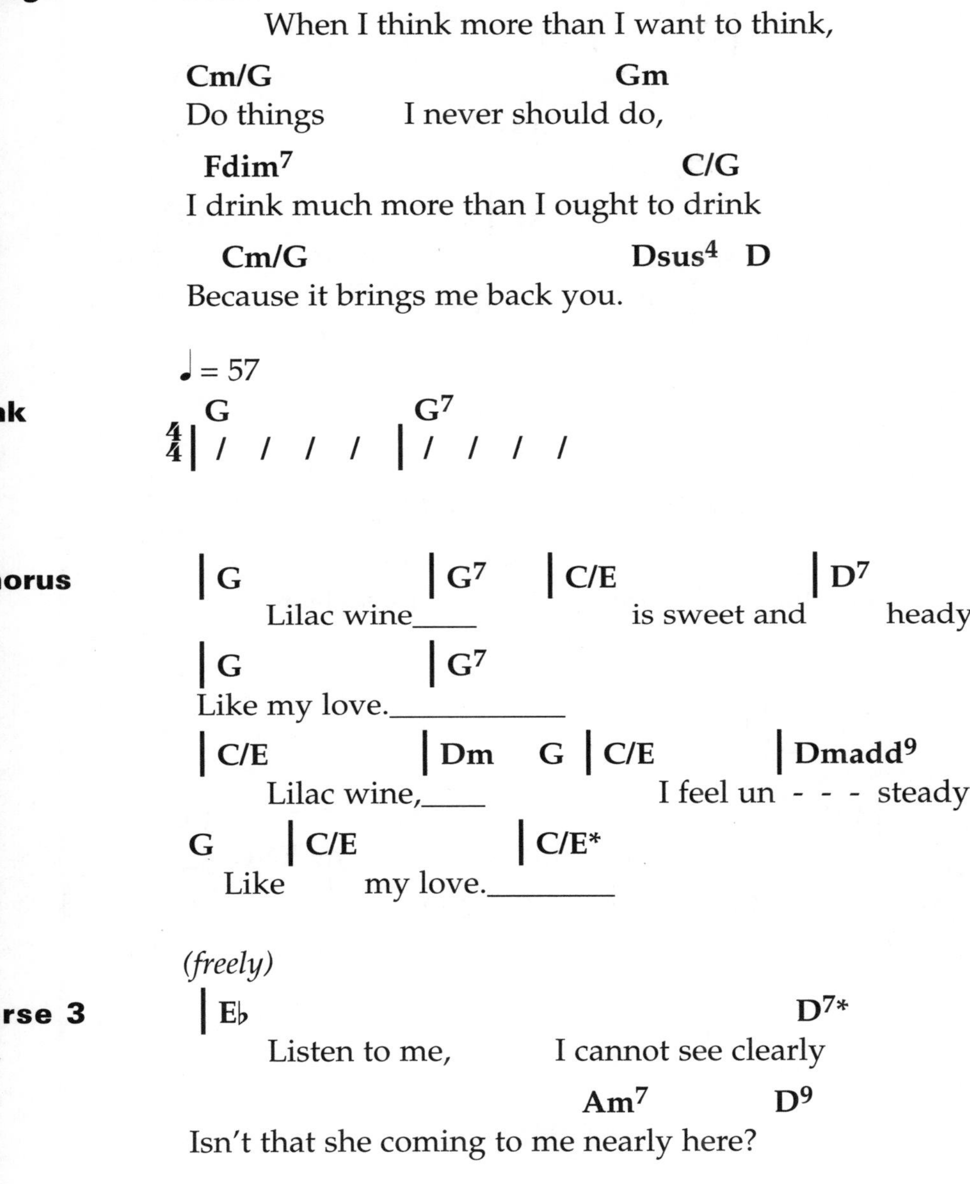

idge

Fdim7 C/G
When I think more than I want to think,

Cm/G Gm
Do things I never should do,

Fdim7 C/G
I drink much more than I ought to drink

Cm/G Dsus4 D
Because it brings me back you.

♩ = 57

k

4/4 | G / / / / | G7 / / / /

orus

| G | G7 | C/E | D7
Lilac wine____ is sweet and heady

| G | G7
Like my love.___________

| C/E | Dm G | C/E | Dmadd9
Lilac wine,____ I feel un - - - steady

G | C/E | C/E*
Like my love.________

(freely)

rse 3

| E♭ D7*
Listen to me, I cannot see clearly

Am7 D9
Isn't that she coming to me nearly here?

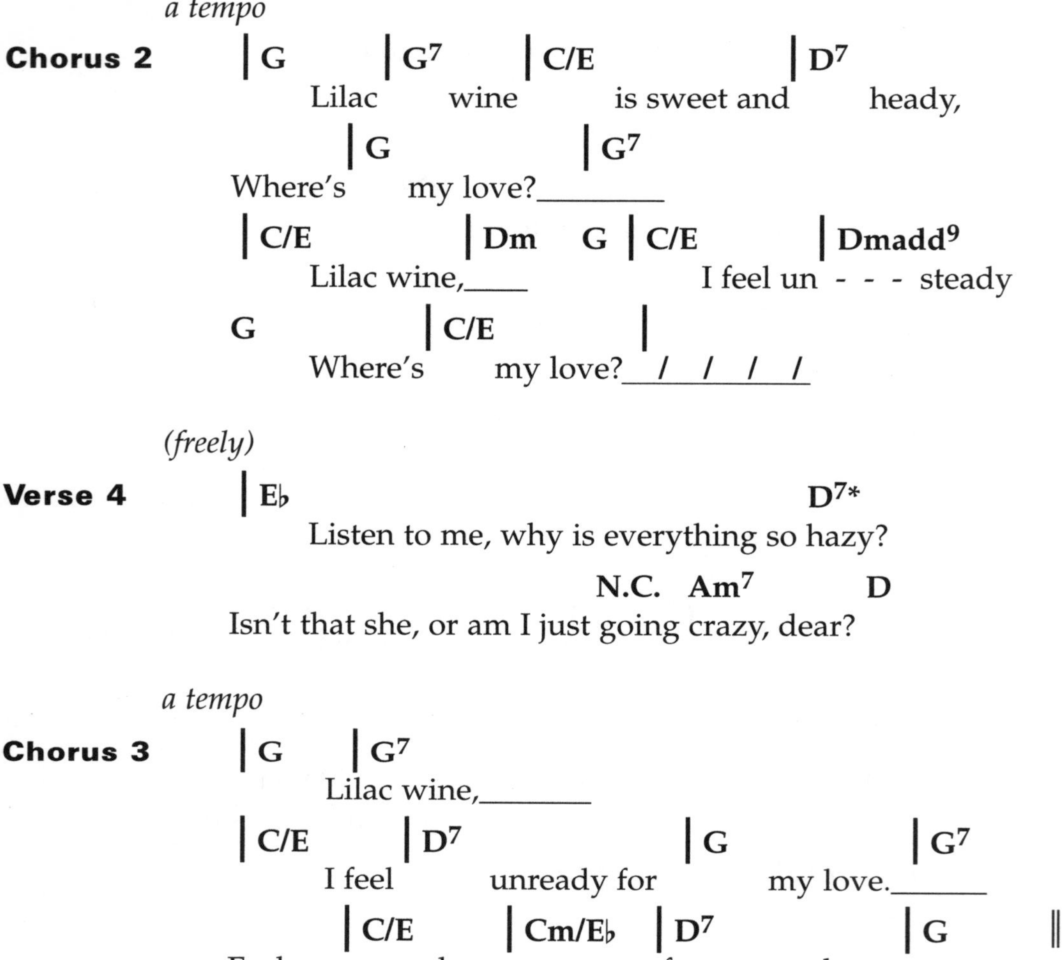

a tempo

Chorus 2

| G | G^7 | C/E | D^7
Lilac wine is sweet and heady,
| G | G^7
Where's my love?________
| C/E | Dm G | C/E | Dmadd^9
Lilac wine,____ I feel un - - - steady
G | C/E |
Where's my love?__/ / / /__

(freely)

Verse 4

| E♭ D^{7*}
Listen to me, why is everything so hazy?
N.C. Am^7 D
Isn't that she, or am I just going crazy, dear?

a tempo

Chorus 3

| G | G^7
Lilac wine,_______
| C/E | D^7 | G | G^7
I feel unready for my love.______
| C/E | Cm/E♭ | D^7 | G ‖
Feel unready_________ for my love.________

A Little Like You

Words and Music by
JULIAN WILSON AND DANIEL WILSON

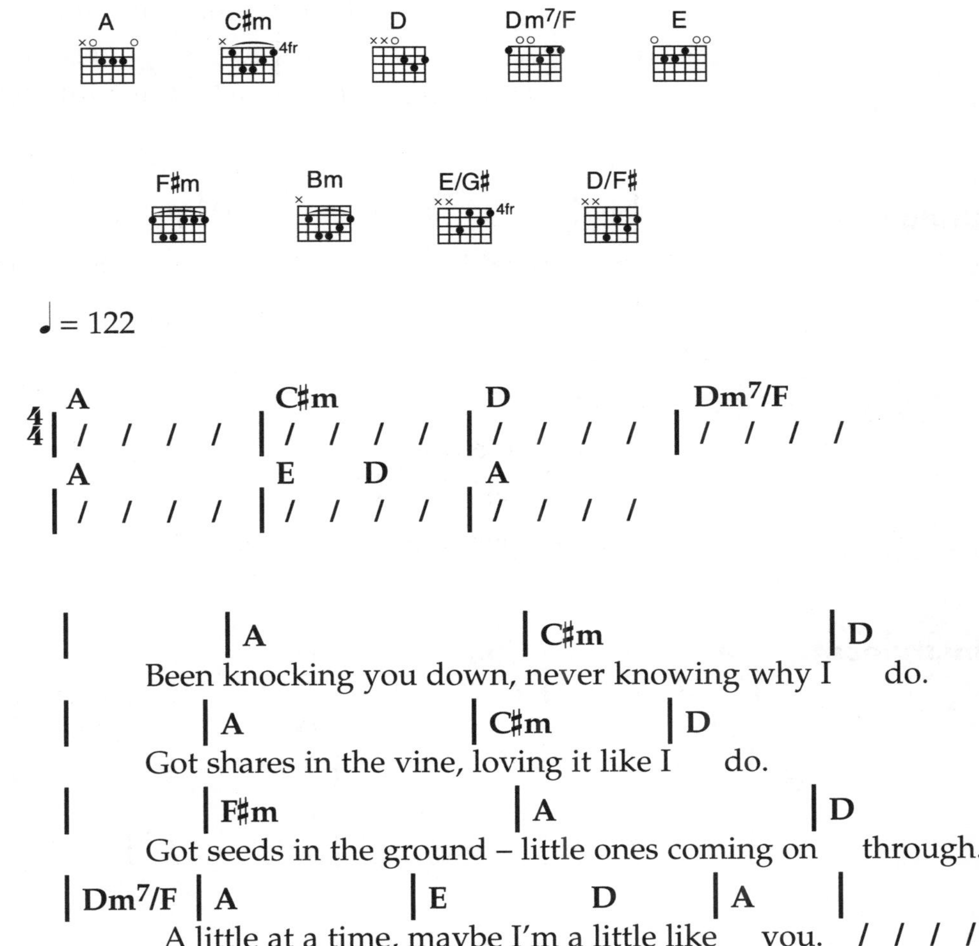
A
C♯m
D
Dm7/F
E
F♯m
Bm
E/G♯
D/F♯
4fr
♩ = 122
ro
A C♯m D Dm7/F
A E D A
rse 1
A C♯m D
Been knocking you down, never knowing why I do.
A C♯m D
Got shares in the vine, loving it like I do.
F♯m A D
Got seeds in the ground – little ones coming on through.
Dm7/F A E D A
A little at a time, maybe I'm a little like you.

Verse 2

| A | C♯m | D
Watching you try, watching you screw it all up
| | A | C♯m | D
Dreaming you'll fly even when you never got up.
| | F♯m | A | D
And every now and then seeing you coming on throug
| Dm7/F | A | E D | A
Just another little guy – maybe I'm a little like you.

Bridge

| | Bm | | E |
I know what I want, I don't know how to get it.
| C♯m | | D
Just the next in the line.____________
| Dm7/F | A
One day at a time
| E D | A |
I'm getting there just like____ you. / / / /

Instrumental

A C♯m D
‖: / / / / | / / / / | / / / / | / / / / :‖
F♯m A D Dm7/F
| / / / / | / / / / | / / / / | / / / /
A E D A
| / / / / | / / / / | / / / / | / / / /

Verse 3

| A | C♯m | D
Reason came by, everybody else got up.
| | A | C♯m | D
Everybody's inside looking like they're living it up
| | F♯m | A | D
But you're standing outside rained on and liking it tc
| Dm7/F | A | E D | A
That's a feeling I like, maybe I'm a little like you.

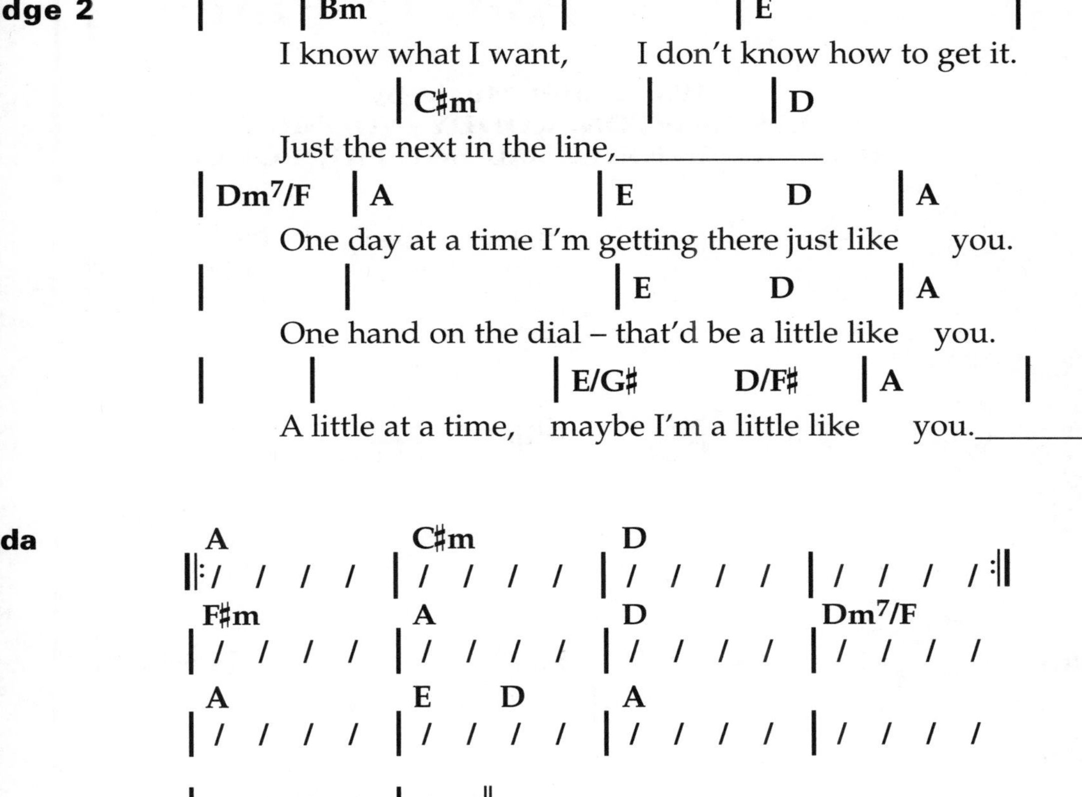
idge 2
Bm E
I know what I want, I don't know how to get it.
C♯m D
Just the next in the line,
Dm7/F A E D A
One day at a time I'm getting there just like you.
E D A
One hand on the dial – that'd be a little like you.
E/G♯ D/F♯ A
A little at a time, maybe I'm a little like you.
oda
A C♯m D
F♯m A D Dm7/F
A E D A

Live In A Hiding Place

Words and Music by
COLIN NEWTON, RODDY WOOMBLE,
ROD PRYCE-JONES AND BOB FAIRFOULL

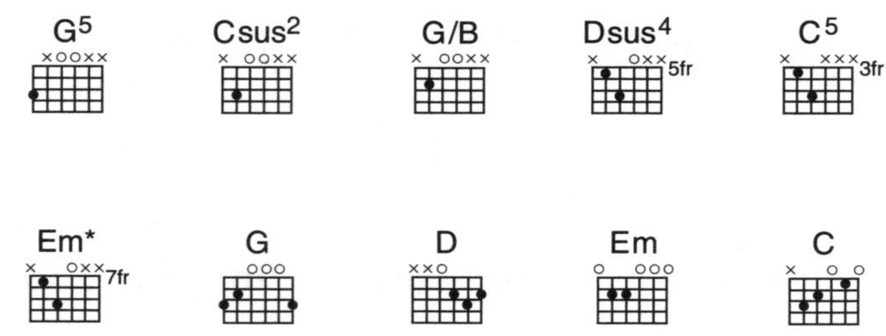

Tune down a semitone

♩ = 130

Intro

4/4 | G5 / / Csus2 / G/B / | Dsus4 / / / / | G5 / / Csus2 / G/B / |

Verse 1

| Dsus4 | G5 Csus2 G/B | Dsus4
There are times that I should try

| G5 Csus2 G/B | Dsus4
To be so much more a - live

| G5 Csus2 G/B | Dsus4 | G5 Csus2 G
But if time was right then I would be with you again.

| Dsus4 | G5 Csus2 G/B | Dsus4
Or do you worry that I try

| G5 Csus2 G/B | Dsus4
To avoid the point and then deny

| G5 Csus2 G/B | Dsus4 | G5 Csus2 G/B
The time I've spent de - ciding it was you again?

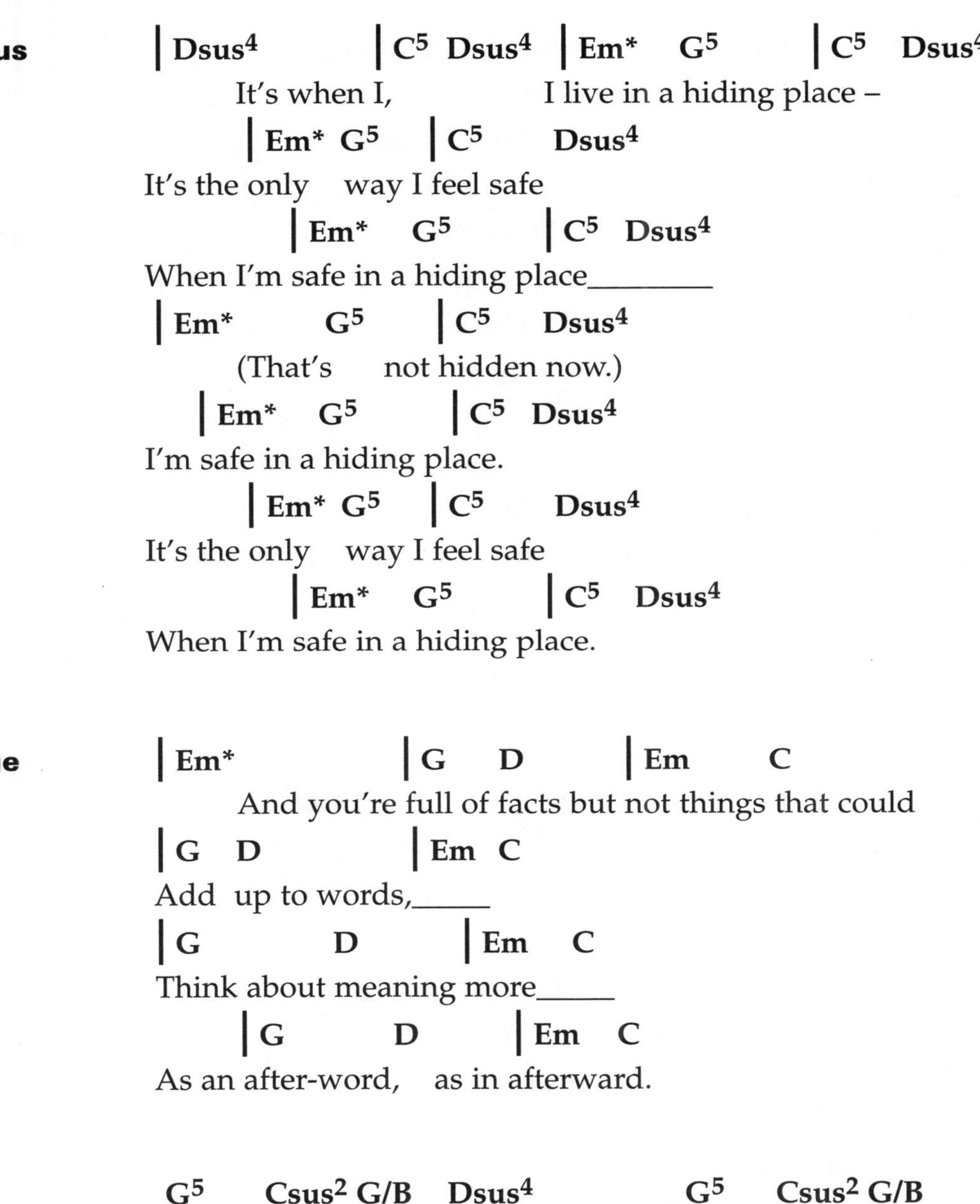

horus

| Dsus^4 | C^5 Dsus^4 | Em* G^5 | C^5 Dsus^4

It's when I, I live in a hiding place –

| Em* G^5 | C^5 Dsus^4

It's the only way I feel safe

| Em* G^5 | C^5 Dsus^4

When I'm safe in a hiding place________

| Em* G^5 | C^5 Dsus^4

(That's not hidden now.)

| Em* G^5 | C^5 Dsus^4

I'm safe in a hiding place.

| Em* G^5 | C^5 Dsus^4

It's the only way I feel safe

| Em* G^5 | C^5 Dsus^4

When I'm safe in a hiding place.

idge

| Em* | G D | Em C

And you're full of facts but not things that could

| G D | Em C

Add up to words,_____

| G D | Em C

Think about meaning more_____

| G D | Em C

As an after-word, as in afterward.

nk

G^5 Csus^2 G/B Dsus^4 G^5 Csus^2 G/B

| / / / / | / / / / | / / / /

Verse 2

| Dsus | G^5 Csus^2 G/B | Dsus^4
I return but don't re - main,
| G^5 Csus^2 G/B | Dsus^4 | G^5
I'm impatient for a reason to complain
Csus^2 G/B | Dsus^4 | G^5 Csus^2 G/B
About winter making me see through again.
| Dsus^4 | G^5 Csus^2 G/B | Dsus^4
Or is it your damaged reply______
| G^5 Csus^2 G/B | Dsus^4
That makes me realise that the more I try
| G^5 Csus^2 G/B | Dsus^4 | G^5 Csus^2 G/
The less that plans will help me comprehend again?____

Chorus 2

| Dsus^4 | C^5 Dsus^4 | Em* G^5 | C^5 Dsus^4
So I, I live in a hiding place –
| Em* G^5 | C^5 Dsus^4
It's the only way I feel safe_____
| Em* G^5 | C^5 Dsus^4
When I'm safe in a hiding place______
| Em* G^5 | C^5 Dsus^4
(That's not hidden now.)
| Em* G^5 | C^5 Dsus^4
I'm safe in a hiding place.
| Em* G^5 | C^5 Dsus^4
It's the only way I feel safe
| Em* G^5 | C^5 Dsus^4
When I live in a hiding place.

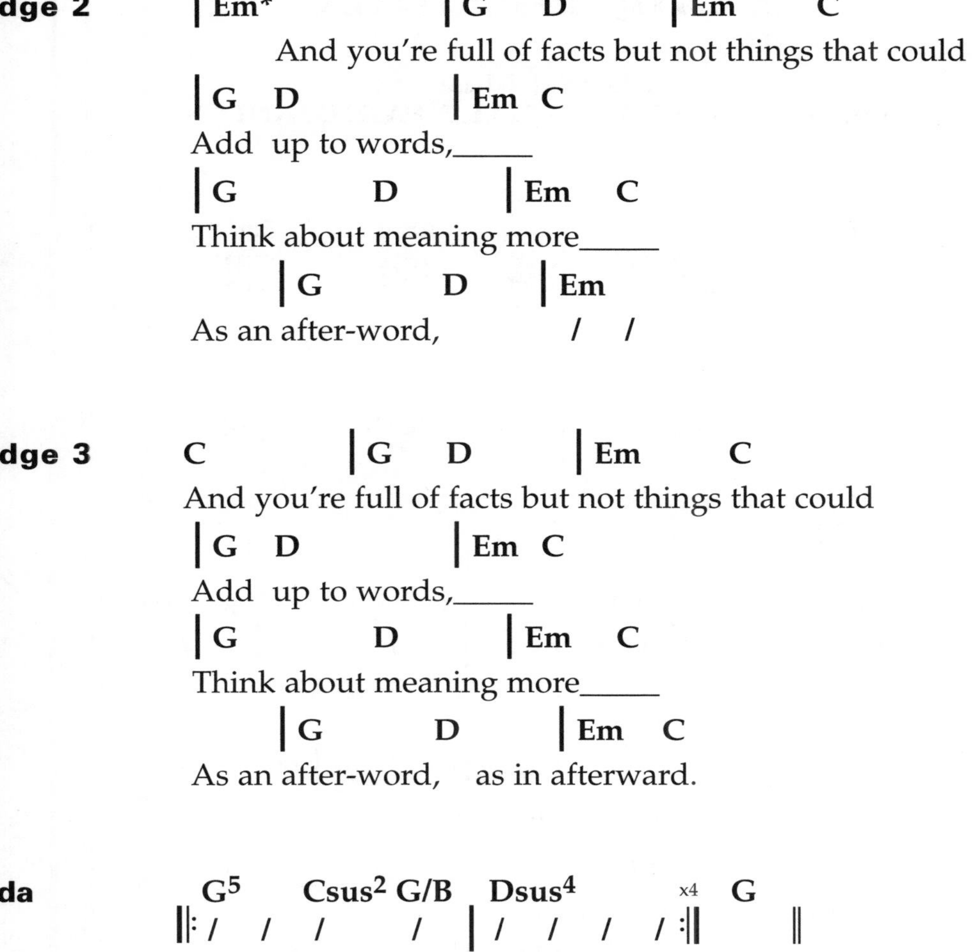

idge 2

```
| Em*             | G    D       | Em       C
        And you're full of facts but not things that could
| G  D          | Em  C
Add  up to words,_____
| G          D        | Em    C
Think about meaning more_____
       | G          D      | Em
As an after-word,              /   /
```

idge 3

```
C           | G    D        | Em       C
And you're full of facts but not things that could
| G  D          | Em  C
Add  up to words,_____
| G          D        | Em    C
Think about meaning more_____
       | G         D       | Em   C
As an after-word,    as in afterward.
```

oda

```
  G5       Csus2 G/B   Dsus4          x4   G
||: /   /   /       /  | /   /   /   / :||      ||
```

Long Distance

Words and Music by
OLLY KNIGHTS AND GALE PARIDJANIAN

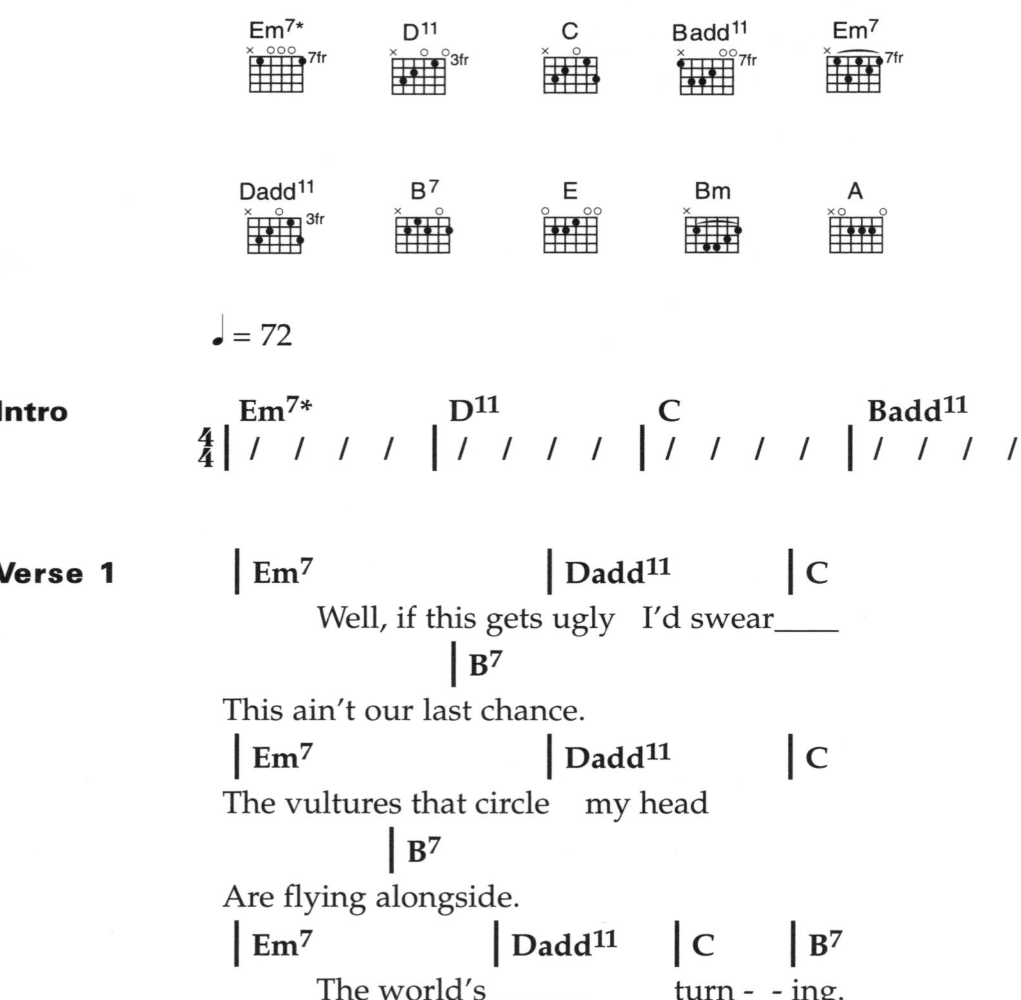
Em7* D11 C Badd11 Em7
7fr 3fr 7fr 7fr
Dadd11 B7 E Bm A
3fr
♩ = 72
Intro
Em7* D11 C Badd11
4/4 / / / / / / / / / / / / / / / /
Verse 1
Em7 Dadd11 C
Well, if this gets ugly I'd swear____
B7
This ain't our last chance.
Em7 Dadd11 C
The vultures that circle my head
B7
Are flying alongside.
Em7 Dadd11 C B7
The world's_______ turn - - ing.

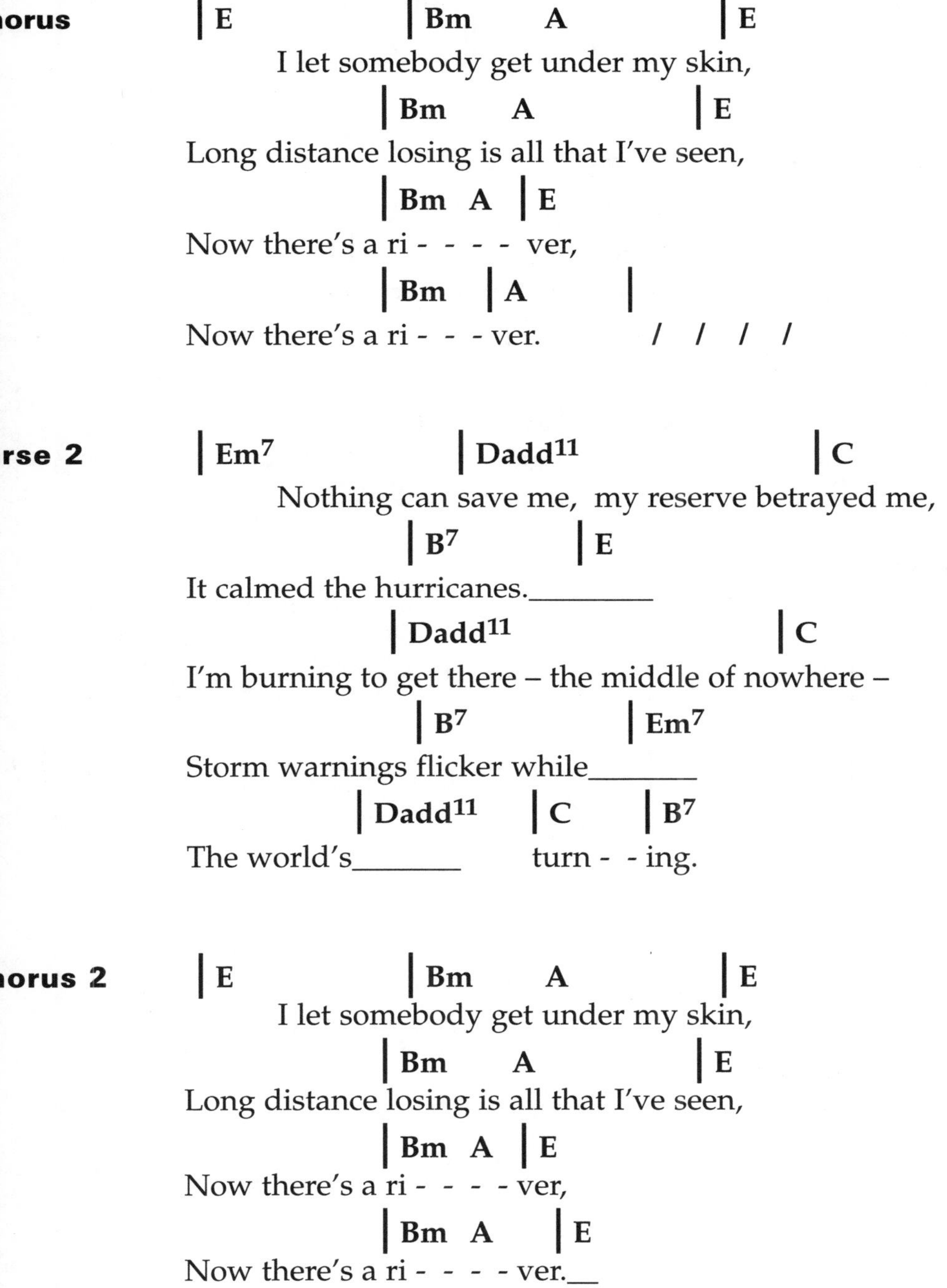

horus

| E | Bm A | E

I let somebody get under my skin,

| Bm A | E

Long distance losing is all that I've seen,

| Bm A | E

Now there's a ri - - - - ver,

| Bm | A |

Now there's a ri - - - ver. / / / /

rse 2

| Em^{7} | Dadd^{11} | C

Nothing can save me, my reserve betrayed me,

| B^{7} | E

It calmed the hurricanes.________

| Dadd^{11} | C

I'm burning to get there – the middle of nowhere –

| B^{7} | Em^{7}

Storm warnings flicker while_______

| Dadd^{11} | C | B^{7}

The world's_______ turn - - ing.

horus 2

| E | Bm A | E

I let somebody get under my skin,

| Bm A | E

Long distance losing is all that I've seen,

| Bm A | E

Now there's a ri - - - - ver,

| Bm A | E

Now there's a ri - - - - ver.__

Instrumental

```
 Bm   A      E           x3 Bm   A
‖: / / / / | / / / / :‖ / / / /
```

Chorus 3

```
| E                | Bm      A          | E
         I let somebody get under my skin,
                 | Bm      A          | E
Long distance losing is all that I've seen,
                 | Bm  A  | E
Now there's a ri - - - - ver,
                 | Bm   | A        |
Now there's a ri - - - ver.          / / / /
```

Instrumental Coda

```
 A
| / / / / | / / / / | / / / / | / / / /

| / / / / | / / / / | / / / / | / / / /

| / / / / | / / / / | / / / / | / / / / | /
```

Only Happy When It Rains

Words and Music by
BUTCH VIG, DUKE ERIKSEN,
STEVE MARKER AND SHIRLEY MANSON

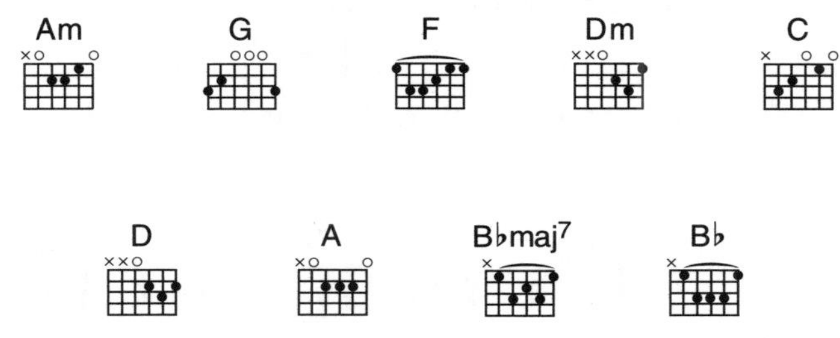

Tune down a semitone

♩ = 120

rse 1

4/4 N.C. | Am
I'm only happy when it rains,
| G | F
I'm only happy when it's complicated,
| Dm | F
And though I know you can't appreciate it,
| G | Am
I'm only happy when it rains.
| G | F
You know I love it when the news is bad.
| Dm | F
Why it feels so good to feel so sad?
| G | C |
I'm only happy when it rains. / / / /

idge

| D | A | B♭maj7 | C | D
Pour your misery down, pour your misery down on me.
| A | B♭maj7 | C | G
Pour your misery down, pour your misery down on me.

Verse 2

```
| N.C.                  | Am
I'm only happy when it rains,
| G                                | F
    I feel good when things are going wrong,
| Dm                    | F
    I only listen to the sad, sad songs,
| G                          | C       |
    I'm only happy when it rains.      / / / /
```

Instrumental

```
    D               A               B♭              C
||: /  /  /  /  |  /  /  /  /  |  /  /  /  /  |  /  /  /  / :||
```

Verse 3

```
| N.C.              | Am
I only smile in the dark.
| G                           | F
    My only comfort is the night gone black;
| Dm                     | F
    I didn't accidentally tell you that
| G                          | Am
    I'm only happy when it rains?
| G                                  | F
    You'll get the message by the time I'm through
| Dm                         | F
    When I complain about me and you.
| G                          | C       |
    I'm only happy when it rains.      / / / /
```

Bridge 2

```
| D         | A            | B♭maj7         | C                ||: D
Pour your misery down,          pour your misery down on   me
            | A            | B♭maj7         | C                :|| D
Pour your misery down,          pour your misery down on   me
            | A
Pour your misery down.
| B♭maj7          |                | C                | G
You can keep me company   as long as you don't care.
```

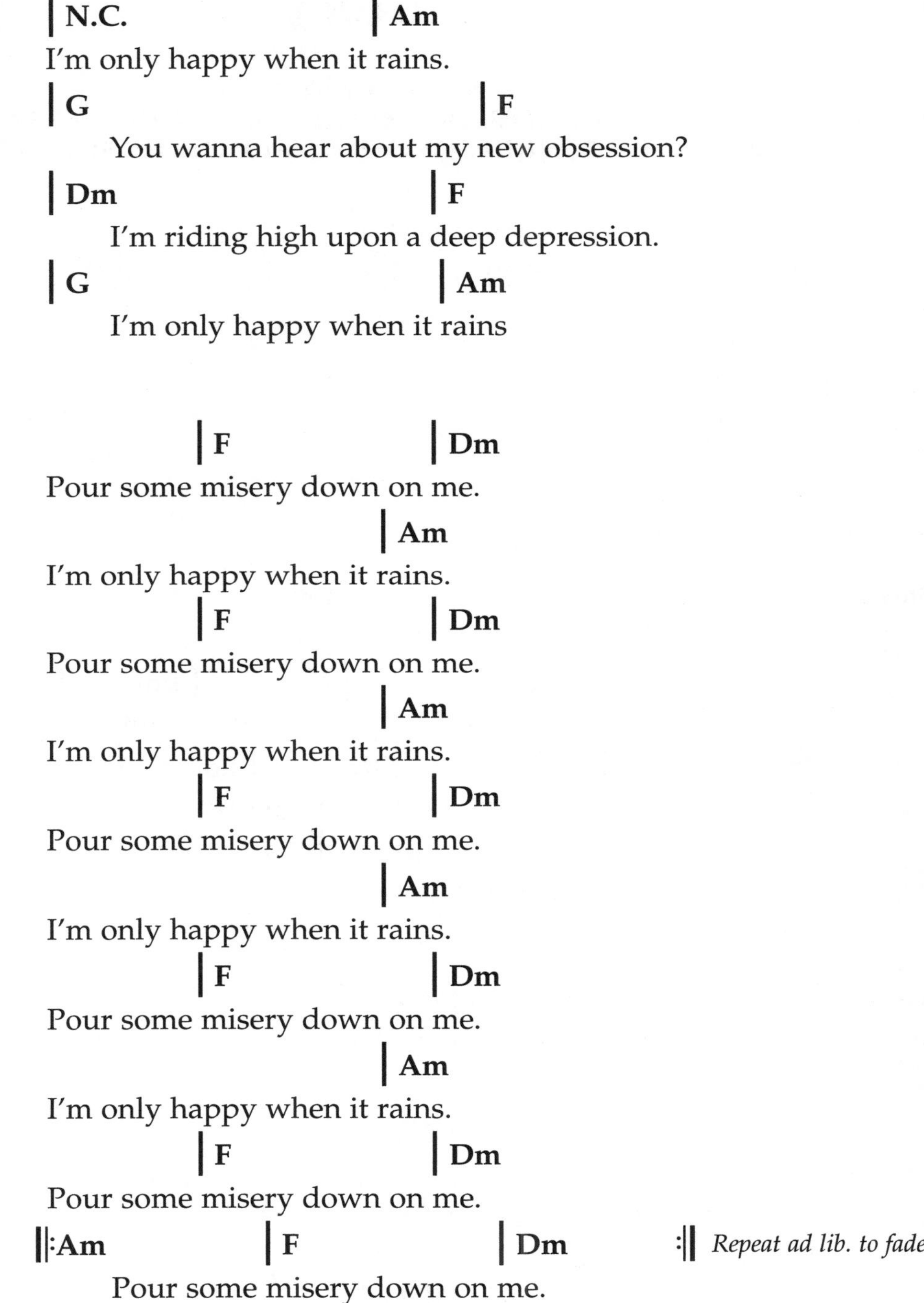

erse 4

| N.C. | Am
I'm only happy when it rains.
| G | F
You wanna hear about my new obsession?
| Dm | F
I'm riding high upon a deep depression.
| G | Am
I'm only happy when it rains

oda

| F | Dm
Pour some misery down on me.
| Am
I'm only happy when it rains.
| F | Dm
Pour some misery down on me.
| Am
I'm only happy when it rains.
| F | Dm
Pour some misery down on me.
| Am
I'm only happy when it rains.
| F | Dm
Pour some misery down on me.
| Am
I'm only happy when it rains.
| F | Dm
Pour some misery down on me.
||: Am | F | Dm :|| *Repeat ad lib. to fade*
Pour some misery down on me.

Lucky

Words and Music by
THOMAS YORKE, EDWARD O'BRIEN, COLIN GREENWOOD,
JONATHAN GREENWOOD AND PHILIP SELWAY

Em Am G Bm C A C7

B7 F♯5/E E5 D5/E C5/E C/F♯

9fr 7fr 5fr 3fr

♩ = 66

Verse 1

4/4 | Em Am | G Bm |
I'm on a roll, I'm on a roll

| Em | C G | Bm | Em |
This time,_____ I feel my luck could change.

| Am G | Bm | Em |
Kill me Sarah, kill me again with love

| C G | Bm | Em |
It's gonna be a glorious day.

Chorus 1

| A | Em
Pull me out of the aircrash

| A | Em
Pull me out of the lake

| A | Em
I'm your super - hero

| C7 B7 |
We are standing on the edge.

Instrumental Em
| / / / / | / / / / | / / / / | / / / /

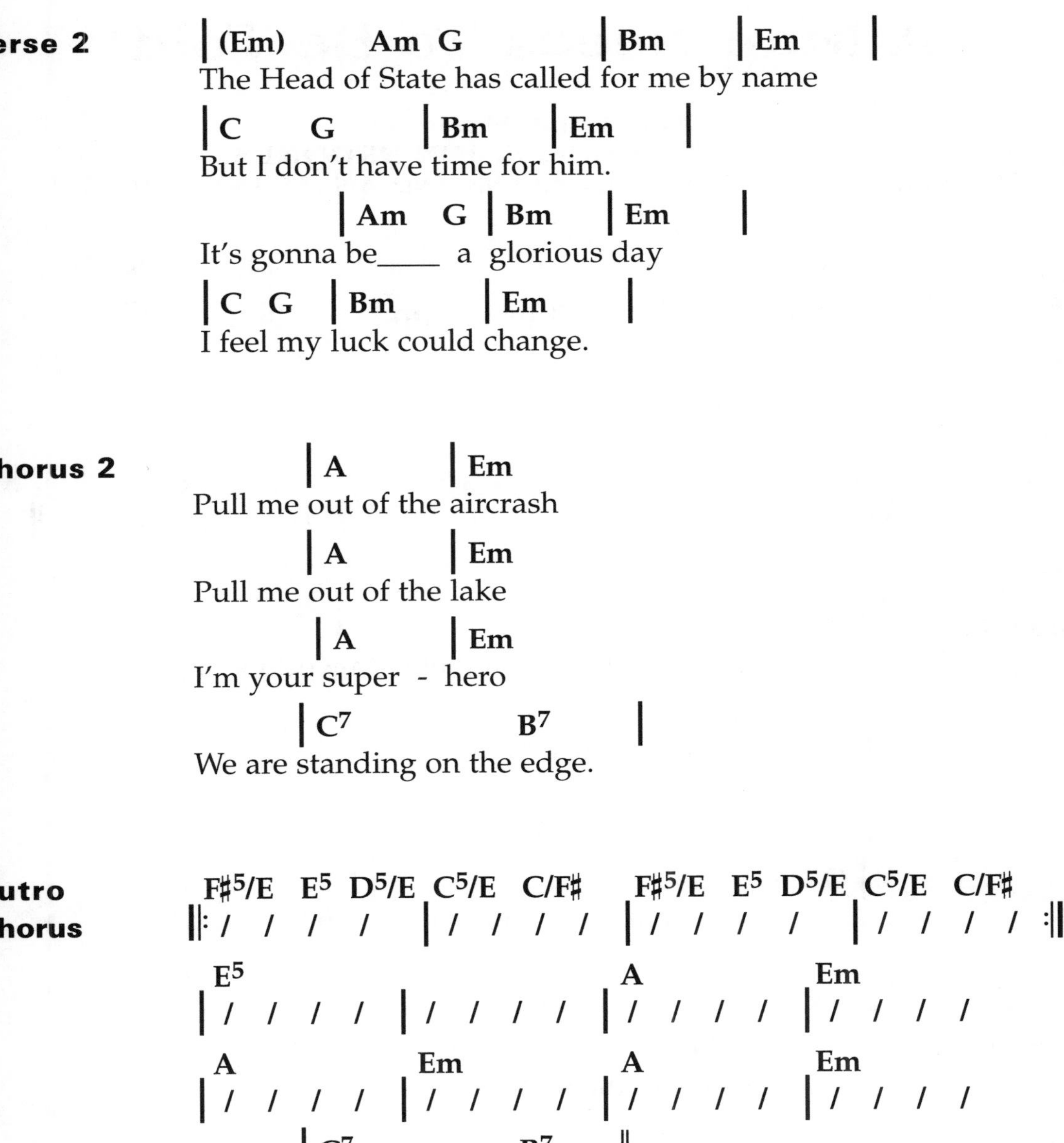

erse 2

| (Em) Am G | Bm | Em |
The Head of State has called for me by name
| C G | Bm | Em |
But I don't have time for him.
| Am G | Bm | Em |
It's gonna be____ a glorious day
| C G | Bm | Em |
I feel my luck could change.

horus 2

| A | Em
Pull me out of the aircrash
| A | Em
Pull me out of the lake
| A | Em
I'm your super - hero
| C^7 B^7 |
We are standing on the edge.

utro
horus

F♯^{5}/E E^5 D^5/E C^5/E C/F♯ F♯^{5}/E E^5 D^5/E C^5/E C/F♯
||: / / / / | / / / / | / / / / | / / / / :||

E^5 A Em
| / / / / | / / / / | / / / / | / / / /

A Em A Em
| / / / / | / / / / | / / / / | / / / /

| C^7 B^7 ||
We are standing on the edge.

A Man Needs To Be Told

Words and Music by
TIMOTHY BURGESS, JON BROOKES,
MARTIN BLUNT, MARK COLLINS AND ANTHONY ROGERS

C G Fmaj7 F Csus4 Fadd9 Gsus4

♩ = 78

Intro

4/4 | (C) / / / / |: G / / / / | Fmaj7 / / / / | / / / / | C / / / / :|

Verse 1

| G | F
A man needs to be told there is a world going on,
|
There is a world going on,
| C
There is a world going on.
| G | F
A man needs to be told to look into the light.
|
He will get lost in the day,
| C
He will get lost in the night.

Chorus

| G
A man needs to be told,
| F
A man needs_______ to be told,
|
A man needs to be told,
| C
A man needs to be told.

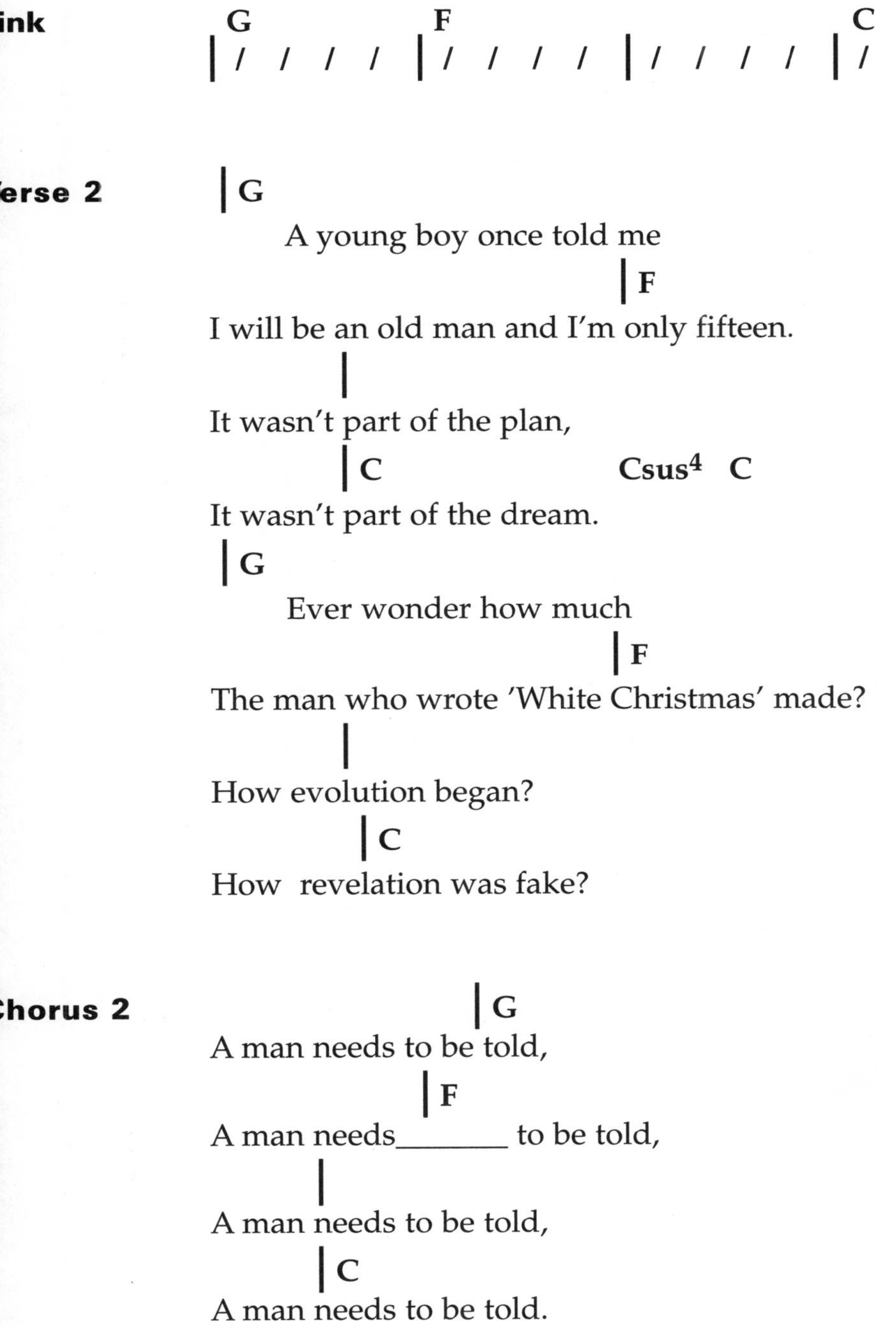

ink

G	F		C
/ / / /	/ / / /	/ / / /	/ / / /

erse 2

G
A young boy once told me
F
I will be an old man and I'm only fifteen.

It wasn't part of the plan,
C Csus4 C
It wasn't part of the dream.
G
Ever wonder how much
F
The man who wrote 'White Christmas' made?

How evolution began?
C
How revelation was fake?

horus 2

G
A man needs to be told,
F
A man needs_______ to be told,

A man needs to be told,
C
A man needs to be told.

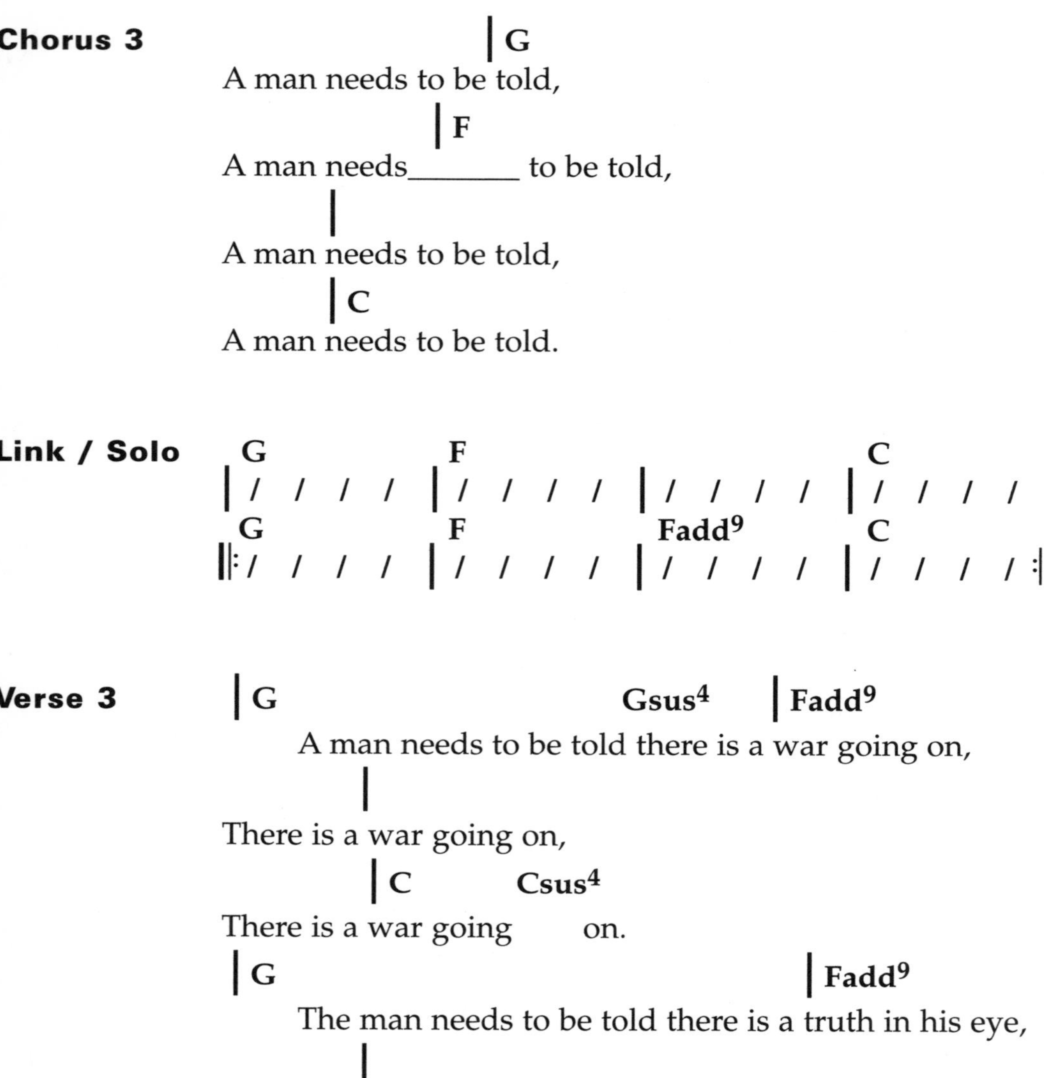

Chorus 3

| G
A man needs to be told,
| F
A man needs________ to be told,
|
A man needs to be told,
| C
A man needs to be told.

Link / Solo

G | F | | C
| / / / / | / / / / | / / / / | / / / / |
G | F | Fadd9 | C
‖: / / / / | / / / / | / / / / | / / / / :‖

Verse 3

| G Gsus4 | Fadd9
A man needs to be told there is a war going on,
|
There is a war going on,
| C Csus4
There is a war going on.
| G | Fadd9
The man needs to be told there is a truth in his eye,
|
There is a rest in the dawn,
| C
There is a point in his life.

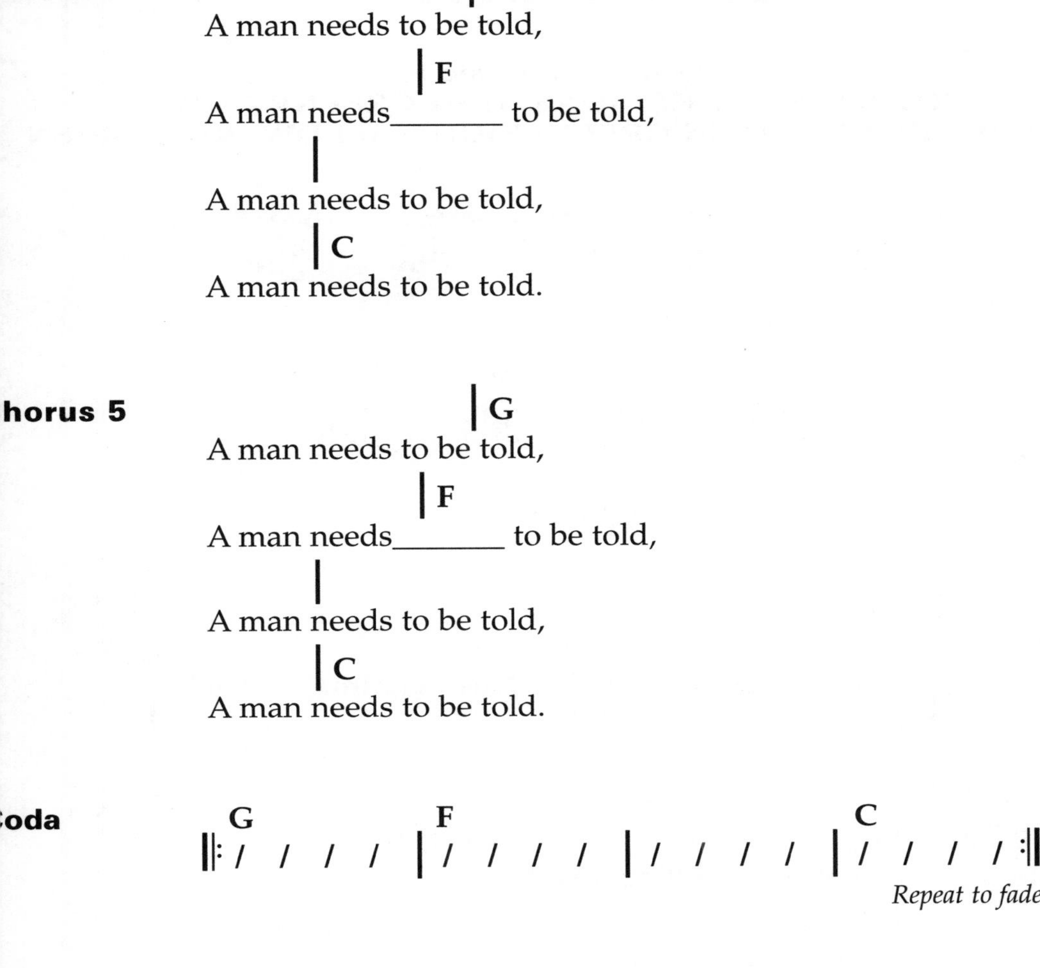
horus 4
G
A man needs to be told,
F
A man needs_______ to be told,
A man needs to be told,
C
A man needs to be told.
horus 5
G
A man needs to be told,
F
A man needs_______ to be told,
A man needs to be told,
C
A man needs to be told.
:oda
G F C
Repeat to fade

No Surprises

Words and Music by
THOMAS YORKE, JONATHAN GREENWOOD,
PHILIP SELWAY, COLIN GREENWOOD AND EDWARD O'BRIEN

D Dsus2 Gm(maj7) Gm6 Gmaj7/B

Em A D/C♯ D/A

Capo 3rd fret

♩ = 74

Intro 4/4 ||: N.C. | N.C. :||

||: D Dsus2 D Dsus2 | D Dsus2 Gm(maj7) Gm6 :||

Verse 1

| D | | Gmaj7/B
A heart that's full up like a landfill
| | Em
A job that slowly kills you
| A | D Dsus2 D Dsus2 |
Bruises that won't heal.
| D Dsus2 Gm(maj7) Gm6 |

Verse 2

| D |
You look so tired and unhappy
| Gmaj7/B |
Bring down the government
| Em | A | D Dsus2 D Dsus2 |
They don't, they don't speak for us.
| D Dsus2 Gm(maj7) Gm6 |

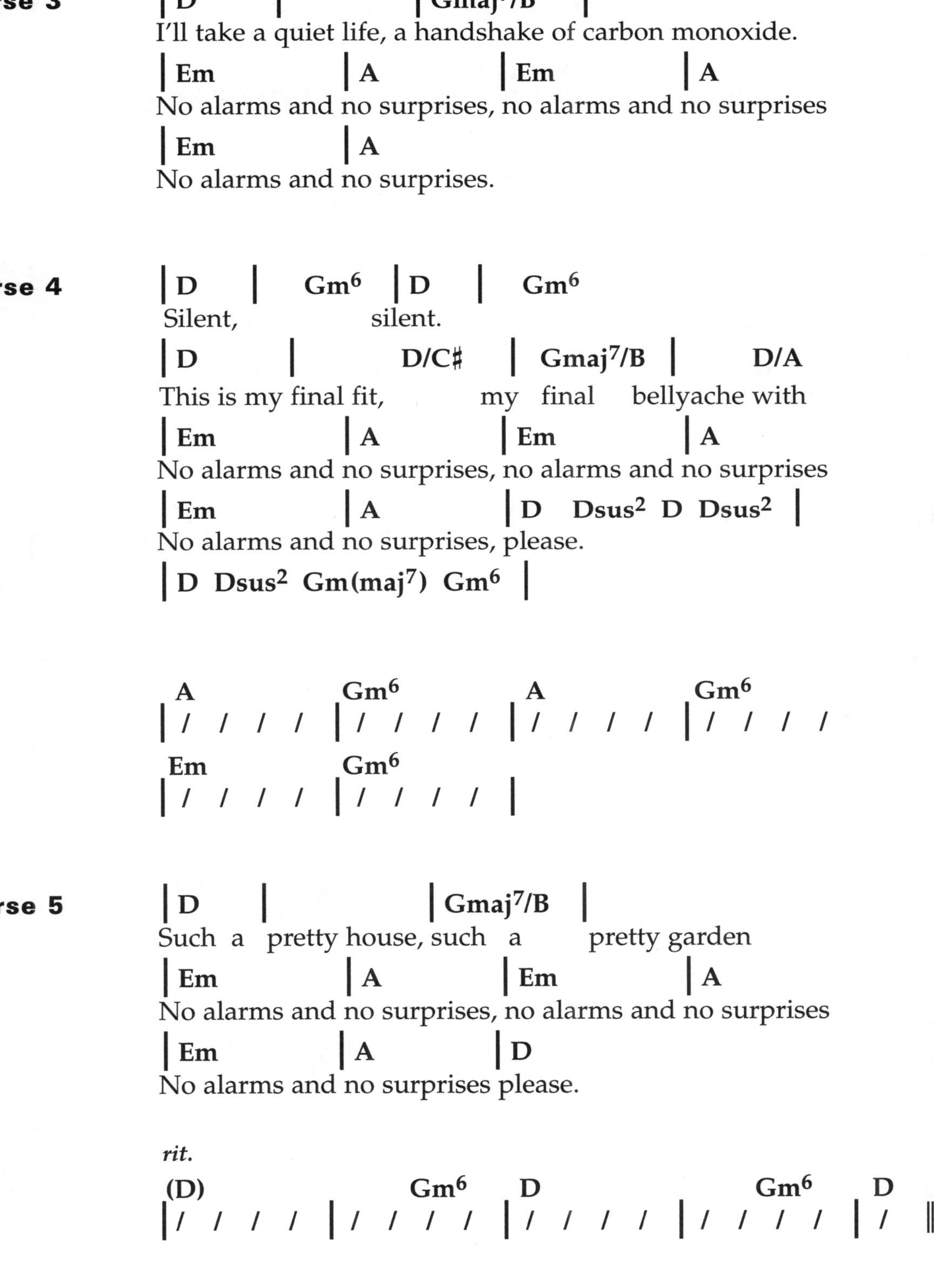

erse 3

| D | | Gmaj7/B |
I'll take a quiet life, a handshake of carbon monoxide.
| Em | A | Em | A
No alarms and no surprises, no alarms and no surprises
| Em | A
No alarms and no surprises.

erse 4

| D | Gm6 | D | Gm6
Silent, silent.
| D | D/C♯ | Gmaj7/B | D/A
This is my final fit, my final bellyache with
| Em | A | Em | A
No alarms and no surprises, no alarms and no surprises
| Em | A | D Dsus2 D Dsus2 |
No alarms and no surprises, please.
| D Dsus2 Gm(maj7) Gm6 |

A Gm6 A Gm6
| / / / / | / / / / | / / / / | / / / /
Em Gm6
| / / / / | / / / / |

erse 5

| D | | Gmaj7/B |
Such a pretty house, such a pretty garden
| Em | A | Em | A
No alarms and no surprises, no alarms and no surprises
| Em | A | D
No alarms and no surprises please.

rit.
(D) Gm6 D Gm6 D
| / / / / | / / / / | / / / / | / / / / | / ‖

Out Of Time

Words by ALBARN
Music by ALBARN, JAMES AND ROWNTREE

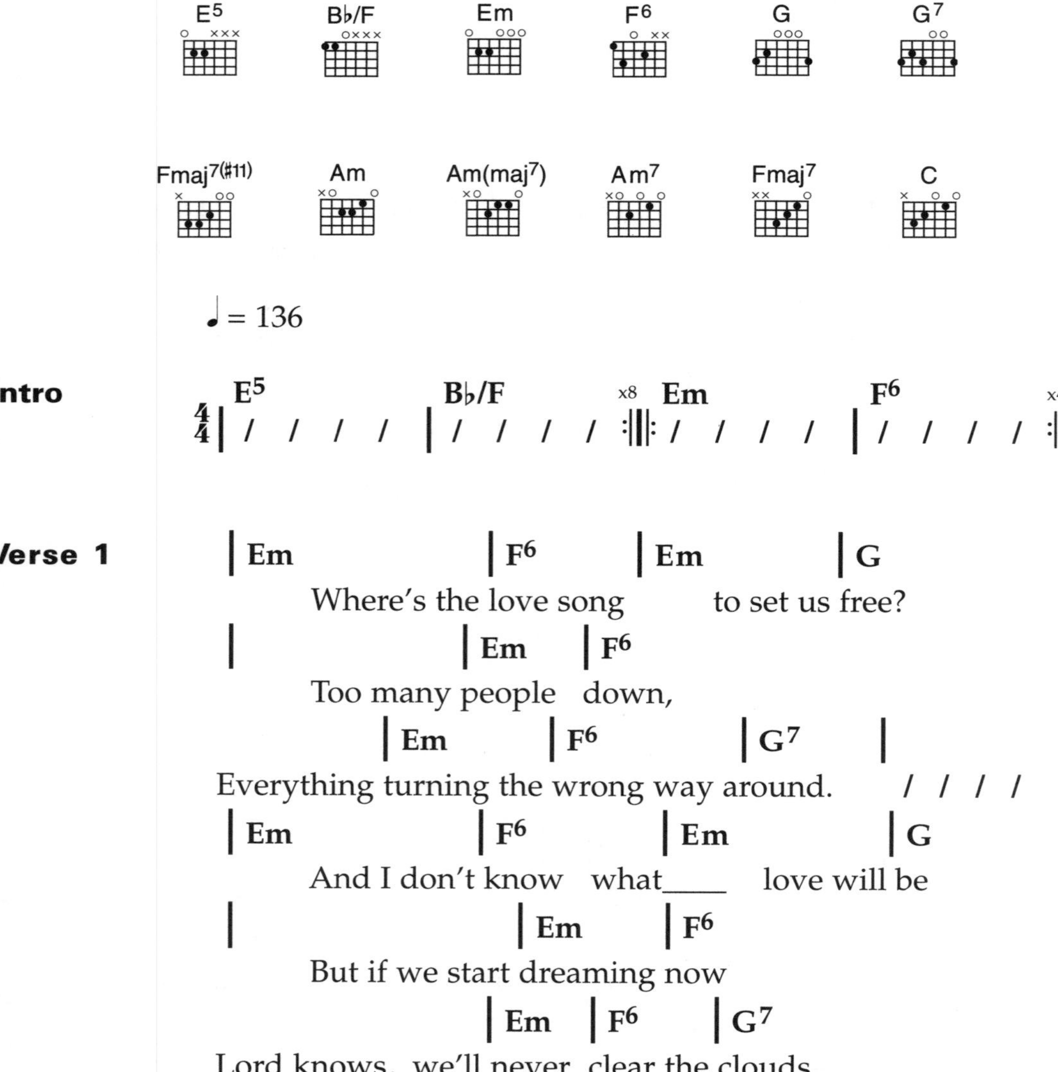
E5
B♭/F
Em
F6
G
G7
Fmaj7(♯11)
Am
Am(maj7)
Am7
Fmaj7
C
♩ = 136
Intro
E5 | / / / / | B♭/F | / / / / | x8
Em | / / / / | F6 | / / / / | x4
Verse 1
| Em | F6 | Em | G
Where's the love song to set us free?
| | Em | F6
Too many people down,
| Em | F6 | G7 |
Everything turning the wrong way around. / / / /
| Em | F6 | Em | G
And I don't know what____ love will be
| | Em | F6
But if we start dreaming now
| Em | F6 | G7
Lord knows, we'll never clear the clouds.

```
horus   |                        | Em      | Fmaj7(#11)
              And you've been so busy lately
                    | Em                    | Fmaj7(#11)
        That you haven't found the time
            | Em              | Fmaj7(#11)
        To open up your mind
              | Am                        | Am(maj7)  | Am7          | Fmaj7
        And watch the world   spinning              gently out of time.
                                  G7
        | /  /  /  /  | /  /  /  /  | /  /  /  /


erse 3  | Em              | Fmaj7(#11) | Em           | G7
                Feel the sunshine           on your face –
        |                     | Em    | Fmaj7(#11)
                It's in a computer   now,
                            | Em          | Fmaj7(#11) | G7
        Gone are the future  way out in              space.


horus 2 |                        | Em      | Fmaj7(#11)
              And you've been so busy lately
                    | Em                    | Fmaj7(#11)
        That you haven't found the time
            | Em              | Fmaj7(#11)
        To open up your mind
              | Am                        | Am(maj7)  | Am7          | Fmaj7
        And watch the world   spinning              gently out of time.
                                  G7
        | /  /  /  /  | /  /  /  /  | /  /  /  /


uitar solo  Em                Bb/F             x7 G7
        ||: /  /  /  /  | /  /  /  /  :|| /  /  /  /
```

Chorus 3

```
|                    | Em     | Fmaj7(#11)
   And you've been so busy lately
         | Em                | Fmaj7(#11)
That you haven't found the time
   | Em           | Fmaj7(#11)
To open up your mind
   | Am                   | Am(maj7)  | Am7        | Fmaj7
And watch the world   spinning          gently out of time.
| Am            | Am(maj7)   | Am7         | Fmaj7
Tell me I'm not dreaming, but are we out of     time?
| Fmaj7(#11)        | G7     |          | Fmaj7
      We're out of time,          out of time,
| Fmaj7(#11) | G7        |       | Fmaj7
      Out of      time,        out of      time,
| Fmaj7(#11) | C         ||
      Out      of time.
```

Painkiller

Words and Music by
OLLY KNIGHTS AND GALE PARIDJANIAN

G F Fsus2 C D Bm9 Cadd9

Capo 2nd fret

♩ = 72

Intro

4/4 | G / / / / | F / / Fsus2 / / :|| x4

Verse 1

| G | F
Batten up the hatches, here comes the cold.
| G | F
I can feel it creeping, it's making me old.
| G | F | G | F
You give me so much love that it blows my brains out.____
| G | F
You need something better than the bacon and eggs,
| G | F
The creaking in the walls and the banging in the bed,
| G | F | G | C
You give me so much love that it blows my brains out.____

Chorus

| D | Bm9 | Cadd9 | | D
Summer rain, dripping down your face again.___
| Bm9 | Cadd9 | | D
Summer rain, praying someone feels the same.

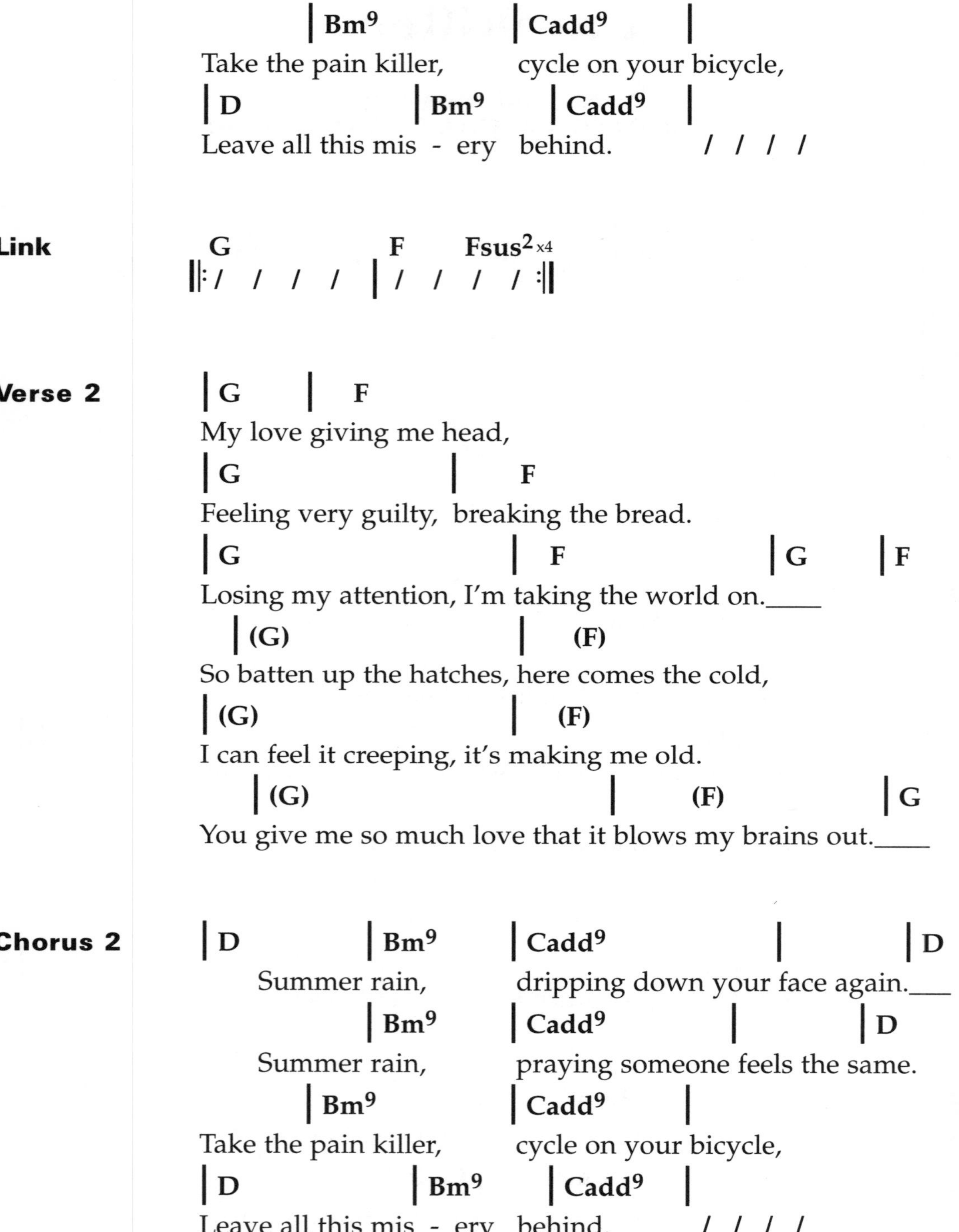

| Bm9 | Cadd9 |
Take the pain killer, cycle on your bicycle,
| D | Bm9 | Cadd9 |
Leave all this mis - ery behind. / / / /

Link

G F Fsus2 x4
||: / / / / | / / / / :||

Verse 2

| G | F
My love giving me head,
| G | F
Feeling very guilty, breaking the bread.
| G | F | G | F
Losing my attention, I'm taking the world on.____
| (G) | (F)
So batten up the hatches, here comes the cold,
| (G) | (F)
I can feel it creeping, it's making me old.
| (G) | (F) | G |
You give me so much love that it blows my brains out.____

Chorus 2

| D | Bm9 | Cadd9 | | D
Summer rain, dripping down your face again.___
| Bm9 | Cadd9 | | D
Summer rain, praying someone feels the same.
| Bm9 | Cadd9 |
Take the pain killer, cycle on your bicycle,
| D | Bm9 | Cadd9 |
Leave all this mis - ery behind. / / / /

…uitar solo (G) (F) x4
‖: / / / / | / / / / :‖

| G | F Fsus² | G | F Fsus²
My love, / / my love, / /
| G | F Fsus² | G | C
My love, / / oh my love.____

…horus 3

| D | Bm⁹ | Cadd⁹ | | D
Summer rain, dripping down your face again.___
| Bm⁹ | Cadd⁹ | | D
Summer rain, praying someone feels the same.
| Bm⁹ | Cadd⁹ |
Take the pain killer, cycle on your bicycle,
| D | Bm⁹ | Cadd⁹ |
Leave all this mis - ery behind. / / / /

…horus 4

| D | Bm⁹ | Cadd⁹ | | D
Summer rain, dripping down your face again.___
| Bm⁹ | Cadd⁹ | | D
Summer rain, praying someone feels the same.
| Bm⁹ | Cadd⁹ |
Take the pain killer, cycle on your bicycle,
| D | Bm⁹ | Cadd⁹ |
Leave all this mis - ery behind, / / / /
x3
‖: D | Bm⁹ | Cadd⁹ | :‖
Leave all this mis - ery behind.______ / / / /

Pass It On

Words and Music by
JAMES SKELLY

Am C G Bm Em G/B

♩ = 87

Intro

4/4 | **Am** / / / / | **C** / / **G** / / | **Am** / / / / | **C** / / **G** / / | **Am** / / / /

Verse 1

| **C** **G** | **Am**
Every day I recognise
| **C** **G**
What's deceased and what's alive
| **Am**
But don't repeat what I just said
| **C** **G**
Until boulders turn to lead.
| **Am**
Then all the tales will be told
| **C** **G**
Whilst you and I are in the cold,
| **Am**
But don't think this is the end
| **C** **G**
'Cause it's just begun my friend.

orus

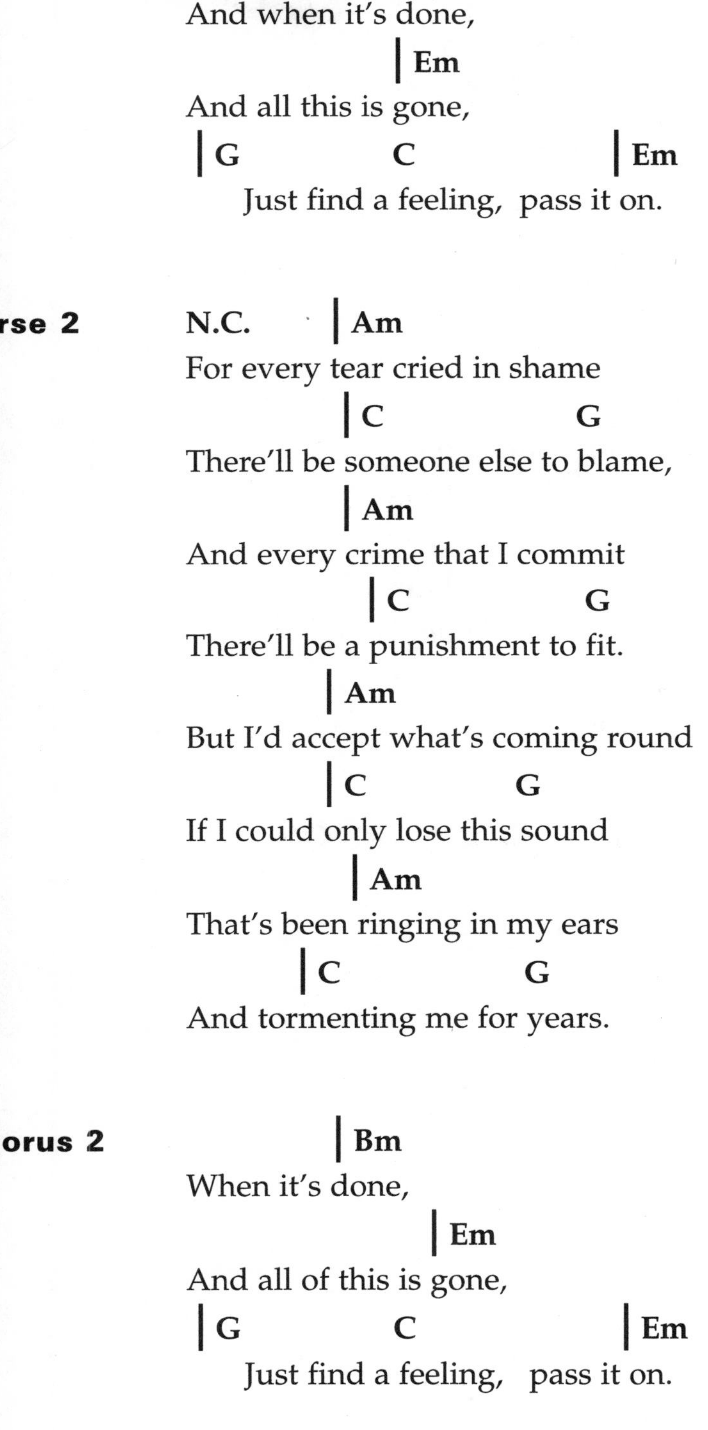

| Bm
And when it's done,
| Em
And all this is gone,
| G C | Em
Just find a feeling, pass it on.

rse 2

N.C. | Am
For every tear cried in shame
| C G
There'll be someone else to blame,
| Am
And every crime that I commit
| C G
There'll be a punishment to fit.
| Am
But I'd accept what's coming round
| C G
If I could only lose this sound
| Am
That's been ringing in my ears
| C G
And tormenting me for years.

orus 2

| Bm
When it's done,
| Em
And all of this is gone,
| G C | Em
Just find a feeling, pass it on.

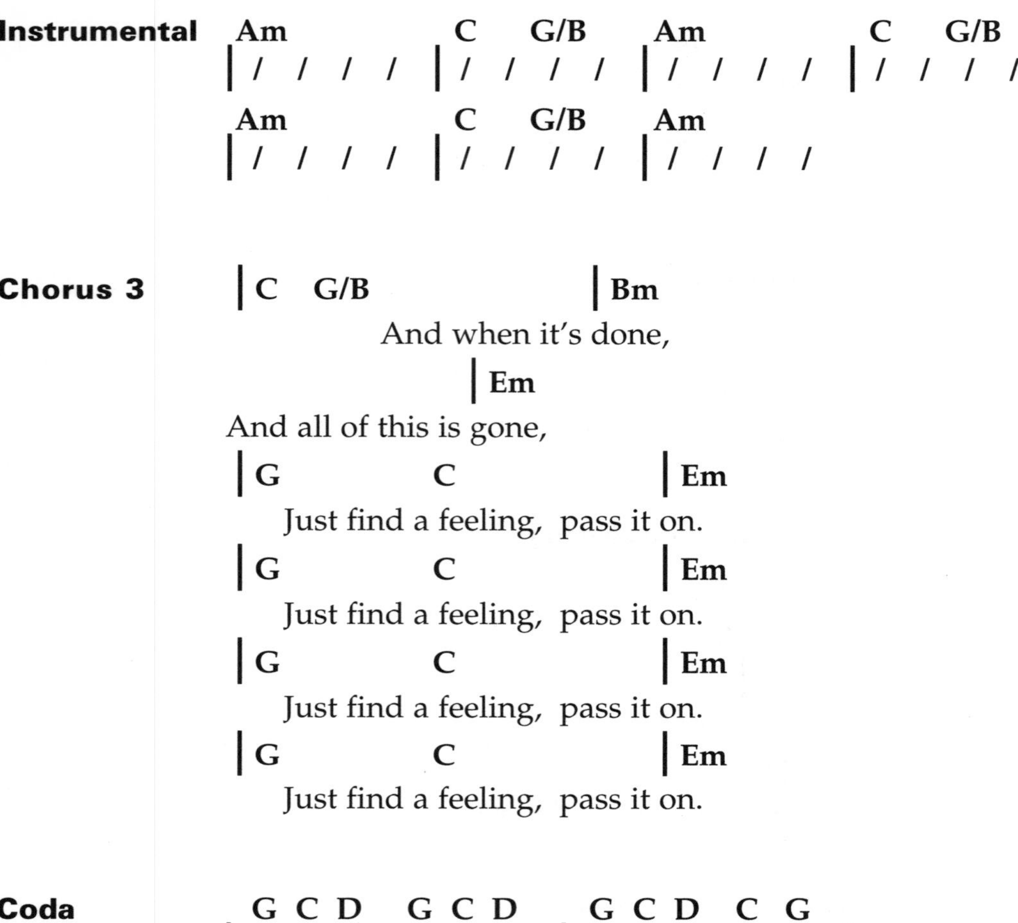
Instrumental
Am C G/B Am C G/B
Am C G/B Am
Chorus 3
C G/B Bm
And when it's done,
Em
And all of this is gone,
G C Em
Just find a feeling, pass it on.
G C Em
Just find a feeling, pass it on.
G C Em
Just find a feeling, pass it on.
G C Em
Just find a feeling, pass it on.
Coda
G C D G C D G C D C G

Personal Jesus

Words and Music by
MARTIN GORE

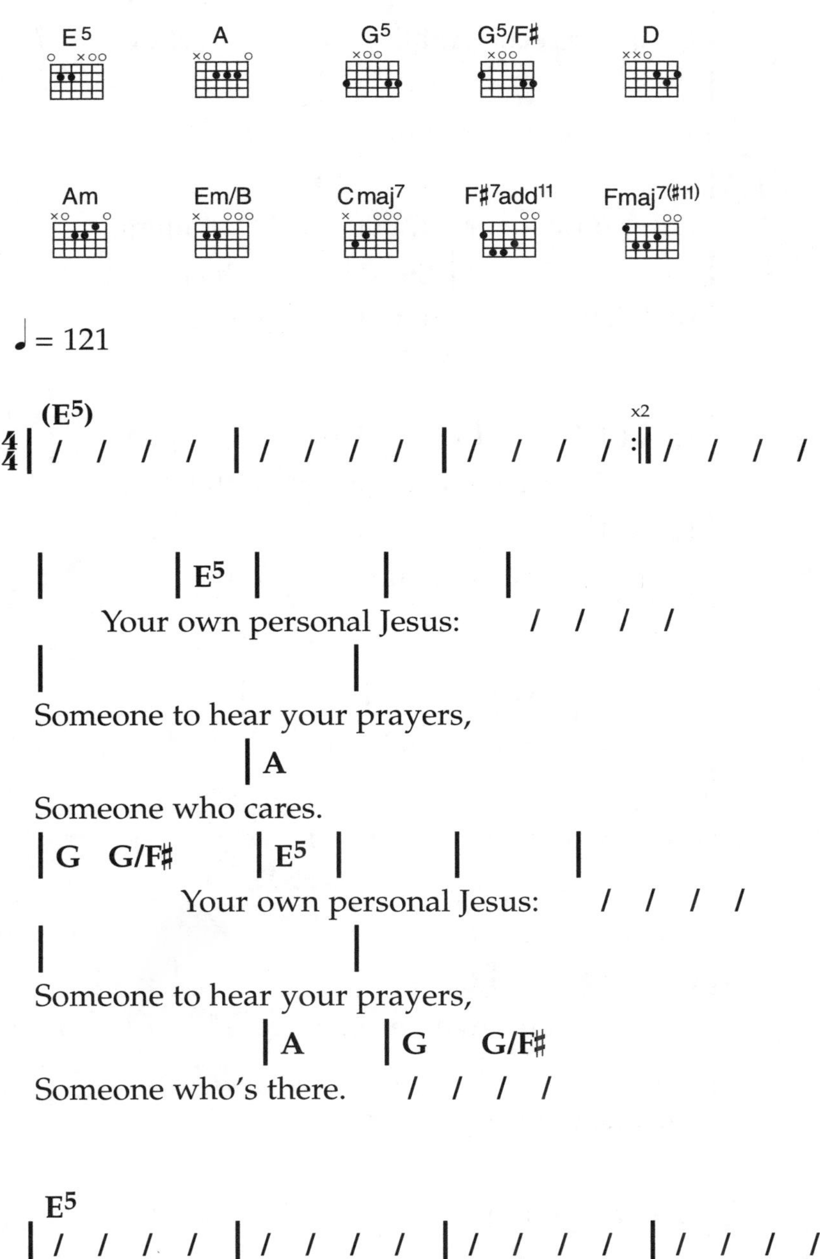
E5 A G5 G5/F♯ D
Am Em/B Cmaj7 F♯7add11 Fmaj7(♯11)
♩ = 121
ro
(E5)
4/4 | / / / / | / / / / | / / / / :|| / / / /
x2
orus 1
| | E5 | | |
Your own personal Jesus: / / / /
| |
Someone to hear your prayers,
| A
Someone who cares.
| G G/F♯ | E5 | | |
Your own personal Jesus: / / / /
| |
Someone to hear your prayers,
| A | G G/F♯
Someone who's there. / / / /
k
E5
| / / / / | / / / / | / / / / | / / / /

Verse 1

```
| E5                              |
Feeling unknown and you're all alone:
| G                      | D
Flesh and bone by the telephone.
| Am                     | Em/B          Cmaj7  | E5        |
Lift up the receiver, I'll make you a believer.    / / / / / /
|                             |
Take second best,   put me to the test;
| G                          | D
Things on your chest, you need to confess.
| Am                | Em/B          Cmaj7  | E5          |
I will deliver, you know I'm a forgiver.      / / / /  / / /
```

Bridge

```
| F#7add11        | Fmaj7(#11)            | E5      |
             Reach out and touch faith,         / / / /
| F#7add11        | Fmaj7(#11)            | E5
             Reach out and touch faith.
```

Chorus 2

```
|          | E5  |          |          |
      Your own personal Jesus:      / / / /
|                          |
Someone to hear your prayers,
                 | A
Someone who cares.
| G  G/F#      | E5  |         |          |
            Your own personal Jesus:     / / / /
|                          |
Someone to hear your prayers,
              | A        | G    G/F#
Someone to care.        / / / /
```

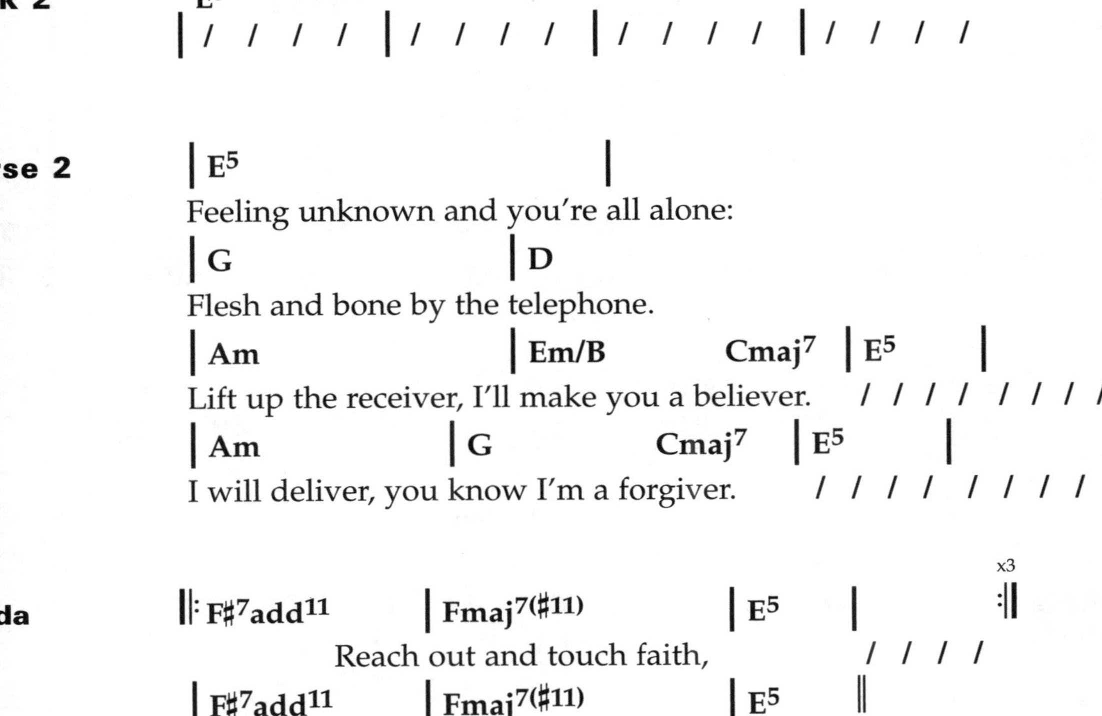
k 2
E5
| / / / / | / / / / | / / / / | / / / /
rse 2
| E5 |
Feeling unknown and you're all alone:
| G | D
Flesh and bone by the telephone.
| Am | Em/B Cmaj7 | E5 |
Lift up the receiver, I'll make you a believer. / / / / / / / /
| Am | G Cmaj7 | E5 |
I will deliver, you know I'm a forgiver. / / / / / / / /
da
x3
||: F♯7add11 | Fmaj7(♯11) | E5 | :||
Reach out and touch faith, / / / /
| F♯7add11 | Fmaj7(♯11) | E5 ||
Reach out and touch faith.

Pineapple Head

Words and Music by
NEIL FINN

D G Fadd9 C Em7 Asus4 A Gm/Bb
Em7(b5) Fmaj7 A7sus4 Cadd9 Dsus4 Em9 Em7add11

Capo 3rd fret

♩. = 66

Intro

```
    D      G        Fadd9  C      D      G        Fadd9  C
6/8 |  /      /     |  /      /   |  /      /     |  /      /
```

Verse 1

```
  |D                    G          |Fadd9
Detective        is       flat,
        C         |D                    G            |Fadd9
No    longer  is always       flat       out,
            C                 |D          G            |Fadd9
Got the number  of  the getaway        car.
            C             |D              G            |Fadd9     C
Didn't get         very far.
```

Verse 2

```
  |D                    G          |Fadd9
As lucid          as        hell,
                C         |D                    G          |Fadd9
And these images      moving      so     fast,
        C                |D
Like a fever   so close  to     the     bone,
G          |Fadd9               C
I                   don't feel        too well.
```

```
  D      G        Fadd9  C
|  /      /     |  /      /
```

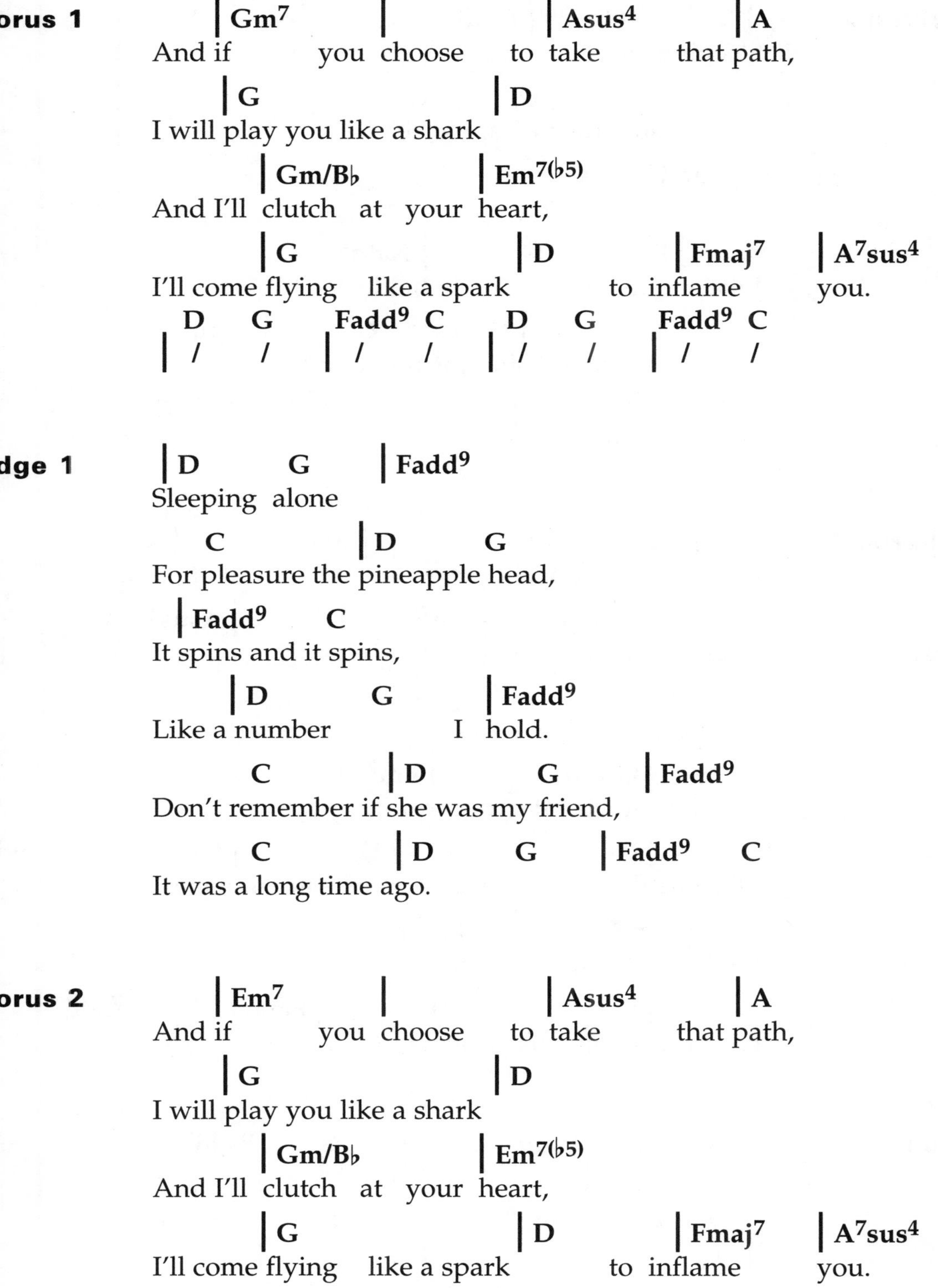

horus 1
| Gm7 | | Asus4 | A
And if you choose to take that path,
| G | D
I will play you like a shark
| Gm/B♭ | Em7(♭5)
And I'll clutch at your heart,
| G | D | Fmaj7 | A7sus4
I'll come flying like a spark to inflame you.
D G Fadd9 C D G Fadd9 C
| / / | / / | / / | / /
idge 1
| D G | Fadd9
Sleeping alone
C | D G
For pleasure the pineapple head,
| Fadd9 C
It spins and it spins,
| D G | Fadd9
Like a number I hold.
C | D G | Fadd9
Don't remember if she was my friend,
C | D G | Fadd9 C
It was a long time ago.
horus 2
| Em7 | | Asus4 | A
And if you choose to take that path,
| G | D
I will play you like a shark
| Gm/B♭ | Em7(♭5)
And I'll clutch at your heart,
| G | D | Fmaj7 | A7sus4
I'll come flying like a spark to inflame you.

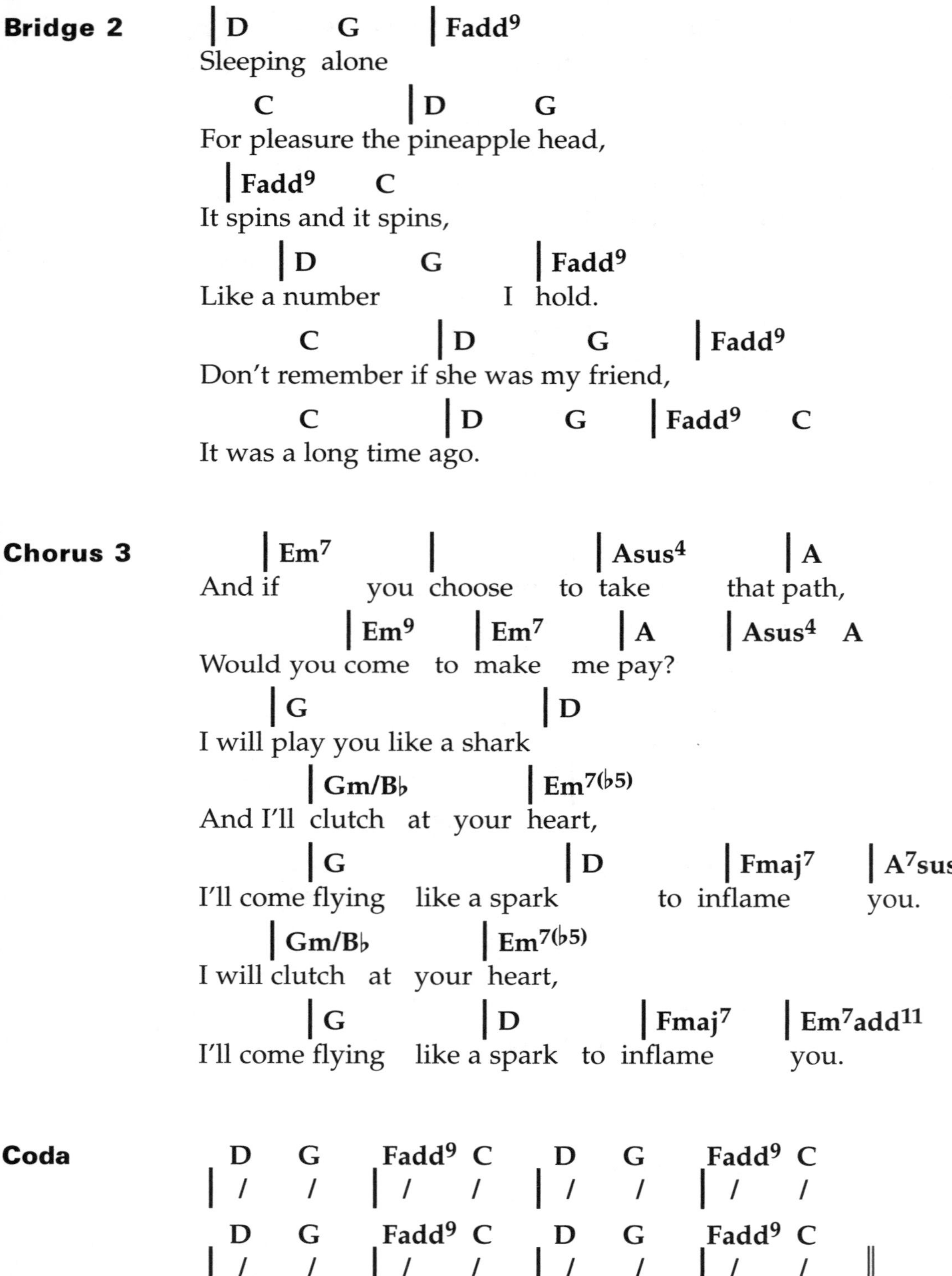
Bridge 2
D G Fadd9
Sleeping alone
C D G
For pleasure the pineapple head,
Fadd9 C
It spins and it spins,
D G Fadd9
Like a number I hold.
C D G Fadd9
Don't remember if she was my friend,
C D G Fadd9 C
It was a long time ago.
Chorus 3
Em7 Asus4 A
And if you choose to take that path,
Em9 Em7 A Asus4 A
Would you come to make me pay?
G D
I will play you like a shark
Gm/B♭ Em7(♭5)
And I'll clutch at your heart,
G D Fmaj7 A7sus4
I'll come flying like a spark to inflame you.
Gm/B♭ Em7(♭5)
I will clutch at your heart,
G D Fmaj7 Em7add11
I'll come flying like a spark to inflame you.
Coda
D G Fadd9 C D G Fadd9 C
D G Fadd9 C D G Fadd9 C

Poor Misguided Fool

Words and Music by
JAMES WALSH, JAMES STELFOX,
BARRY WESTHEAD AND BENJAMIN BYRNE

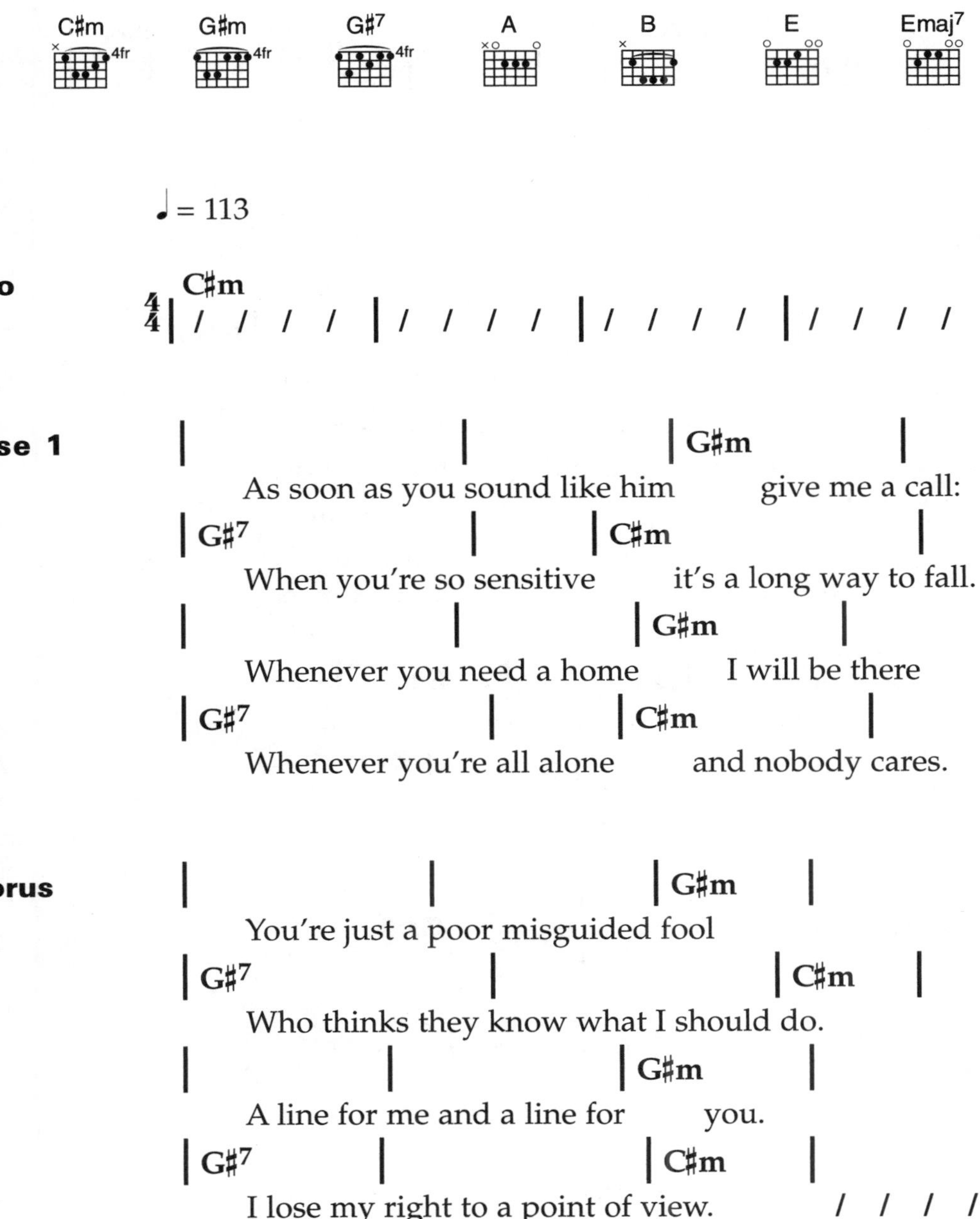
C♯m
G♯m
G♯7
A
B
E
Emaj7
4fr
4fr
4fr
♩ = 113
tro
C♯m
4/4 / / / / | / / / / | / / / / | / / / /
rse 1
G♯m
As soon as you sound like him give me a call:
G♯7 C♯m
When you're so sensitive it's a long way to fall.
G♯m
Whenever you need a home I will be there
G♯7 C♯m
Whenever you're all alone and nobody cares.
iorus
G♯m
You're just a poor misguided fool
G♯7 C♯m
Who thinks they know what I should do.
G♯m
A line for me and a line for you.
G♯7 C♯m
I lose my right to a point of view. / / / /

Verse 2

```
|                    |            | G♯m            |
     Whenever you reach for me        I'll be your guide
| G♯7                |              | C♯m          |
     Whenever you need someone        to keep it inside.
|                    |            | G♯m          |
     Whenever you need a home         I will be there
| G♯7                  |        | C♯m             |
     Whenever you're all alone       and nobody cares.
```

Chorus 2

```
|                 |              | G♯m       |
     You're just a poor misguided fool
| G♯7                  |                | C♯m      |
     Who thinks they know what I should do.
|              |               | G♯m         |
     A line for me and a line for       you.
| G♯7          |                 | C♯m         |
     I lose my right to a point of view.         / / / /
```

Bridge

```
| A          | B           | E   Emaj7 | C♯m
I'll be your guide in the morn - - - ing,
| A         | B        | G♯7        |
You cover up bullet holes.______ / / / /
```

Instrumental

```
 C♯m                           G♯m
| / / / / | / / / / | / / / / | / / / /
 G♯7                           C♯m
| / / / / | / / / / | / / / / | / / / /
```

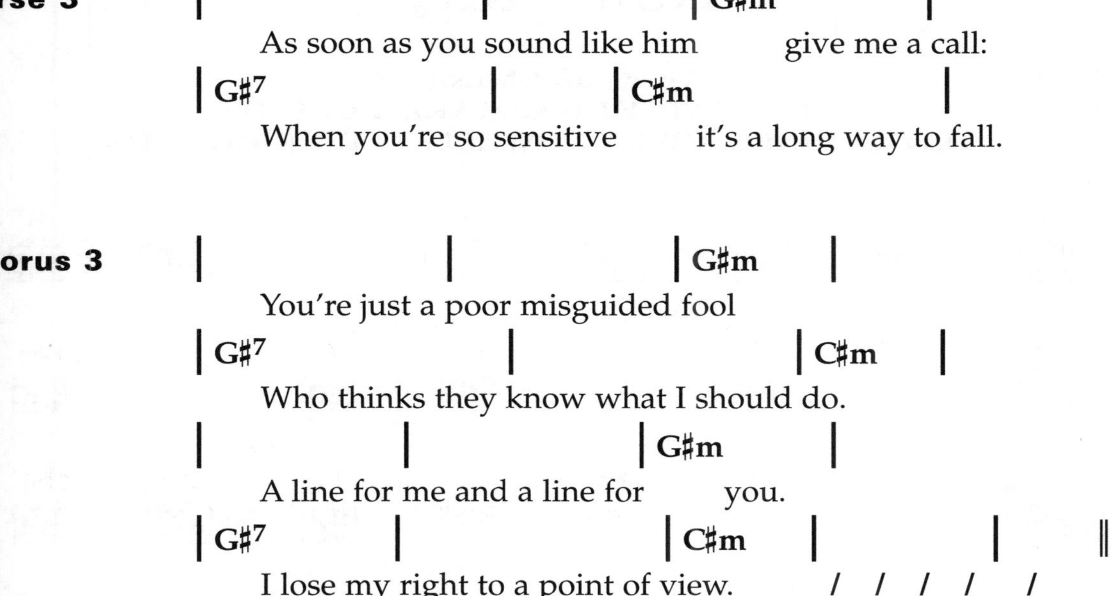

rse 3

| | | G♯m |
As soon as you sound like him give me a call:
| G♯7 | | C♯m |
When you're so sensitive it's a long way to fall.

orus 3

| | | G♯m |
You're just a poor misguided fool
| G♯7 | | C♯m |
Who thinks they know what I should do.
| | | G♯m |
A line for me and a line for you.
| G♯7 | | C♯m | | ‖
I lose my right to a point of view. / / / / /

Road Rage

Words and Music by
CERYS MATTHEWS, MARK ROBERTS,
DAVID JONES, OWEN POWELL, ALED RICHARDS

B♭ Dm E♭ Cm F D7 Gm G
Em Am7 C E7 Am A E F♯m
Bm7 D F♯7 Bm B F♯ G♯m C♯m7

Tune down a semitone

♩ = 90

Verse 1 4/4

| B♭ | | Dm
If all you've got to do today is find peace of mind
| | E♭ | Cm | F
Come round, you can take a piece of mine.
| | B♭ | | Dm
And if all you've got to do today is hesitate,
| | E♭ | Cm | F
Come here, you can leave it late with me.

Prechorus

| D7 | Gm | D7
You could be taking it easy on yourself,
| Gm | D7
You should be making it easy on yourself,

'Cause you and I know

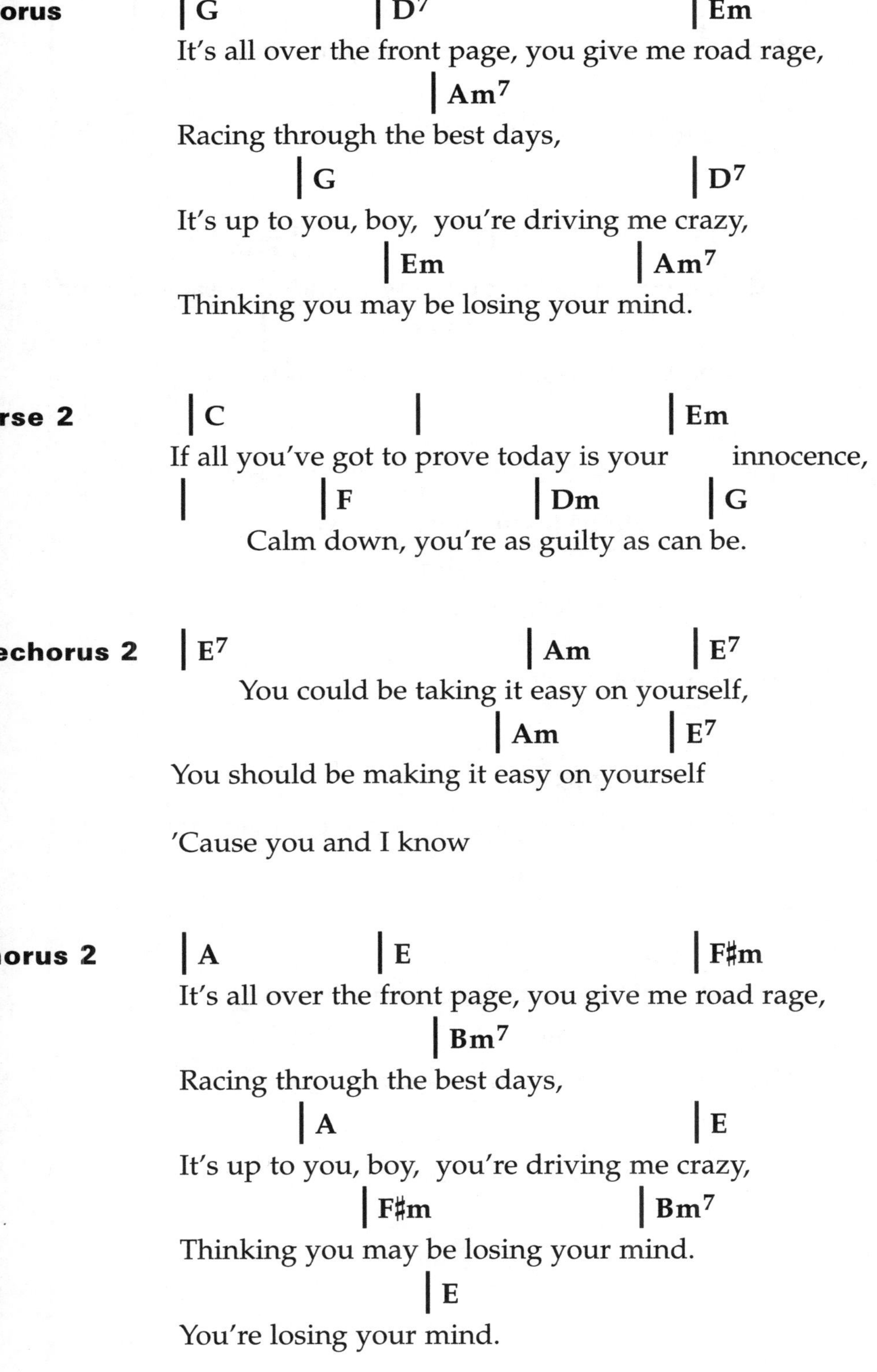

orus | G | D^7 | Em
It's all over the front page, you give me road rage,
| Am^7
Racing through the best days,
| G | D^7
It's up to you, boy, you're driving me crazy,
| Em | Am^7
Thinking you may be losing your mind.

rse 2 | C | | Em
If all you've got to prove today is your innocence,
| | F | Dm | G
Calm down, you're as guilty as can be.

echorus 2 | E^7 | Am | E^7
You could be taking it easy on yourself,
| Am | E^7
You should be making it easy on yourself

'Cause you and I know

orus 2 | A | E | F♯m
It's all over the front page, you give me road rage,
| Bm^7
Racing through the best days,
| A | E
It's up to you, boy, you're driving me crazy,
| F♯m | Bm^7
Thinking you may be losing your mind.
| E
You're losing your mind.

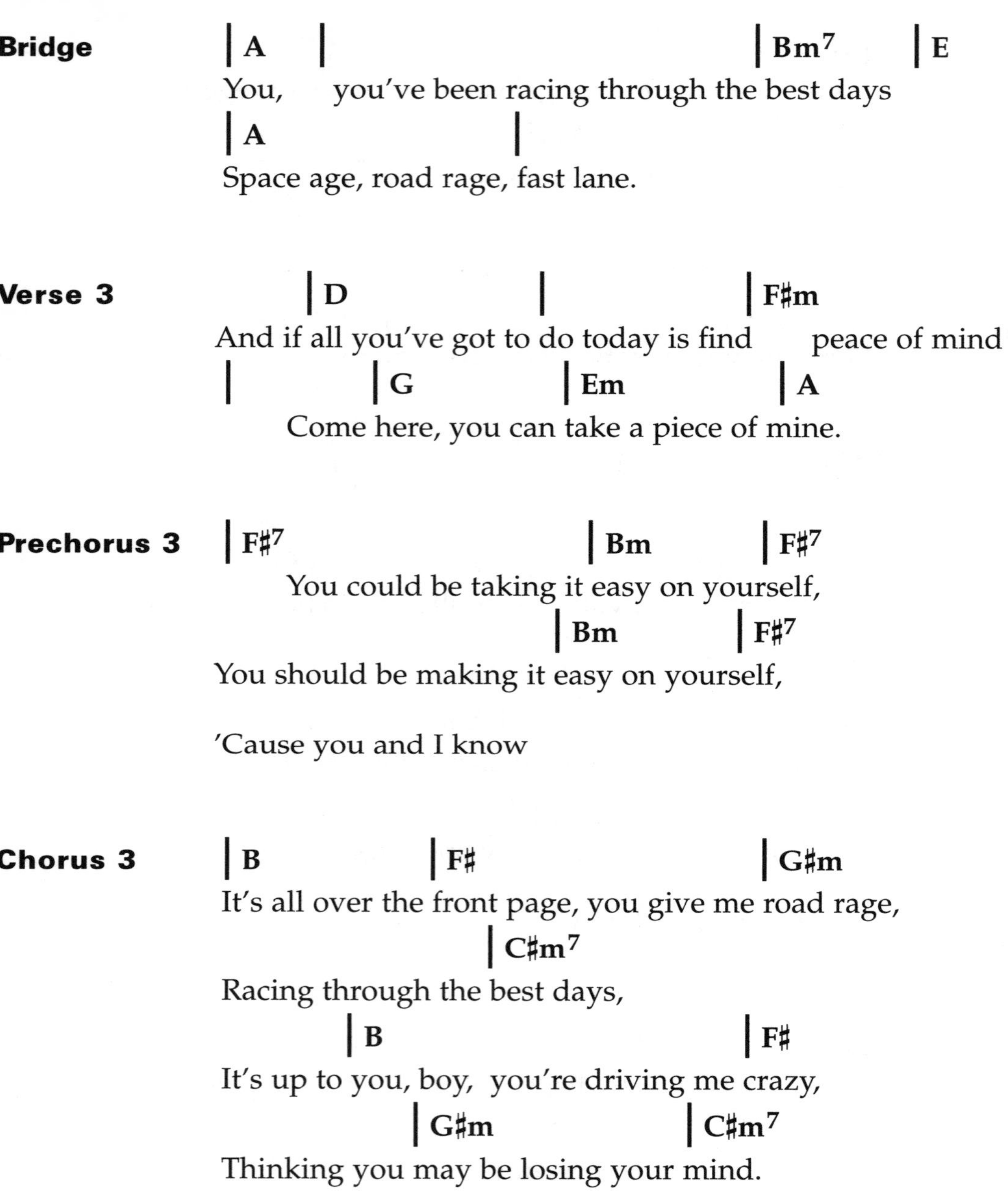

Bridge

| A | | Bm7 | E
You, you've been racing through the best days
| A |
Space age, road rage, fast lane.

Verse 3

| D | | F♯m
And if all you've got to do today is find peace of mind
| | G | Em | A
Come here, you can take a piece of mine.

Prechorus 3

| F♯7 | Bm | F♯7
You could be taking it easy on yourself,
| Bm | F♯7
You should be making it easy on yourself,

'Cause you and I know

Chorus 3

| B | F♯ | G♯m
It's all over the front page, you give me road rage,
| C♯m7
Racing through the best days,
| B | F♯
It's up to you, boy, you're driving me crazy,
| G♯m | C♯m7
Thinking you may be losing your mind.

But you and I know,

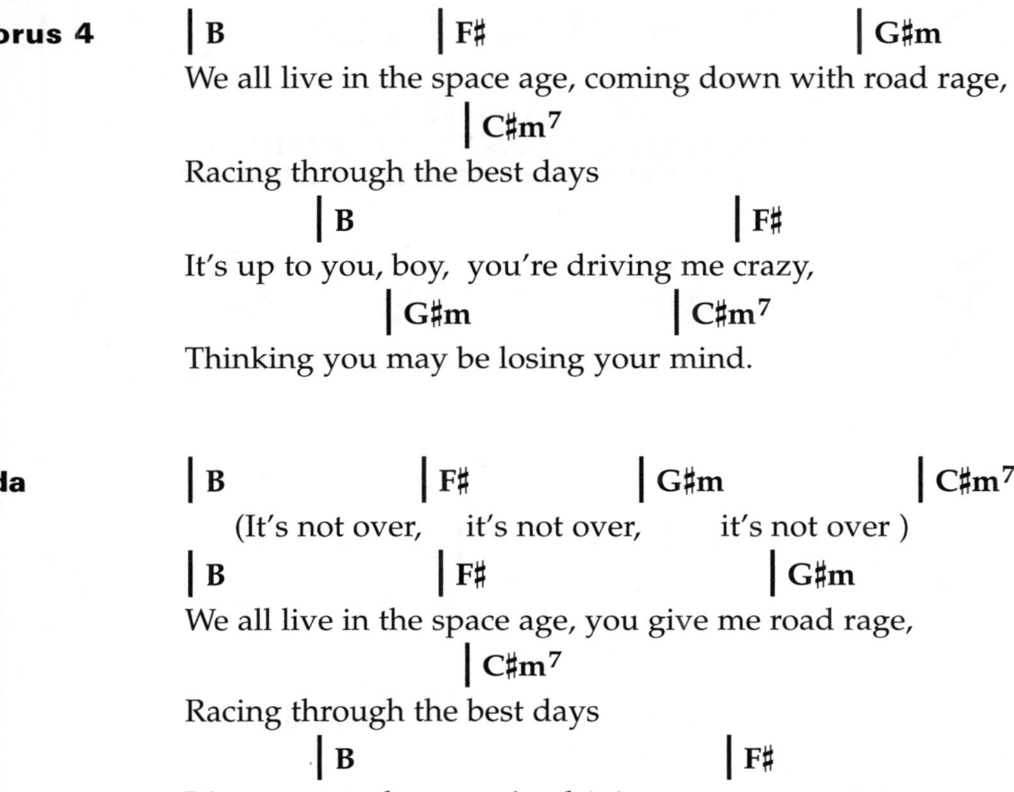

orus 4

| B | F♯ | G♯m

We all live in the space age, coming down with road rage,

| C♯m7

Racing through the best days

| B | F♯

It's up to you, boy, you're driving me crazy,

| G♯m | C♯m7

Thinking you may be losing your mind.

da

| B | F♯ | G♯m | C♯m7

(It's not over, it's not over, it's not over)

| B | F♯ | G♯m

We all live in the space age, you give me road rage,

| C♯m7

Racing through the best days

| B | F♯

It's up to you boy you're driving me crazy… *(fade)*

Seen The Light

Words and Music by
DANIEL GOFFEY, GARETH COOMBES,
MICHAEL QUINN AND ROBERT COOMBES

A F♯ D E F♯m E7 A7

♩ = 124

Intro
```
    A
4/4 | / / / / | / / / / | / / / /
```

Verse 1
```
|                    |                    |
    Now that our eyes have seen the light
    | F♯              | D       A          | E
Oh,____      well   the world lies twisted and weird.
|               | A                        |
    It's like our minds have taken flight
    | F♯          | D         A        | E          |
Oh,____     heavy loads rides up to the sun, oh yeah.
```

Chorus
```
        | F♯m            E
Well, what you do is up to you,
|   D                   | A
    Take my hat and push on through.
|          | F♯m          E
    Well, you can try to understand
|          D                        | A
    I'm a rock'n'roll singer in a rock'n'roll band.
```

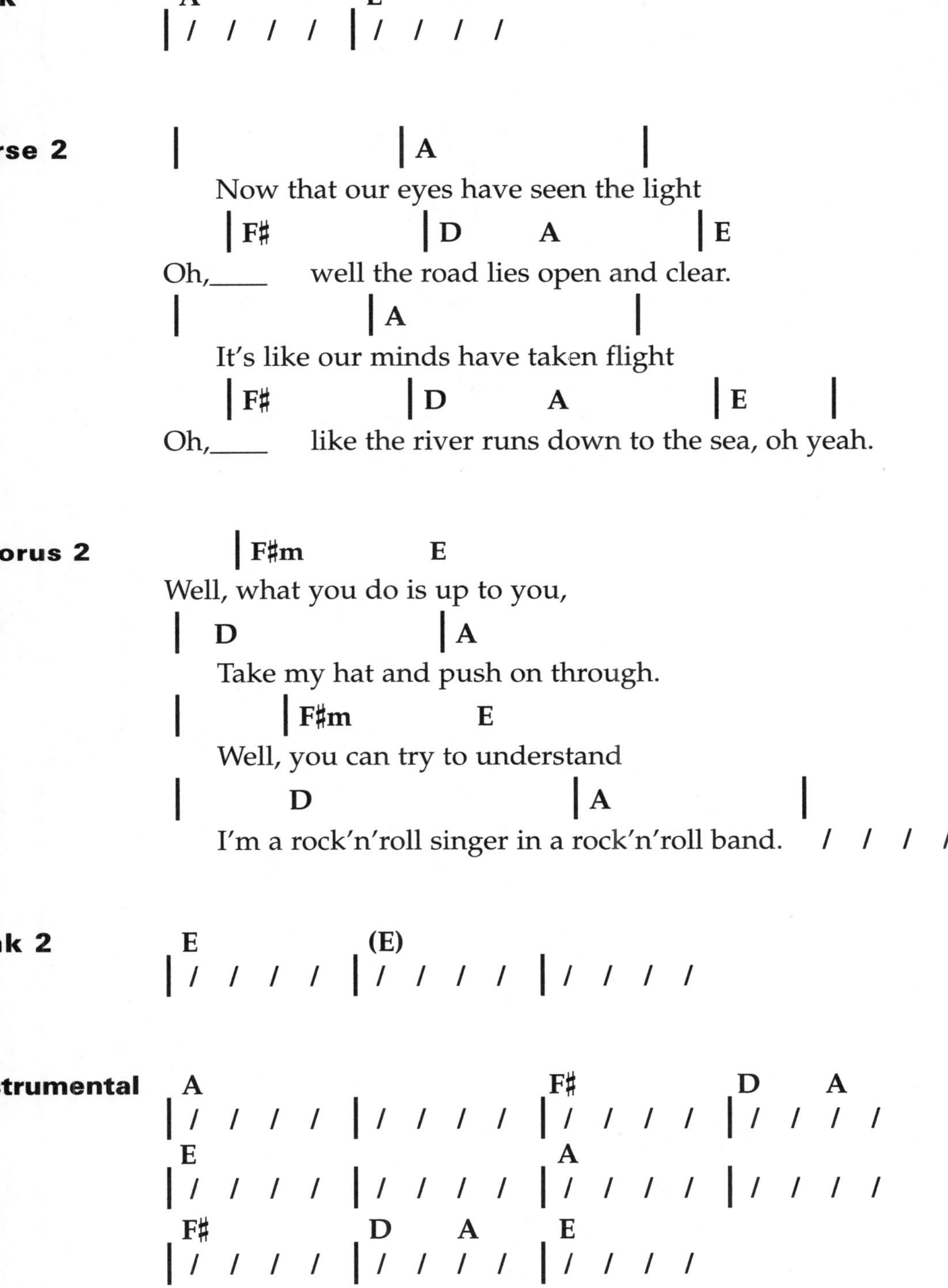
nk
A E
| / / / / | / / / /
rse 2
| | A |
Now that our eyes have seen the light
| F♯ | D A | E
Oh,____ well the road lies open and clear.
| | A |
It's like our minds have taken flight
| F♯ | D A | E |
Oh,____ like the river runs down to the sea, oh yeah.
orus 2
| F♯m E
Well, what you do is up to you,
| D | A
Take my hat and push on through.
| | F♯m E
Well, you can try to understand
| D | A |
I'm a rock'n'roll singer in a rock'n'roll band. / / / /
nk 2
E (E)
| / / / / | / / / / | / / / /
strumental
A F♯ D A
| / / / / | / / / / | / / / / | / / / /
E A
| / / / / | / / / / | / / / / | / / / /
F♯ D A E
| / / / / | / / / / | / / / /

Chorus 3

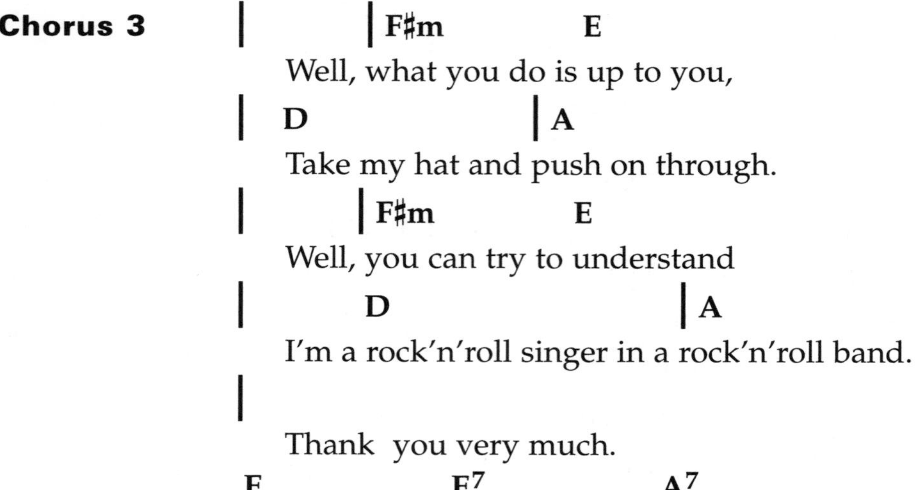
F♯m E
Well, what you do is up to you,
D A
Take my hat and push on through.
F♯m E
Well, you can try to understand
D A
I'm a rock'n'roll singer in a rock'n'roll band.
Thank you very much.
E E7 A7

Seven Nation Army

Words and Music by
JACK WHITE

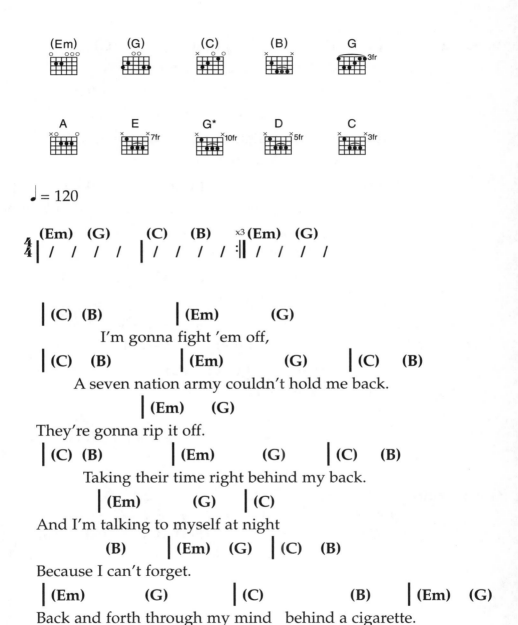

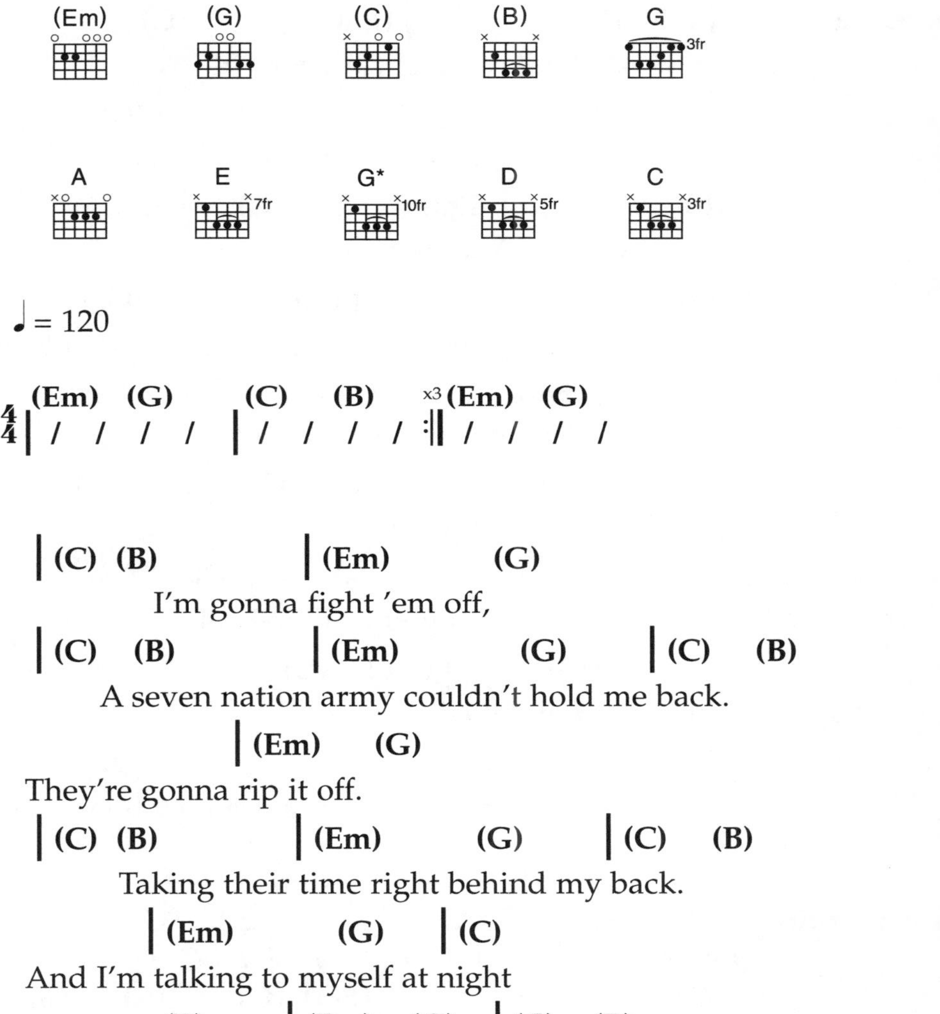

♩ = 120

Intro

4/4 | (Em) (G) / / / / | (C) (B) / / / / :‖ x3 (Em) (G) / / / /

Verse 1

| (C) (B) | (Em) (G)
I'm gonna fight 'em off,
| (C) (B) | (Em) (G) | (C) (B)
A seven nation army couldn't hold me back.
| (Em) (G)
They're gonna rip it off.
| (C) (B) | (Em) (G) | (C) (B)
Taking their time right behind my back.
| (Em) (G) | (C)
And I'm talking to myself at night
(B) | (Em) (G) | (C) (B)
Because I can't forget.
| (Em) (G) | (C) (B) | (Em) (G)
Back and forth through my mind behind a cigarette.
| (C) (B) | G | A
And a message coming from my eyes says 'leave it a-

Link

```
   E      G* E D  C      B        E      G* E D  C D C B A
‖: -lone.'          | / / / / / | / / /   / | / / / / /
  G*          A           (Em)  (G)      (C)     (B)  x3 (Em) (G)
| / / / / | / / / / ‖: /  /  /  /  | /  /  /  / :‖ /  /  /
```

Verse 2

```
| (C)  (B)           | (Em)          (G)
           Don't wanna hear about it –
| (C)  (B)         | (Em)      (G)     | (C)
       Every single one's got a story to tell.
(B)            | (Em)       (G)
      Everyone knows about it
| (C)  (B)              | (Em)         (G)          | (C)    (B)
       From the Queen of England to the hounds of hell.
        | (Em)          (G)      | (C)
And if I catch you coming back my way,
           (B)       | (Em)   (G)   | (C)   (B)
I'm gonna serve it to you.
     | (Em)            (G)      | (C)
And that ain't what you want to hear
          (B)      | (Em)   (G)
But that's what I'll do.
| (C)  (B)     | G                    | A
           And a feeling coming from my bones says 'find a
```

Guitar solo

```
   E      G* E D  C      B        E      G* E D  C D C B A
‖: home.'           | / / / / / | / / /   / | / / / / /
  G*          A           (Em)  (G)      (C)     (B)  x3 (Em) (G)
| / / / / | / / / / ‖: /  /  /  /  | /  /  /  / :‖ /  /  /
```

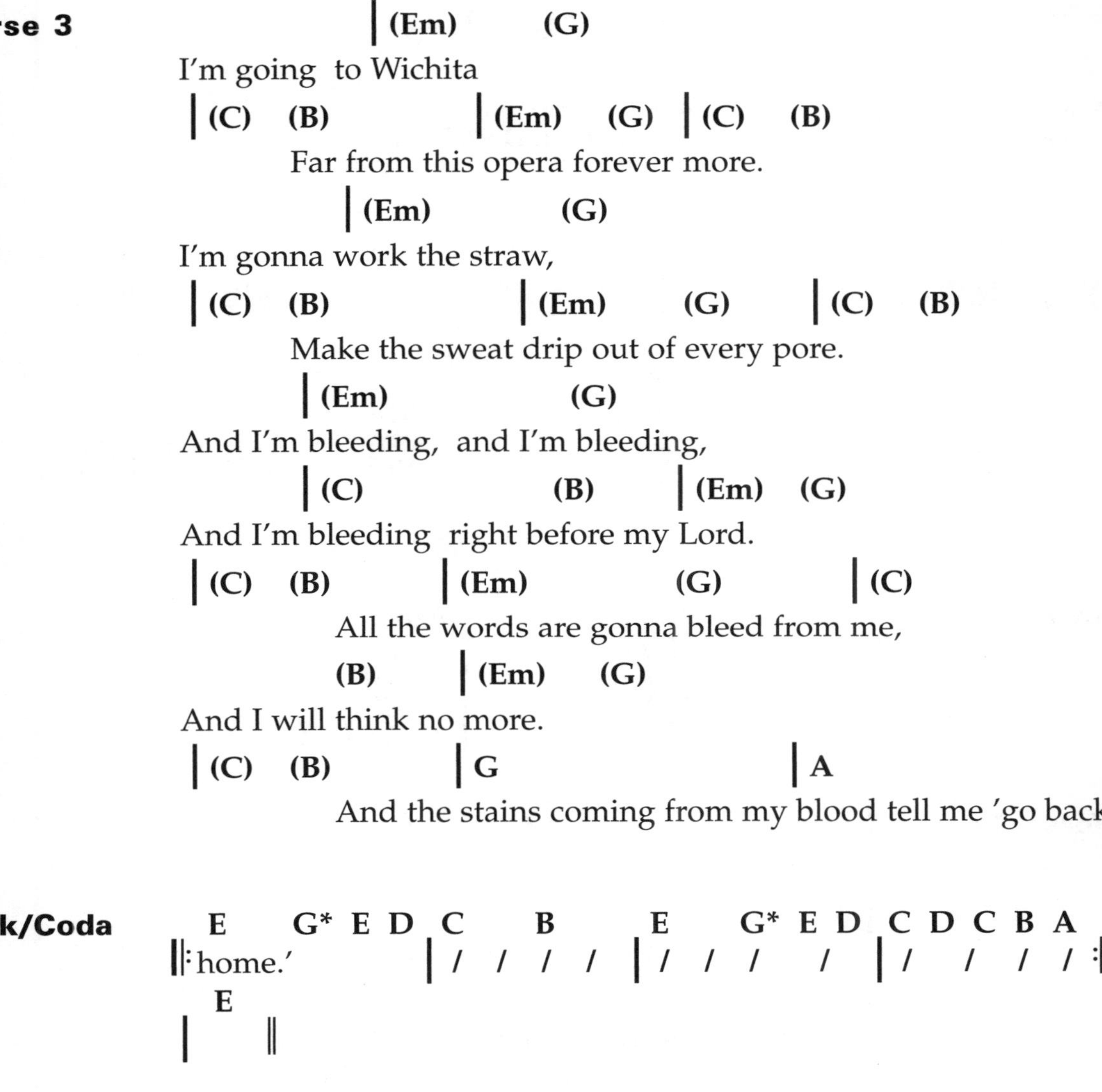

erse 3

| (Em) (G)
I'm going to Wichita
| (C) (B) | (Em) (G) | (C) (B)
Far from this opera forever more.
| (Em) (G)
I'm gonna work the straw,
| (C) (B) | (Em) (G) | (C) (B)
Make the sweat drip out of every pore.
| (Em) (G)
And I'm bleeding, and I'm bleeding,
| (C) (B) | (Em) (G)
And I'm bleeding right before my Lord.
| (C) (B) | (Em) (G) | (C)
All the words are gonna bleed from me,
(B) | (Em) (G)
And I will think no more.
| (C) (B) | G | A
And the stains coming from my blood tell me 'go back

nk/Coda

E G* E D C B E G* E D C D C B A
‖: home.' | / / / / | / / / / | / / / / :‖
E
| ‖

Shine On

Words and Music by
GUY CHADWICK

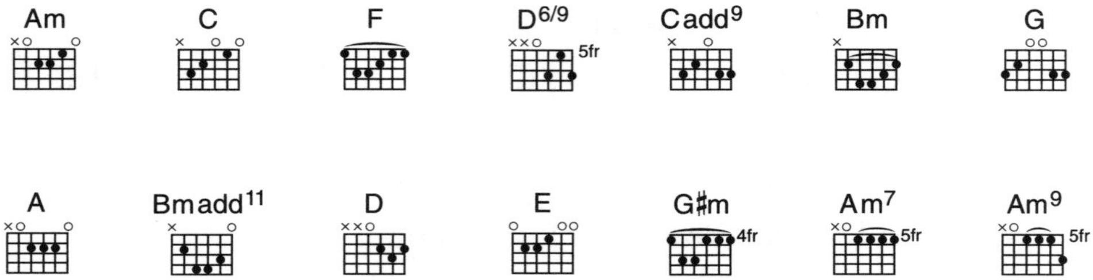

Am C F D6/9 Cadd9 Bm G

A Bmadd11 D E G♯m Am7 Am9

♩ = 134

Intro

Am	C F	Am	C F
4/4 ‖: / / / /	/ / / /	/ / / /	/ / / / :‖

Am	D6/9	Cadd9	
/ / / /	/ / / /	/ / / /	/ / / /

Verse 1

| Am | C F
In a garden in the house of love,
| Am | C F
Sitting lonely on a plastic chair,
| Am | C F
The sun is cruel when he hides away.
| Am | D6/9 | Cadd9 |
I need a sister – I'll just stay. ________ / / / /

Verse 2

| Am | C F
A little girl, a little guy,
| Am | C F
In a church or in a school.
| Am | C F
Little Jesus, are you watching me?
| Am | D6/9 | Cadd9 |
I'm so young, – just eighteen. ________ / / / /

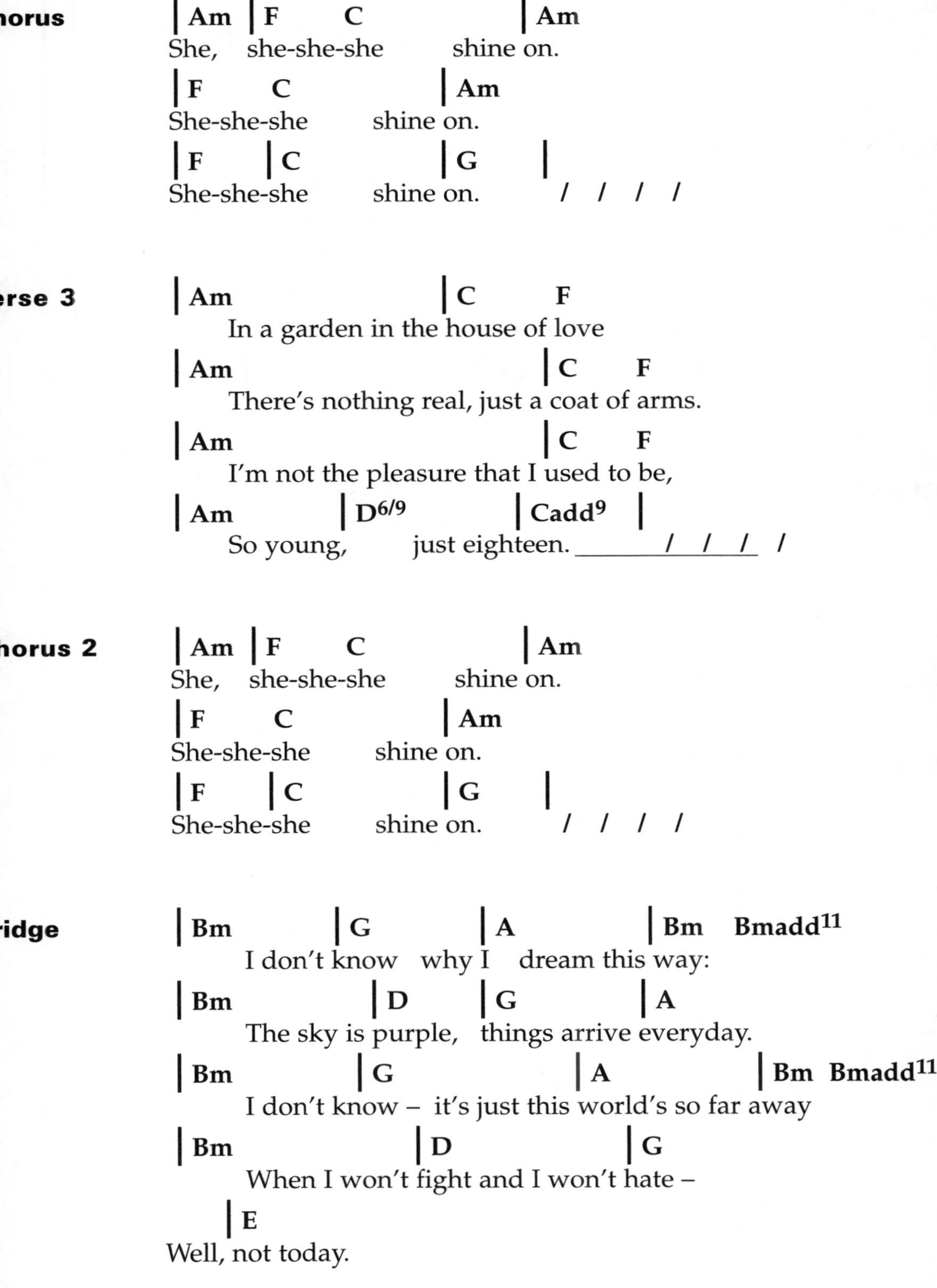

horus

| Am | F C | Am
She, she-she-she shine on.
| F C | Am
She-she-she shine on.
| F | C | G |
She-she-she shine on. / / / /

erse 3

| Am | C F
In a garden in the house of love
| Am | C F
There's nothing real, just a coat of arms.
| Am | C F
I'm not the pleasure that I used to be,
| Am | $D^{6/9}$ | $Cadd^{9}$ |
So young, just eighteen. ______ / / / /

horus 2

| Am | F C | Am
She, she-she-she shine on.
| F C | Am
She-she-she shine on.
| F | C | G |
She-she-she shine on. / / / /

ridge

| Bm | G | A | Bm $Bmadd^{11}$
I don't know why I dream this way:
| Bm | D | G | A
The sky is purple, things arrive everyday.
| Bm | G | A | Bm $Bmadd^{11}$
I don't know – it's just this world's so far away
| Bm | D | G
When I won't fight and I won't hate –
| E
Well, not today.

Guitar solo

```
 Am                F     C   x3 G
‖: /  /  /  /  | /  /  /  / :‖ /  /  /  /  | /  /  /  /
```

Verse 4

```
| Am                      | C       F
     In a garden in the house of love,
| Am                      | C     F
     Sitting lonely on a plastic chair,
| Am                             | C     F
     The sun is cruel when he hides away.
| Am                 | D6/9        | Cadd9  |
     I need a sister  –   I'll just stay.________/  /  /  /
```

Chorus 3

```
| Am | F       C              | Am
She,   she-she-she         shine on.
| F       C             | Am
She-she-she         shine on.
| F      | C            | G
She-she-she         shine on.
```

Chorus 4

```
| Am | F       C              | Am
She,   she-she-she         shine on.
| F       C             | Am
She-she-she         shine on.
| F      | C            | G
She-she-she         shine on.
```

Chorus 5

```
    | Am   | F       C          | Am
Oh she,    she-she-she    shine on,
| F       C             | Am
She-she-she         shine on.
| F       C
She-she-she
       | G      | G♯m
Shine on, and on, and
```

oda

| Am7 | | Am9 |
on. ______________ / / / / / / / / / / / /

| Am7 | | Am9 |
Shine, / / / / / / / / / / / /

| Am7 | | Am9 |
Shine on. / / / / / / / / / / / /

| Am7 | | Am9 |
Shine, / / / / shine. / / / /

| Am7 | | Am9 |
/ / / / / / / / / / / / / / / /

| Am ||
Shine.

Silence Is Easy

Words and Music by
JAMES WALSH, JAMES STELFOX,
BARRY WESTHEAD AND BENJAMIN BYRNE

E Asus^2 A

♩ = 89

Intro

E		Asus^2	
/ / / /	/ / / /	/ / / /	/ / / /

(4/4)

Verse 1

| E |
Everybody says that they're looking for a shelter,
| Asus^2 |
Got a lot to give but I don't know how to help her.
| E |
I should just let it go 'til they learn how to grow
| Asus^2 |
And how to liberate.__

Verse 2

| E |
Everybody says that she's looking for a shelter,
| Asus^2 |
Got a lot to give but I don't know how I felt her.
| E |
They should just let it go 'til these cities learn to grow
| Asus^2 |
And how to liberate.__

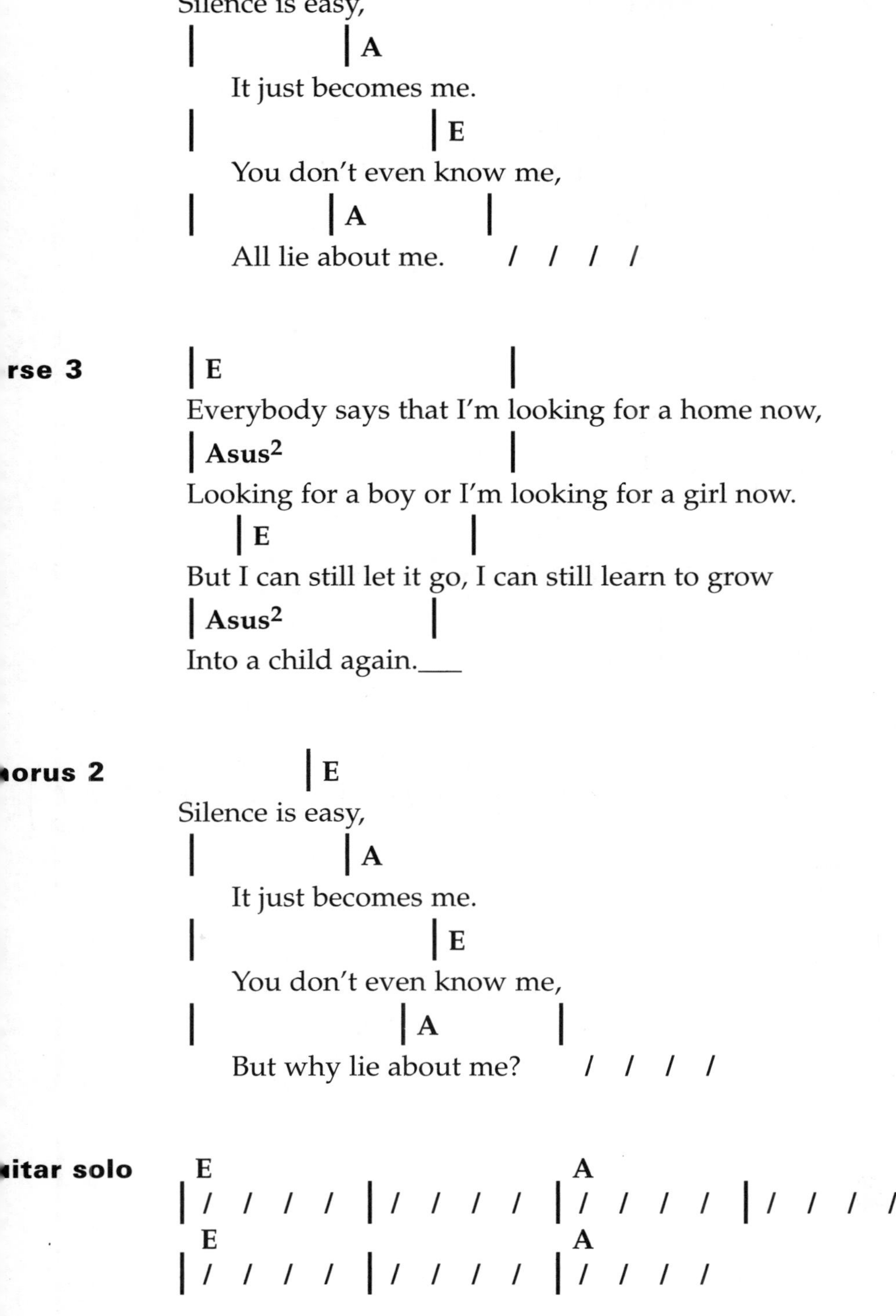
orus
| E
Silence is easy,
| | A
It just becomes me.
| | E
You don't even know me,
| | A |
All lie about me. / / / /
rse 3
| E |
Everybody says that I'm looking for a home now,
| Asus2 |
Looking for a boy or I'm looking for a girl now.
| E |
But I can still let it go, I can still learn to grow
| Asus2 |
Into a child again.___
orus 2
| E
Silence is easy,
| | A
It just becomes me.
| | E
You don't even know me,
| | A |
But why lie about me? / / / /
itar solo
E A
| / / / / | / / / / | / / / / | / / / /
E A
| / / / / | / / / / | / / / /

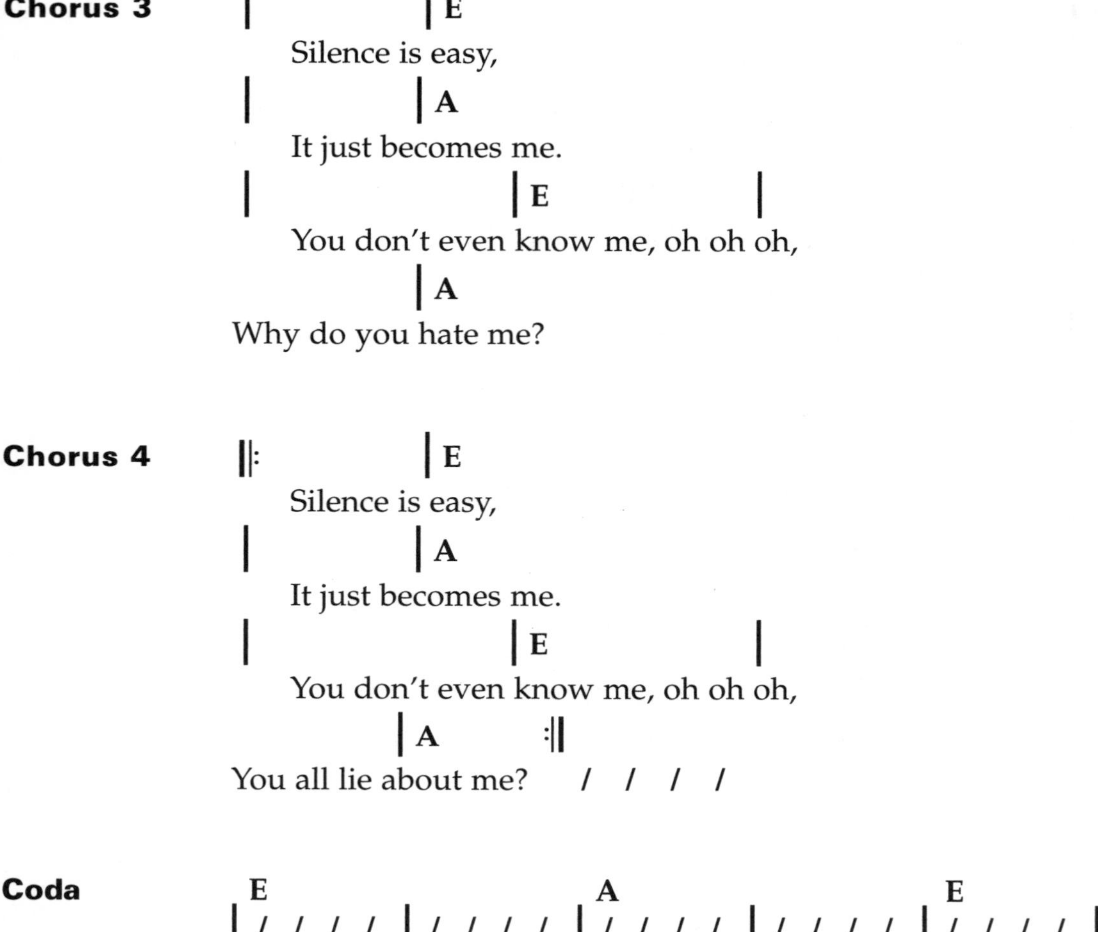

Chorus 3

| | E
Silence is easy,
| | A
It just becomes me.
| | E |
You don't even know me, oh oh oh,
| A
Why do you hate me?

Chorus 4

||: | E
Silence is easy,
| | A
It just becomes me.
| | E |
You don't even know me, oh oh oh,
| A   :||
You all lie about me?   / / / /

Coda

E   A   E
| / / / / | / / / / | / / / / | / / / / | / / / / |
(fade)

Stay Away From Me

Words and Music by
THOMAS SIRIGNANO, IAN FRASCA AND JEFF JENSEN

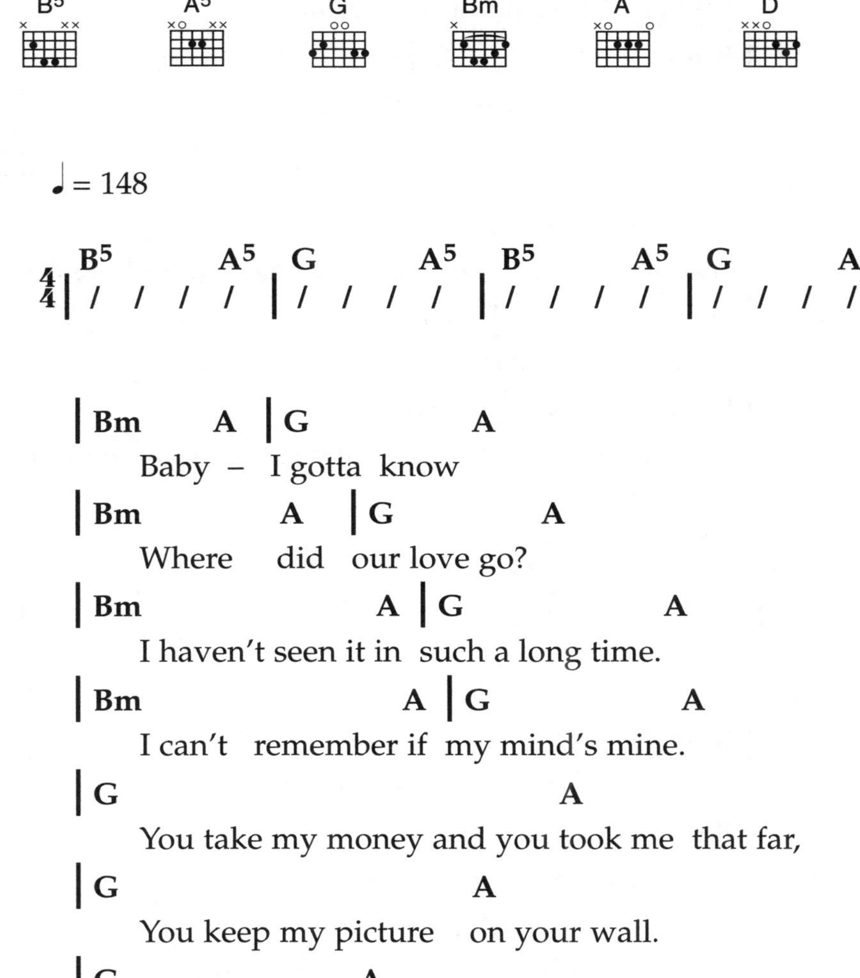

♩ = 148

tro

B^5 A^5	G A^5	B^5 A^5	G A^5
/ / / /	/ / / /	/ / / /	/ / / /

rse 1

| **Bm** **A** | **G** **A**
Baby – I gotta know

| **Bm** **A** | **G** **A**
Where did our love go?

| **Bm** **A** | **G** **A**
I haven't seen it in such a long time.

| **Bm** **A** | **G** **A**
I can't remember if my mind's mine.

| **G** **A**
You take my money and you took me that far,

| **G** **A**
You keep my picture on your wall.

| **G** **A**
When summer turns to fall

| **G** **A**
I don't wanna see you at all.

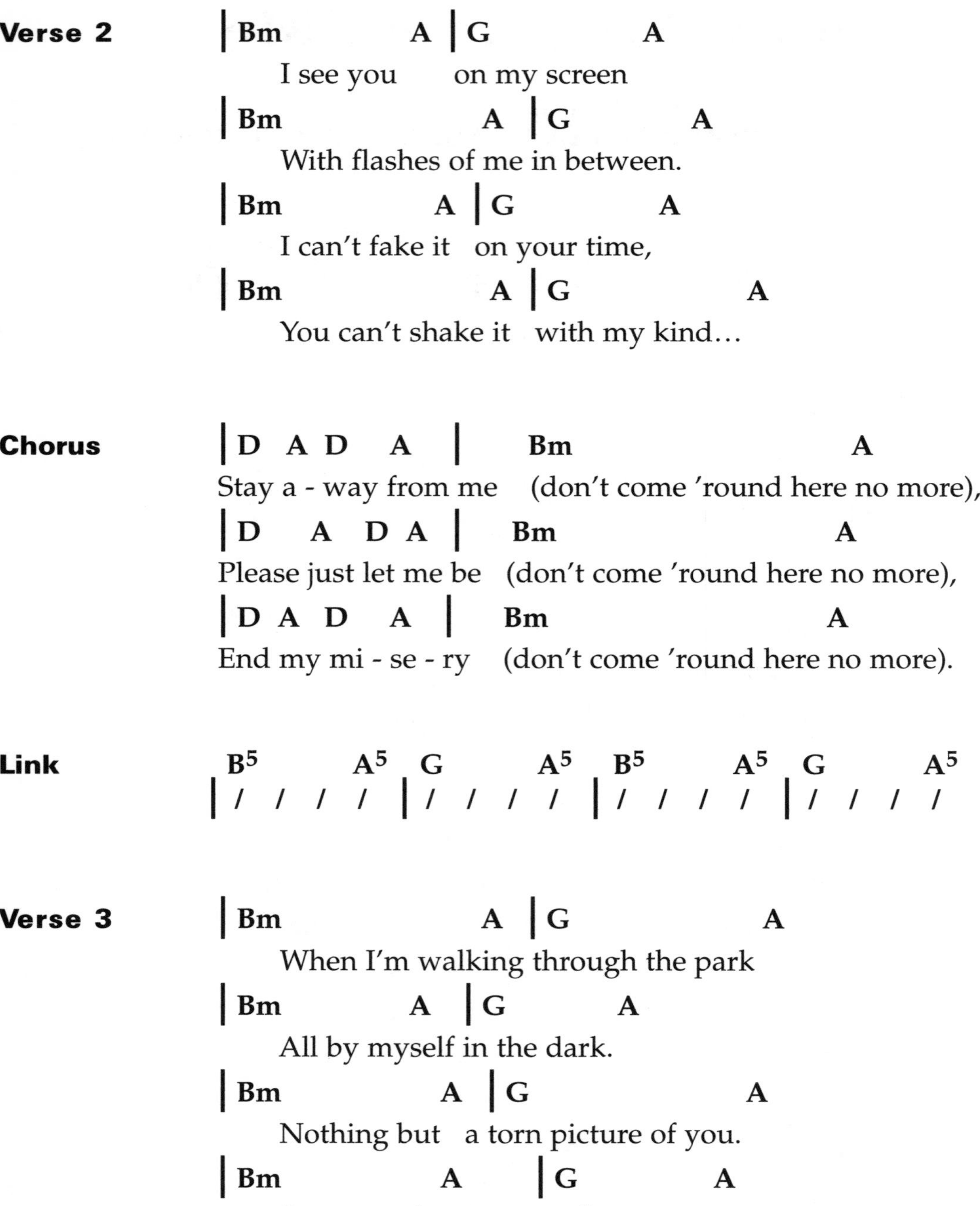

Verse 2

| Bm A | G A
I see you on my screen
| Bm A | G A
With flashes of me in between.
| Bm A | G A
I can't fake it on your time,
| Bm A | G A
You can't shake it with my kind...

Chorus

| D A D A | Bm A
Stay a - way from me (don't come 'round here no more),
| D A D A | Bm A
Please just let me be (don't come 'round here no more),
| D A D A | Bm A
End my mi - se - ry (don't come 'round here no more).

Link

B5 A5 G A5 B5 A5 G A5
| / / / / | / / / / | / / / / | / / / /

Verse 3

| Bm A | G A
When I'm walking through the park
| Bm A | G A
All by myself in the dark.
| Bm A | G A
Nothing but a torn picture of you.
| Bm A | G A
Someone direct me to the noose.

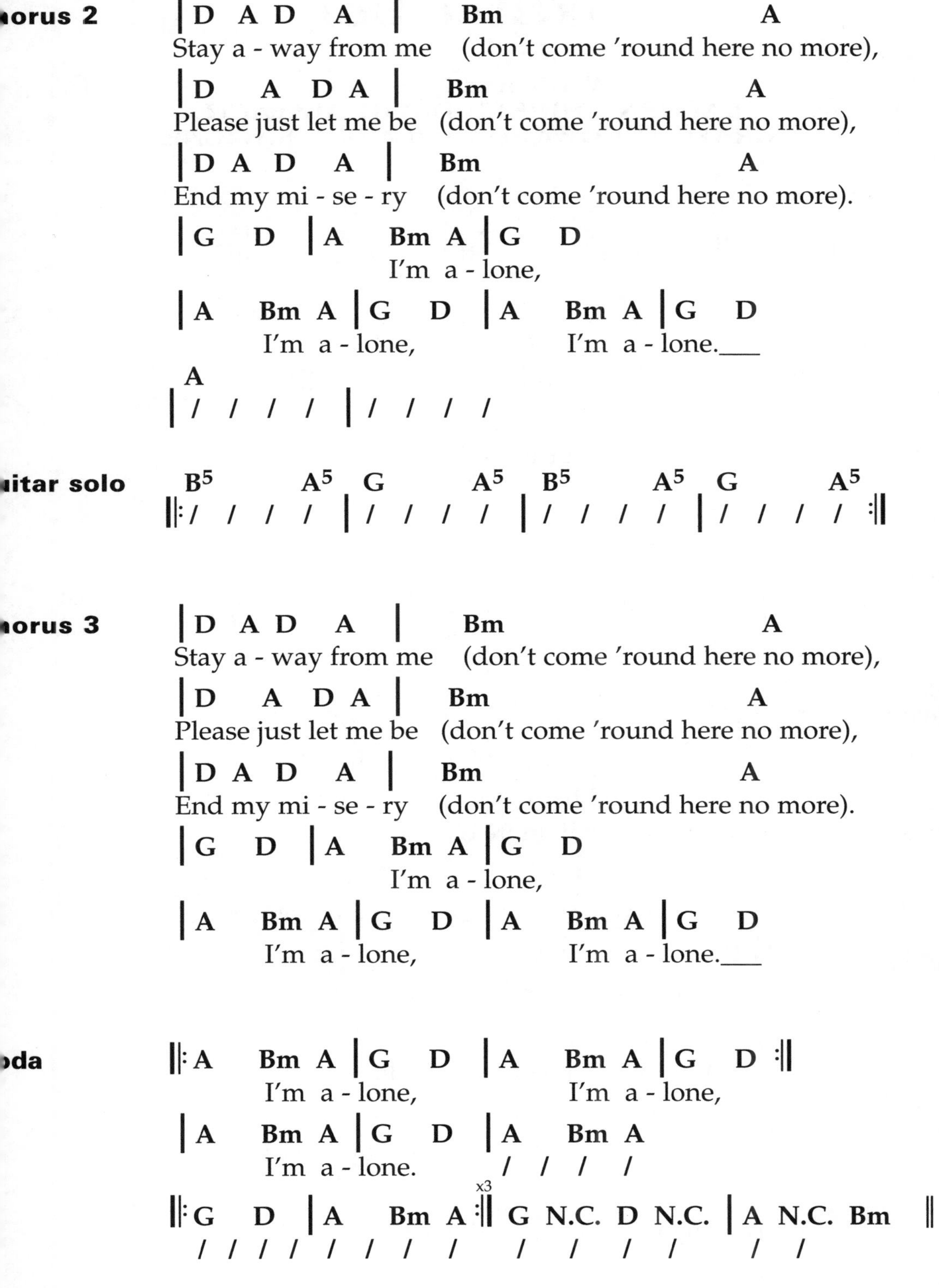
orus 2
D A D A | Bm A
Stay a - way from me (don't come 'round here no more),
D A D A | Bm A
Please just let me be (don't come 'round here no more),
D A D A | Bm A
End my mi - se - ry (don't come 'round here no more).
G D | A Bm A | G D
I'm a - lone,
A Bm A | G D | A Bm A | G D
I'm a - lone, I'm a - lone.___
A
/ / / / | / / / /
itar solo
B5 A5 G A5 B5 A5 G A5
/ / / / | / / / / | / / / / | / / / /
orus 3
D A D A | Bm A
Stay a - way from me (don't come 'round here no more),
D A D A | Bm A
Please just let me be (don't come 'round here no more),
D A D A | Bm A
End my mi - se - ry (don't come 'round here no more).
G D | A Bm A | G D
I'm a - lone,
A Bm A | G D | A Bm A | G D
I'm a - lone, I'm a - lone.___
da
A Bm A | G D | A Bm A | G D
I'm a - lone, I'm a - lone,
A Bm A | G D | A Bm A
I'm a - lone. / / / /
x3
G D | A Bm A | G N.C. D N.C. | A N.C. Bm
/ / / / / / / / / / / / / /

Sk8ter Boi

Words and Music by
LAURENT CHRISTY, DAVID ALSPACH,
GRAHAM EDWARDS AND AVRIL LAVIGNE

D5 A5 B5 B♭5 D A Bm

B♭ C F F5 C5 (3fr) D♭5 (4fr)

Tune 6th string down a tone
(D A D G B E)

♩ = 147

Intro

4/4 | D5 / / / / | A5 / / / / | B5 / / / / | B♭5 / / A5 / / :||

Verse 1

| D | A | Bm
He was a boy, she was a girl,
| B♭
Can I make it any more obvious?
| D | A | Bm | C
He was a punk, she did ballet – what more can I say?
| D | A | Bm
He wanted her, she'd never tell,
| B♭
Secretly she wanted him as well.
| D | A | Bm
But all of her friends stuck up their nose –
| C | F
They had a problem with his baggy clothes.

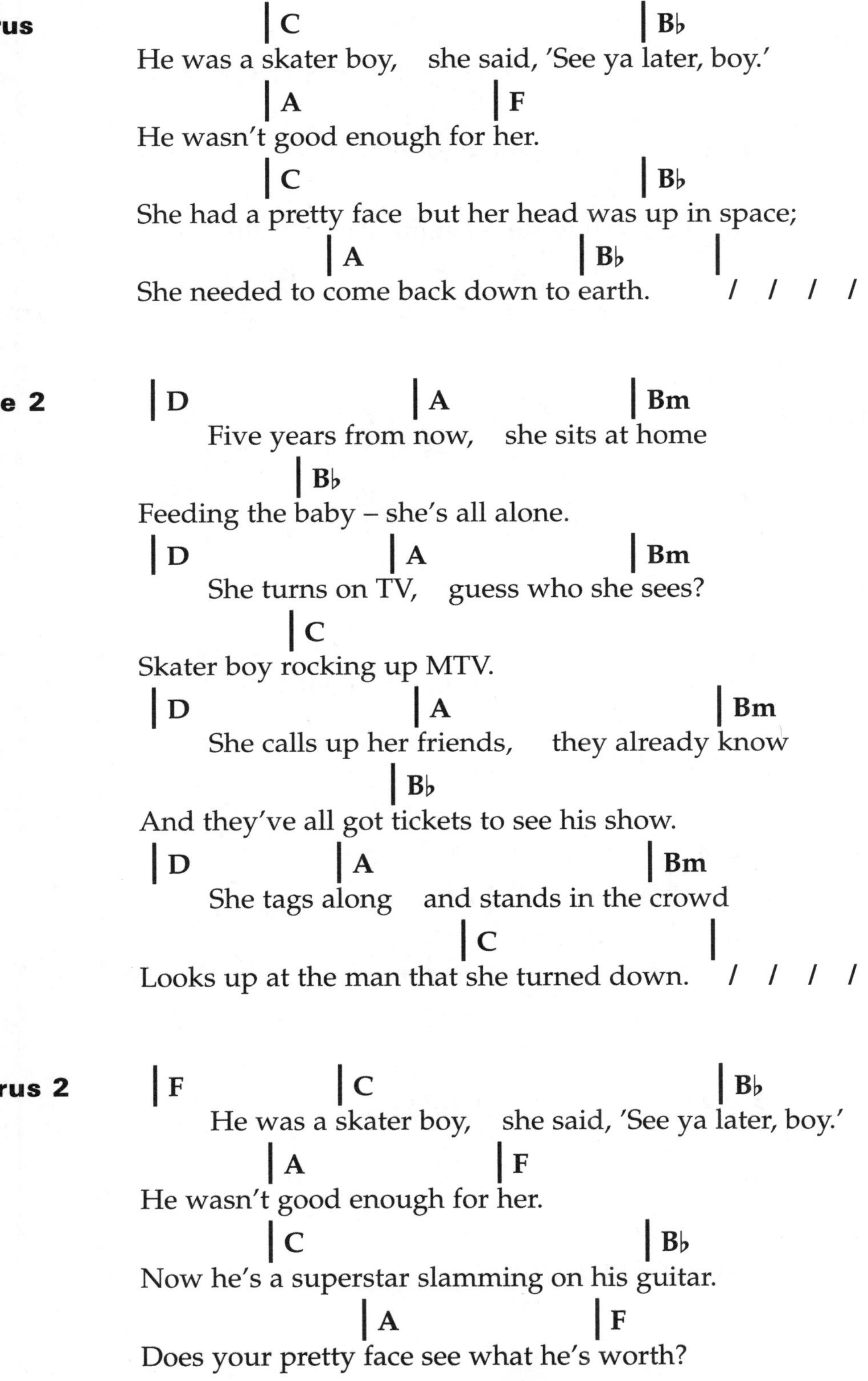

orus
| C | B♭
He was a skater boy, she said, 'See ya later, boy.'
| A | F
He wasn't good enough for her.
| C | B♭
She had a pretty face but her head was up in space;
| A | B♭ |
She needed to come back down to earth. / / / /
rse 2
| D | A | Bm
Five years from now, she sits at home
| B♭
Feeding the baby – she's all alone.
| D | A | Bm
She turns on TV, guess who she sees?
| C
Skater boy rocking up MTV.
| D | A | Bm
She calls up her friends, they already know
| B♭
And they've all got tickets to see his show.
| D | A | Bm
She tags along and stands in the crowd
| C |
Looks up at the man that she turned down. / / / /
orus 2
| F | C | B♭
He was a skater boy, she said, 'See ya later, boy.'
| A | F
He wasn't good enough for her.
| C | B♭
Now he's a superstar slamming on his guitar.
| A | F
Does your pretty face see what he's worth?

| C | Bb
He was a skater boy, she said, 'See ya later, boy.'
| A | F
He wasn't good enough for her.
| C | Bb
Now he's a superstar slamming on his guitar.
| A | Bb |
Does your pretty face see what he's worth? / / / /

Guitar solo

F5 C5 Bb5 Db5
| / / / / | / / / / | / / / / | / / / /
F5 C5 Bb5 Db5 A5
| / / / / | / / / / | / / / / | / / / /

Bridge

| Dm | | F
Sorry, girl, but you missed out
| | C
Well tough luck – that boy's mine now.
| | Bb
We are more than just good friends
| A | Dm
This is how the story ends.
| | F
Too bad that you couldn't see,
| | C
See the man that boy could be.
| | Bb
There is more than meets the eye,
| A | D
I see the soul that is inside.

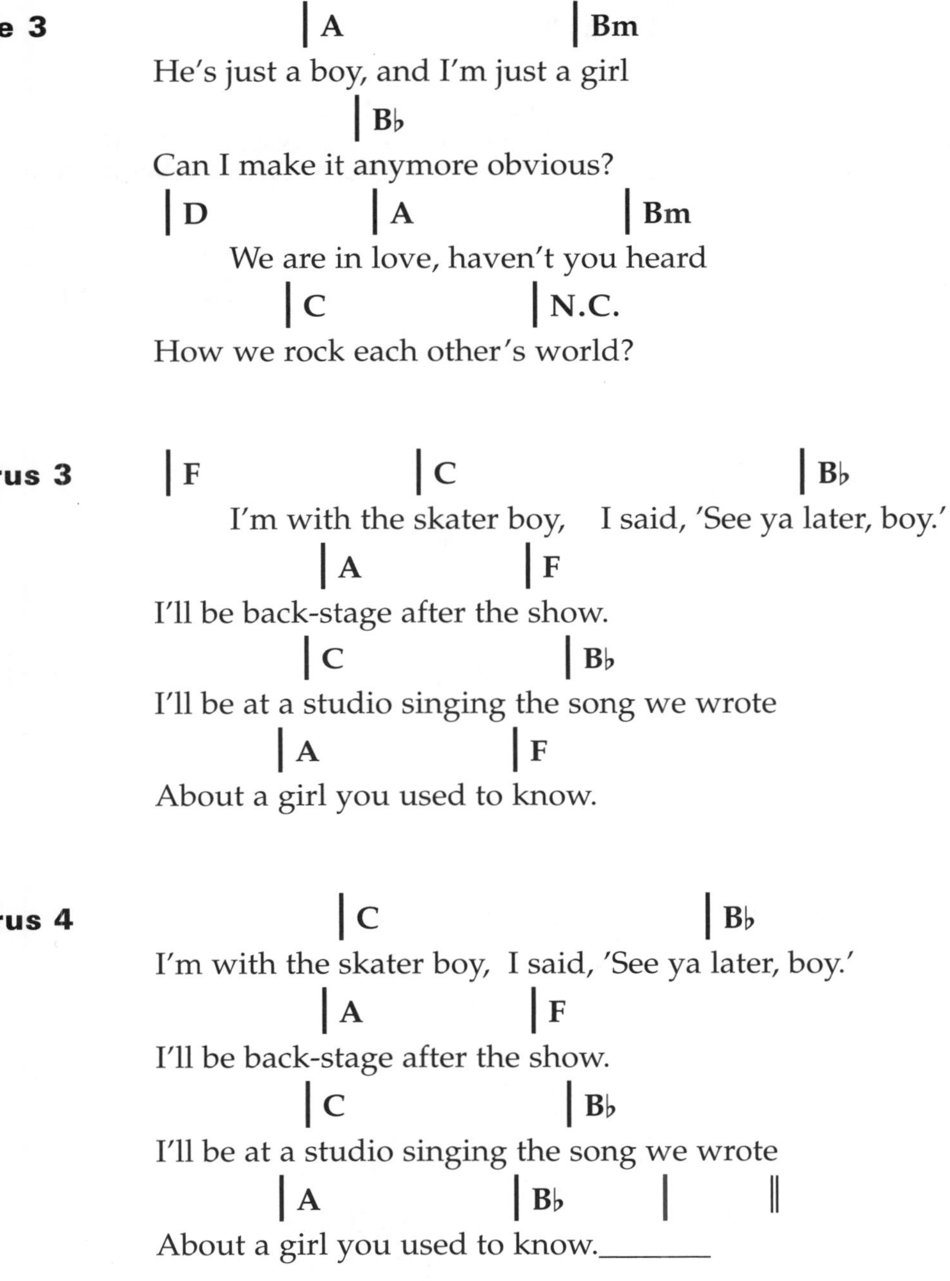

rse 3

| A | Bm
He's just a boy, and I'm just a girl
| B♭
Can I make it anymore obvious?
| D | A | Bm
We are in love, haven't you heard
| C | N.C.
How we rock each other's world?

orus 3

| F | C | B♭
I'm with the skater boy, I said, 'See ya later, boy.'
| A | F
I'll be back-stage after the show.
| C | B♭
I'll be at a studio singing the song we wrote
| A | F
About a girl you used to know.

.orus 4

| C | B♭
I'm with the skater boy, I said, 'See ya later, boy.'
| A | F
I'll be back-stage after the show.
| C | B♭
I'll be at a studio singing the song we wrote
| A | B♭ | ‖
About a girl you used to know.________

There There

Words and Music by
THOMAS YORKE, PHILIP SELWAY, EDWARD O'BRIEN,
JONATHAN GREENWOOD AND COLIN GREENWOOD

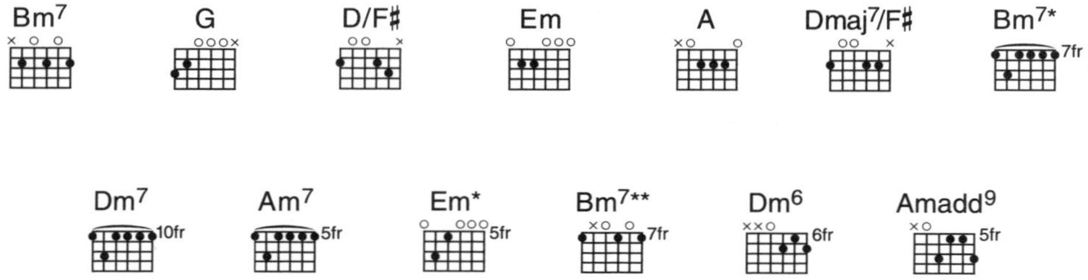

Bm7 G D/F♯ Em A Dmaj7/F♯ Bm7* (7fr)

Dm7 (10fr) Am7 (5fr) Em* (5fr) Bm7** (7fr) Dm6 (6fr) Amadd9 (5fr)

♩ = 127

Intro

(Bm7) x8 Bm7 x4
4/4 | / / / / | / / / / :||: / / / / | / / / / :||

Verse 1

| |
In pitch dark
| | | G
I go walking in your landscape,
D/F♯ Em G D/F♯ Em
| / / / / | / / / / | / / / / |
| Bm7 | |
Broken branches
| | G
Trip me as I speak.
D/F♯ Em G D/F♯ Em
| / / / / | / / / / | / / / / |
||: A | | Dmaj7/F♯
Just 'cause you fe - - el it
| D/F♯ Dmaj7/F♯ | G
Doesn't mean it's there.
D/F♯ Em G D/F♯ Em
| / / / / | / / / / | / / / / :||

nk

Bm7
| / / / / | / / / / | / / / / | / / / /

rse 2

| | |
There's always a siren
| | G | D/F♯ Em
Singing you to shipwreck
(Don't reach out, don't reach out.
| G | D/F♯ Em
Don't reach out, don't reach out).
| Bm7 | |
Stay away from these rocks –
| | G | D/F♯ Em
We'd be a walking disaster
(Don't reach out, don't reach out.
| G | D/F♯ Em
Don't reach out, don't reach out).
||: A | | Dmaj7/F♯
Just 'cause you fe - - el it
| D/F♯ Dmaj7/F♯ | G
Doesn't mean it's there
| D/F♯ Em
(There's someone on your shoulder,
| G | D/F♯ Em
There's someone on your shoulder).
:||
Feel it.

nk

Bm7*
| (it.) | / / / / | / / / / | / / / /
Dm7 Am7
| / / / / | / / / / | / / / / | / / / /
Em*
| / / / / | / / / / | / / / /

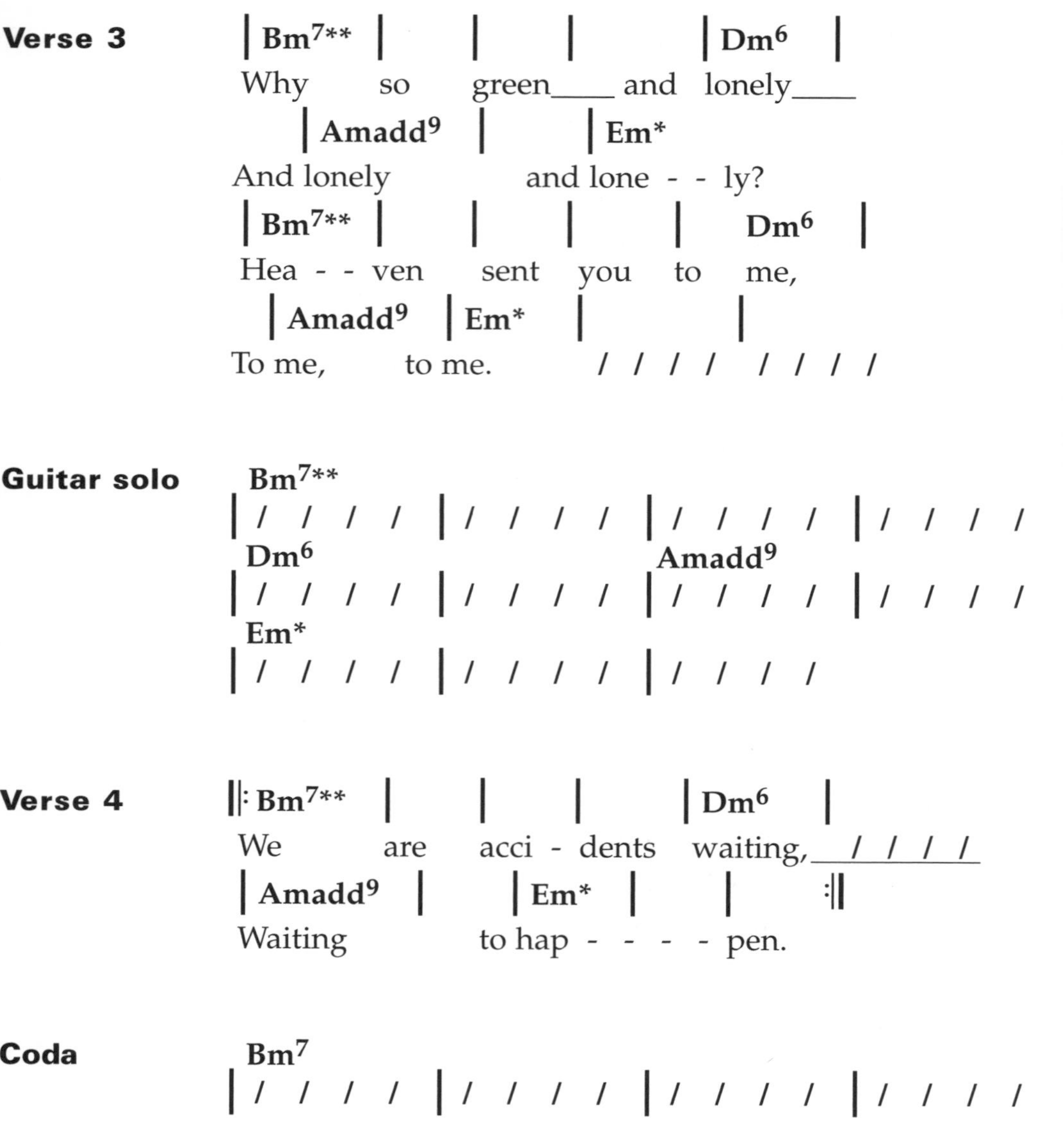
Verse 3
| Bm7** | | | | Dm6 |
Why so green___ and lonely___
| Amadd9 | | Em*
And lonely and lone - - ly?
| Bm7** | | | | Dm6 |
Hea - - ven sent you to me,
| Amadd9 | Em* | |
To me, to me. / / / / / / / /
Guitar solo
Bm7**
| / / / / | / / / / | / / / / | / / / /
Dm6 Amadd9
| / / / / | / / / / | / / / / | / / / /
Em*
| / / / / | / / / / | / / / /
Verse 4
||: Bm7** | | | | Dm6 |
We are acci - dents waiting, / / / /
| Amadd9 | | Em* | | :||
Waiting to hap - - - - pen.
Coda
Bm7
| / / / / | / / / / | / / / / | / / / /
| / / / / | / / / / | / / / / | / / / / ||

Thinking About Tomorrow

Words and Music by
TED BARNES, BETH ORTON,
SEAN READ AND SEBASTIAN STEINBERG

B Emaj7 A Asus4/E F#m A6/9 A/E

♩ = 87

tro

4/4 | B / / / / | Emaj7 / / / / :||

rse 1

| B | Emaj7
Tired but I ain't sleeping:_____
| B | Emaj7
Thinking about some sad affair
| B | Emaj7
And why I should be leaving_____
| B
'Cause some of these thoughts
| Emaj7
Only seem to take me out of here.
| B | A
These habits are so hard to break and they're so easy to make,
| B
These habits are so hard to break
| A | B
And they're so ea - - sy to make,
| Asus4/E | B | Asus4/E
So ea - - - sy.________

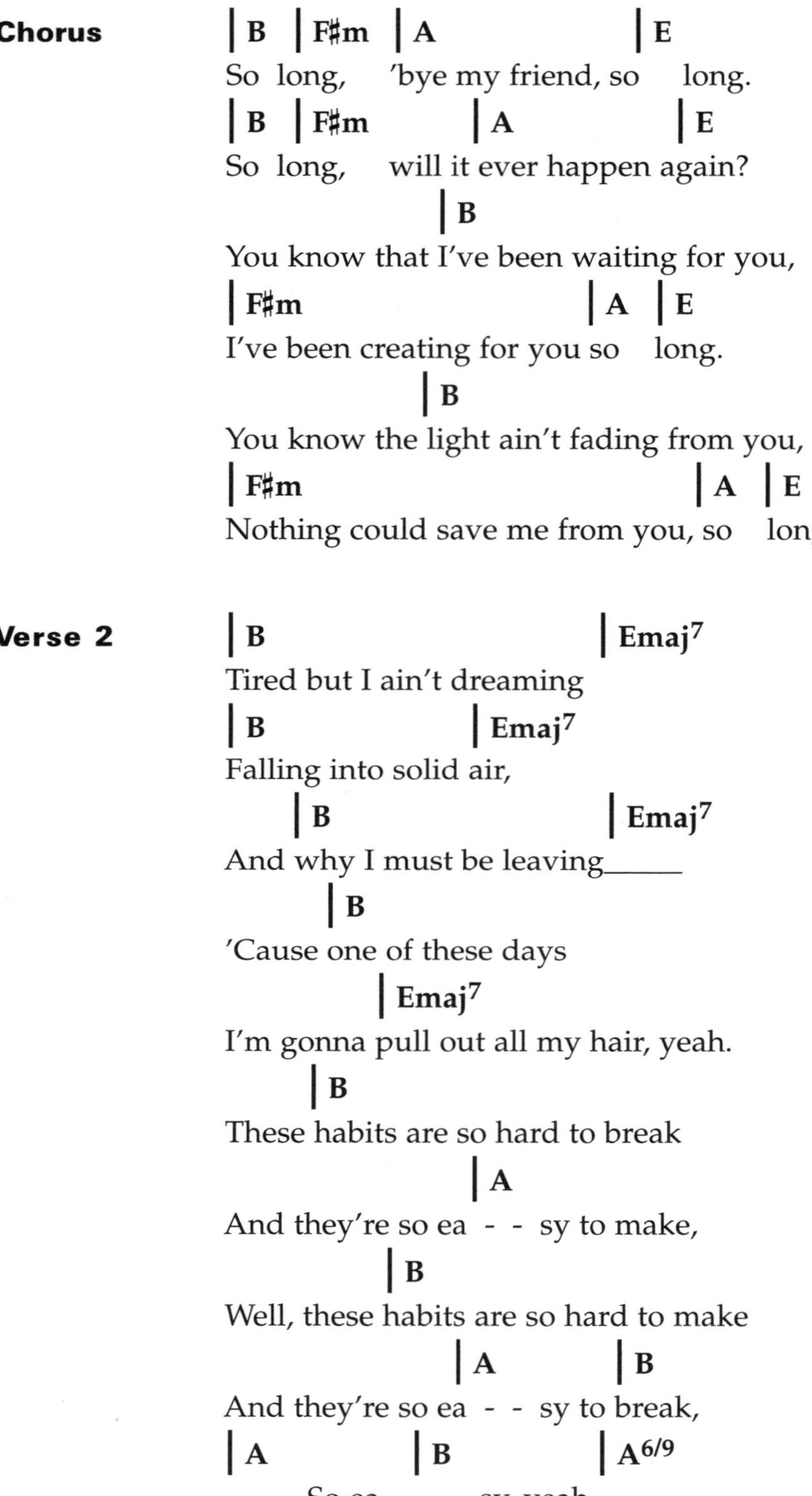

Chorus

| B | F♯m | A | E
So long, 'bye my friend, so long.
| B | F♯m | A | E
So long, will it ever happen again?
| B
You know that I've been waiting for you,
| F♯m | A | E
I've been creating for you so long.
| B
You know the light ain't fading from you,
| F♯m | A | E
Nothing could save me from you, so long.

Verse 2

| B | Emaj^{7}
Tired but I ain't dreaming
| B | Emaj^{7}
Falling into solid air,
| B | Emaj^{7}
And why I must be leaving_____
| B
'Cause one of these days
| Emaj^{7}
I'm gonna pull out all my hair, yeah.
| B
These habits are so hard to break
| A
And they're so ea - - sy to make,
| B
Well, these habits are so hard to make
| A | B
And they're so ea - - sy to break,
| A | B | A$^{6/9}$
So ea - - - sy, yeah._____

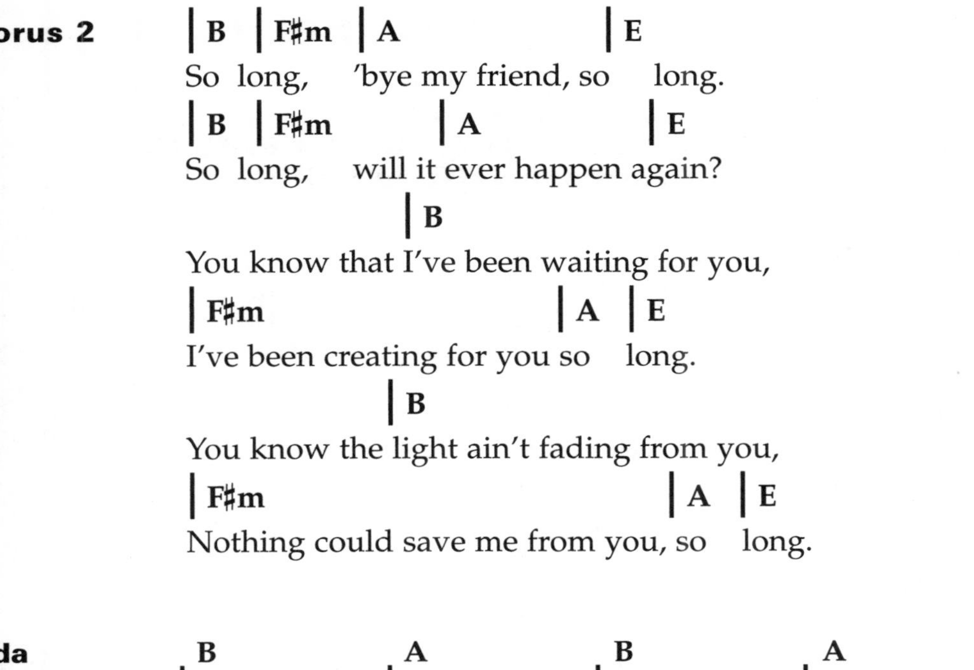

horus 2

| B | F♯m | A | E
So long, 'bye my friend, so long.
| B | F♯m | A | E
So long, will it ever happen again?
| B
You know that I've been waiting for you,
| F♯m | A | E
I've been creating for you so long.
| B
You know the light ain't fading from you,
| F♯m | A | E
Nothing could save me from you, so long.

oda

B A B A
| / / / / | / / / / | / / / / | / / / /
B A/E B
| / / / / | / / / / | / ‖

This Is How It Feels

Words and Music by
GRAHAM LAMBERT, CLINTON BOON, CRAIG GILL,
MARTYN WALSH AND THOMAS HINGLEY

G/D Em* G Em B7 C D

Capo 4th fret

♩ = 118

Intro

4/4 | G/D / / / / | Em* / / / / :|| x4

Verse 1

| G/D | Em*
Husband don't know what he's done,
| G/D | Em*
Kids don't know what's wrong with Mum.
| G | Em
She can't say, they can't see,
| G | Em
Putting it down to another bad day.
| G | Em
Daddy don't know what he's done,
| G | Em
Kids don't know what's wrong with Mum.

Chorus

| G | B7
So this is how it feels to be lonely,
| Em | C
This is how it feels to be small,
| G
This is how it feels when your
| D | G | D
Word means nothing at all. / / / /

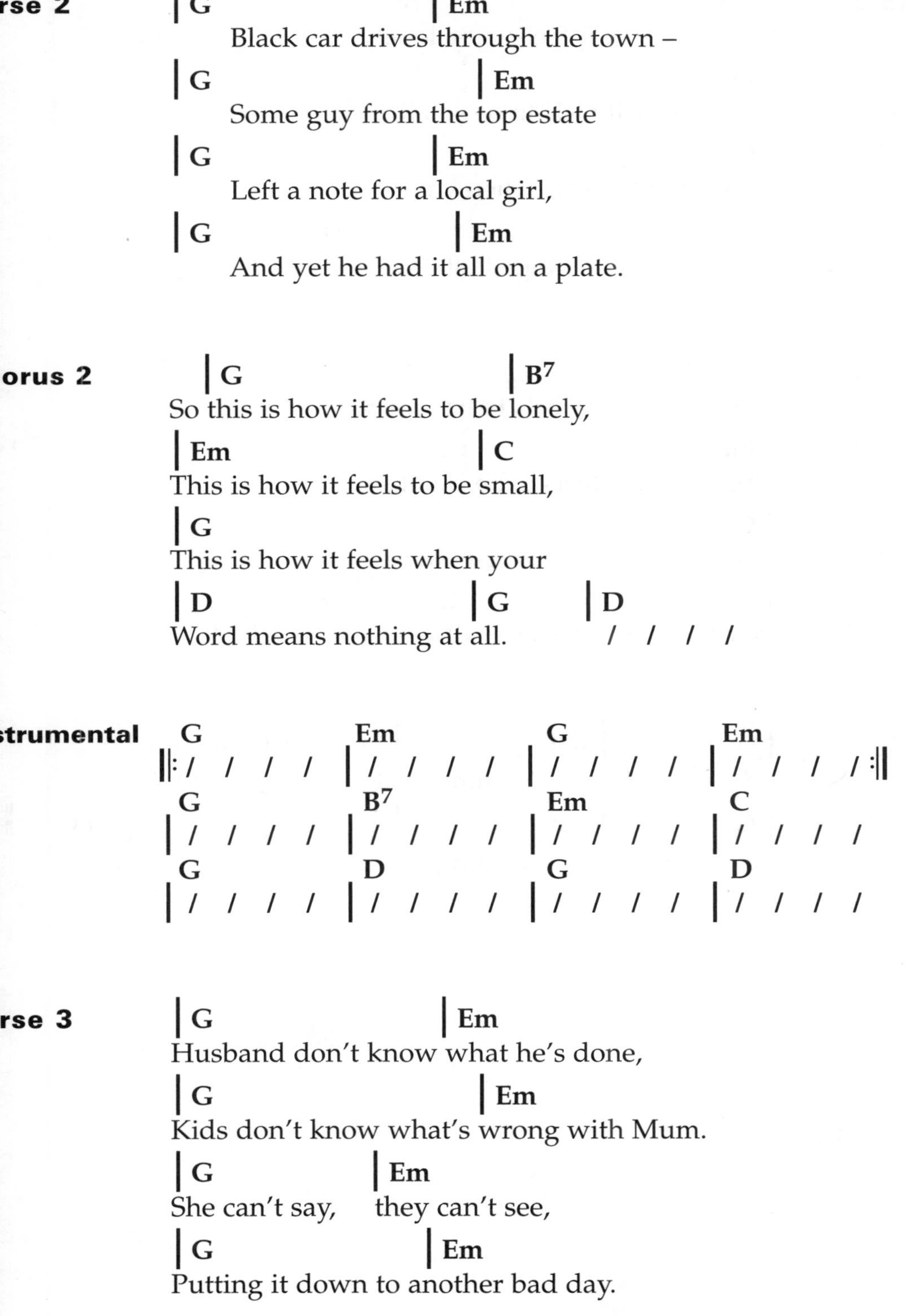
rse 2
| G | Em
Black car drives through the town –
| G | Em
Some guy from the top estate
| G | Em
Left a note for a local girl,
| G | Em
And yet he had it all on a plate.
orus 2
| G | B7
So this is how it feels to be lonely,
| Em | C
This is how it feels to be small,
| G
This is how it feels when your
| D | G | D
Word means nothing at all. / / / /
strumental
G Em G Em
‖: / / / / | / / / / | / / / / | / / / / :‖
G B7 Em C
| / / / / | / / / / | / / / / | / / / /
G D G D
| / / / / | / / / / | / / / / | / / / /
rse 3
| G | Em
Husband don't know what he's done,
| G | Em
Kids don't know what's wrong with Mum.
| G | Em
She can't say, they can't see,
| G | Em
Putting it down to another bad day.

Chorus 3

| G | B^7
So this is how it feels to be lonely,
| Em | C
This is how it feels to be small,
| G
This is how it feels when your
| D | G | D
Word means nothing at all. / / / /

Chorus 4

| G | B^7
So this is how it feels to be lonely,
| Em | C
This is how it feels to be small,
| G
This is how it feels when your
| D | G | D
Word means nothing at all. / / / /

Coda

| G | Em | G | Em
/ / / / Nothing at all.________ / / / /
| G | Em | G | Em | G ||
/ / / / Nothing at all.________ / / / / /

Wake Up Boo!

Words and Music by
MARTIN CARR

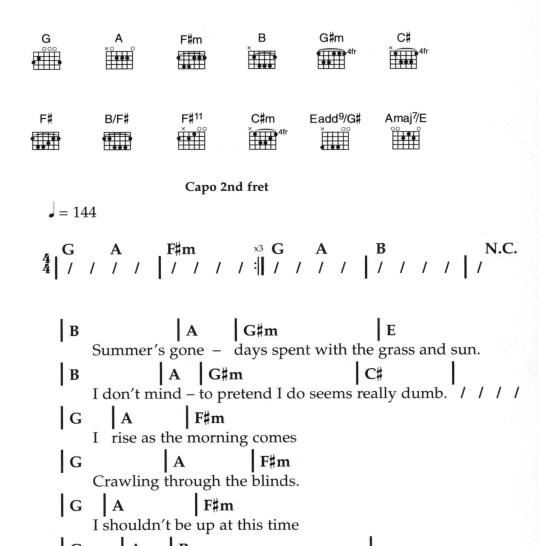

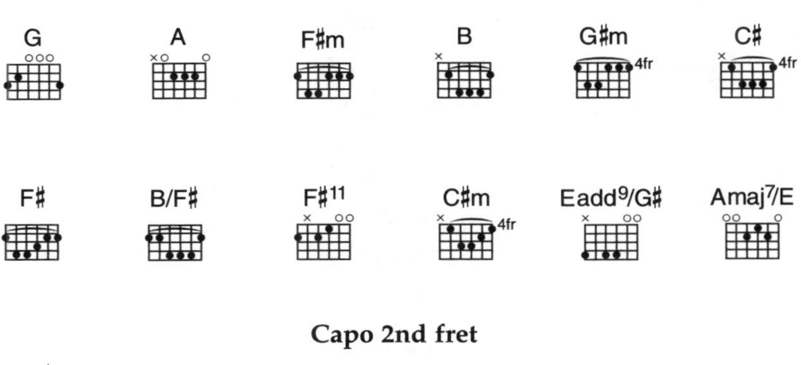

Capo 2nd fret

♩ = 144

Intro

G A	F♯m :‖ x3	G A	B	N.C.
/ / / /	/ / / /	/ / / /	/ / / /	/

Verse 1

| B | A | G♯m | E |
Summer's gone – days spent with the grass and sun.

| B | A | G♯m | C♯ |
I don't mind – to pretend I do seems really dumb. / / / /

| G | A | F♯m
I rise as the morning comes

| G | A | F♯m
Crawling through the blinds.

| G | A | F♯m
I shouldn't be up at this time

| G | A | B |
But I can't sleep with you there by my side.

Chorus

| G A | F♯m
Wake up, it's a beautiful morning,
| G A | F♯m
Feel the sun shining for your eyes.
| G A | F♯m
Wake up, it's so beautiful
| G A | B |
For what could be the very last time. / / / /

Verse 2

| | A | G♯m | E
Twenty-five – I don't recall a time I felt this alive.
| B | A | G♯m | C♯ |
So wake up, Boo – there's so many things for us to do. / /
| G | A | F♯m
It's early, so take your time,
| G | A | F♯m
Don't let me rush you please.
| G | A | F♯m | G
I know I was up all night_____
| A | B |
I can do anything, anything, anything.

Chorus 2

| G A | F♯m
Wake up, it's a beautiful morning,
| G A | F♯m
Feel the sun shining for your eyes.
| G A | F♯m
Wake up, it's so beautiful
| G A | B
For what could be the very last time.

Bridge

F♯ B/F♯ F♯11 B/F♯
| / / / / | / / / / | / / / / | / / / /

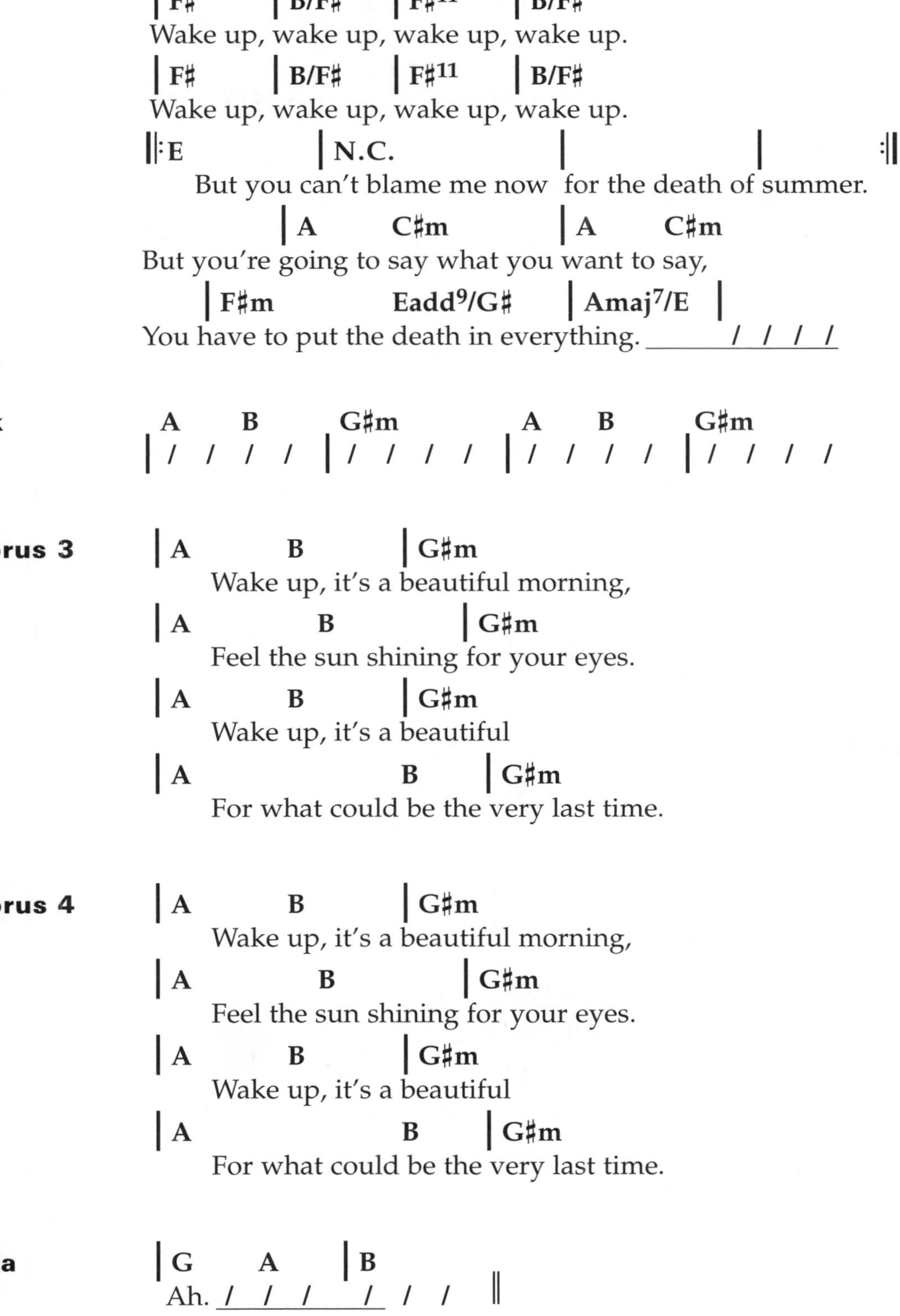
| F♯ | B/F♯ | F♯11 | B/F♯

Wake up, wake up, wake up, wake up.

| F♯ | B/F♯ | F♯11 | B/F♯

Wake up, wake up, wake up, wake up.

‖: E | N.C. | | :‖

But you can't blame me now for the death of summer.

| A C♯m | A C♯m

But you're going to say what you want to say,

| F♯m Eadd9/G♯ | Amaj7/E |

You have to put the death in everything. / / / /

nk

A B G♯m A B G♯m

| / / / / | / / / / | / / / / | / / / /

horus 3

| A B | G♯m

Wake up, it's a beautiful morning,

| A B | G♯m

Feel the sun shining for your eyes.

| A B | G♯m

Wake up, it's a beautiful

| A B | G♯m

For what could be the very last time.

horus 4

| A B | G♯m

Wake up, it's a beautiful morning,

| A B | G♯m

Feel the sun shining for your eyes.

| A B | G♯m

Wake up, it's a beautiful

| A B | G♯m

For what could be the very last time.

oda

| G A | B

Ah. / / / / / / ‖

Words

Words and Music by
JIMI GOODWIN, JEZ WILLIAMS AND ANDY WILLIAMS

D Cadd9 Gmaj7 C G A/G

Capo 1st fret

♩ = 96

Intro

4/4 ‖: (D) / / / / | A / / / / | E / / / / | A / / / / :‖

‖: D / / / / | / / / / | Cadd9 / / / / | / / / /

| Gmaj7 / / / / | / / / / | D / / / / | / / / / :‖

Verse 1

| | | Cadd9 |
Inside's a heart of summer soul____
| Gmaj7 | | D
Don't let them take it away.
| | |
'Cause inside_____
| Cadd9 |
Something solid gold_____
| Gmaj7 | | D |
So don't let them__ throw it away. / / / /

horus

| C | G
Words – they meant nothing
| D
So you can't hurt me.
| | C | G
I said, words they mean nothing
| D
So you can't stop me.
| | C | G
Oh, I said your eyes, they say nothing
| D
So you can't hurt me._____
| | C | G
(On summer days like these)
I said words they mean nothing
| D |
So you can't hurt me. ___ / / / /

nk

D Cadd^9
| / / / / | / / / / | / / / / | / / / /
Gmaj^7 D
| / / / / | / / / / | / / / / | / / / /

erse 2

| D | | Cadd^9 |
Follow your own path from here,_____
| G | | D
So don't listen to what they say.
|
They don't know nothing.
| | | Cadd^9 |
'Cause inside – you've a heart of gold_____
| G | | D
So don't let them take this away.

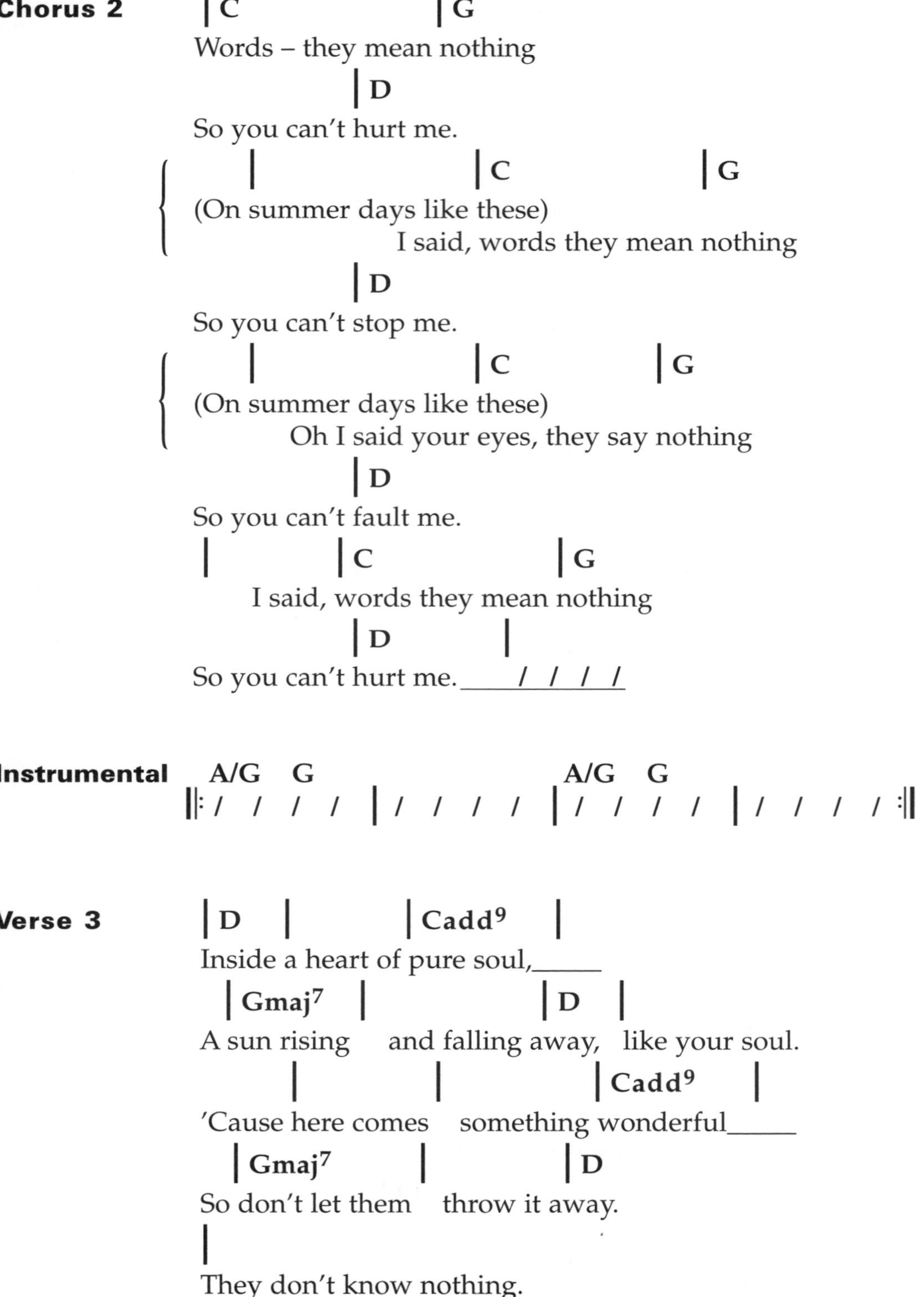

Chorus 2

| C | G
Words – they mean nothing
| D
So you can't hurt me.
| | C | G
(On summer days like these)
I said, words they mean nothing
| D
So you can't stop me.
| | C | G
(On summer days like these)
Oh I said your eyes, they say nothing
| D
So you can't fault me.
| | C | G
I said, words they mean nothing
| D |
So you can't hurt me.____ / / / /

Instrumental

A/G G A/G G
‖: / / / / | / / / / | / / / / | / / / / :‖

Verse 3

| D | | Cadd9 |
Inside a heart of pure soul,_____
| Gmaj7 | | D |
A sun rising and falling away, like your soul.
| | | Cadd9 |
'Cause here comes something wonderful_____
| Gmaj7 | | D
So don't let them throw it away.
|
They don't know nothing.

Chorus 3

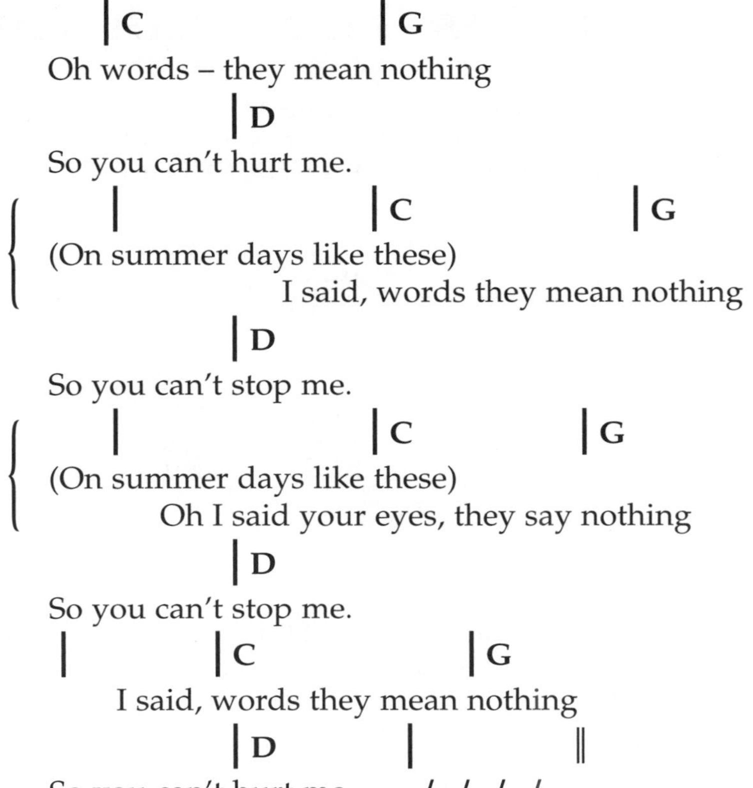

| C | G
Oh words – they mean nothing
| D
So you can't hurt me.
| | C | G
(On summer days like these)
I said, words they mean nothing
| D
So you can't stop me.
| | C | G
(On summer days like these)
Oh I said your eyes, they say nothing
| D
So you can't stop me.
| | C | G
I said, words they mean nothing
| D | ‖
So you can't hurt me. / / / /

Yoshimi Battles The Pink Robots

Words and Music by
WAYNE COYNE, STEPHEN DROZD,
MICHAEL IVINS AND DAVID FRIDMAN

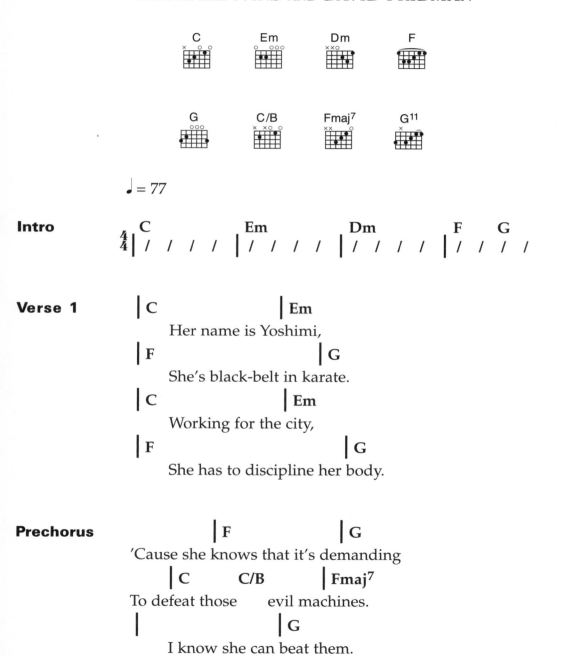

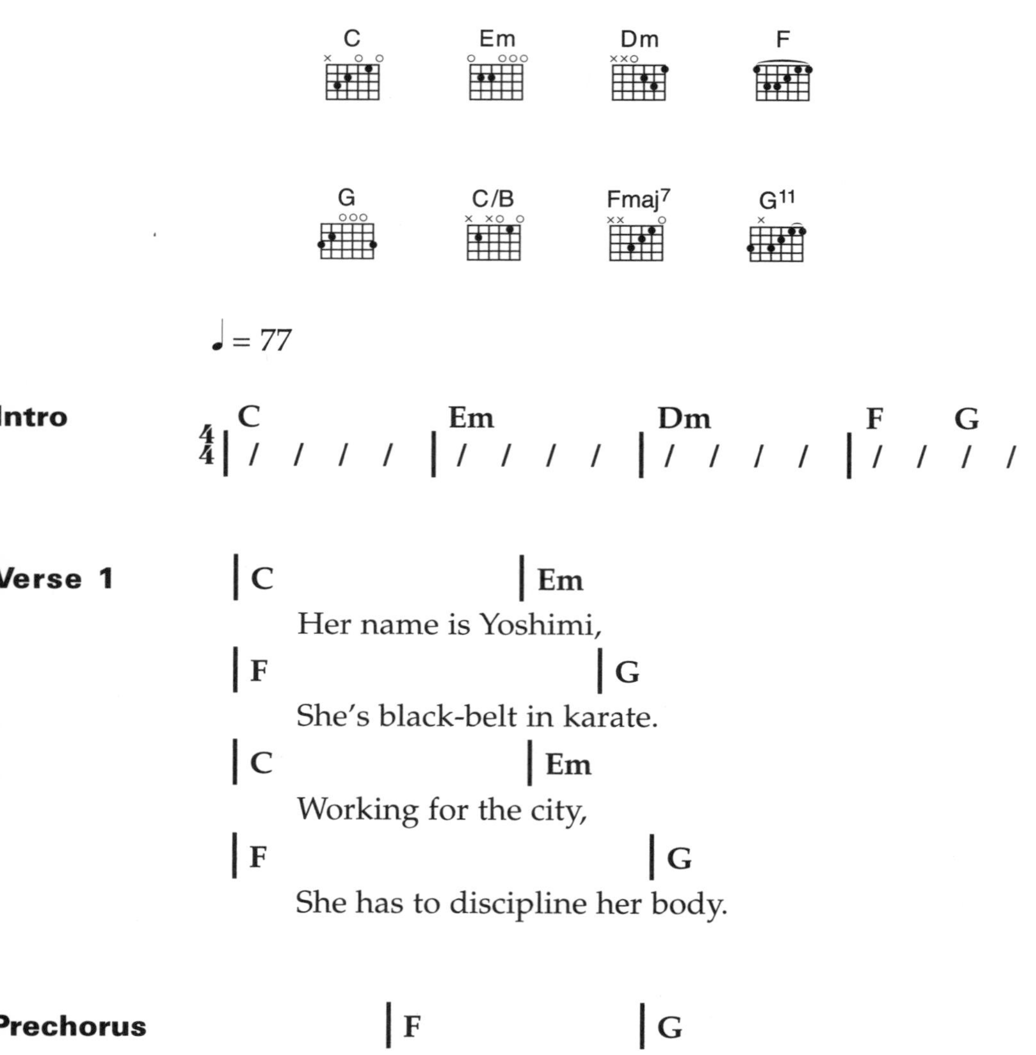
C
Em
Dm
F
G
C/B
Fmaj7
G11
♩ = 77
Intro
C
Em
Dm
F
G
Verse 1
C
Em
Her name is Yoshimi,
F
G
She's black-belt in karate.
C
Em
Working for the city,
F
G
She has to discipline her body.

Prechorus

| F | G
'Cause she knows that it's demanding
| C C/B | Fmaj^7
To defeat those evil machines.
| | G
I know she can beat them.

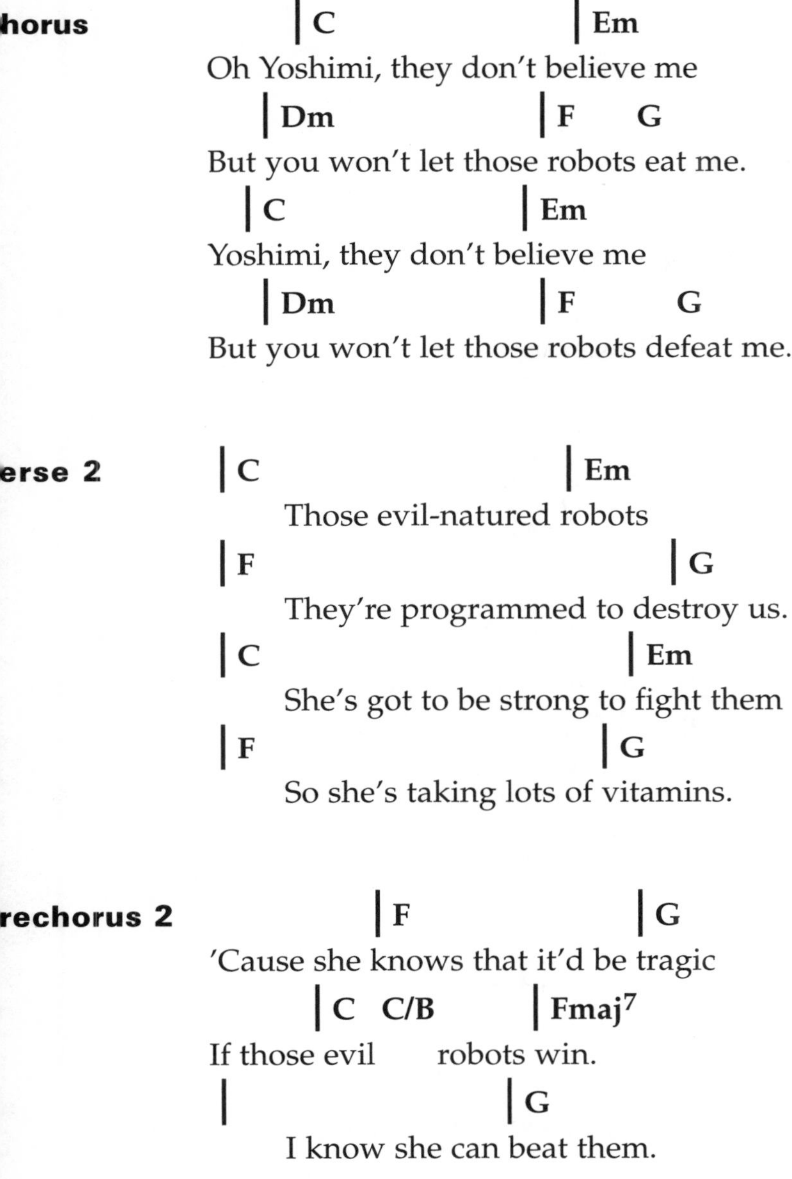

horus

| C | Em
Oh Yoshimi, they don't believe me
| Dm | F G
But you won't let those robots eat me.
| C | Em
Yoshimi, they don't believe me
| Dm | F G
But you won't let those robots defeat me.

erse 2

| C | Em
Those evil-natured robots
| F | G
They're programmed to destroy us.
| C | Em
She's got to be strong to fight them
| F | G
So she's taking lots of vitamins.

rechorus 2

| F | G
'Cause she knows that it'd be tragic
| C C/B | Fmaj7
If those evil robots win.
| | G
I know she can beat them.

Chorus 2

```
         | C                   | Em
Oh Yoshimi, they don't believe me
   | Dm                  | F       G
But you won't let those robots defeat me.
  | C                   | Em
Yoshimi, they don't believe me
   | Dm                  | F       G
But you won't let those robots eat me,
```

Instrumental

```
| C          | Em            | Dm            | G11   G
Yoshimi.       /  /  /  /      /  /  /  /      /  /  /  /
```

Prechorus 3

```
N.C.        | F                  | G
'Cause she knows that it'd be tragic
           | C   C/B   | Fmaj7
If those evil  robots  win,  yeah.
|                    | G
      I know she can beat them.
```

Chorus 3

```
        ||: C                 | Em
Oh Yoshimi, they don't believe me
   | Dm                  | F       G
But you won't let those robots defeat me.
  | C                   | Em
Yoshimi, they don't believe me
   | Dm                  | F       G        :||
But you won't let those robots defeat me.   Repeat to fade
```

You've Got Her In Your Pocket

Words and Music by
JACK WHITE

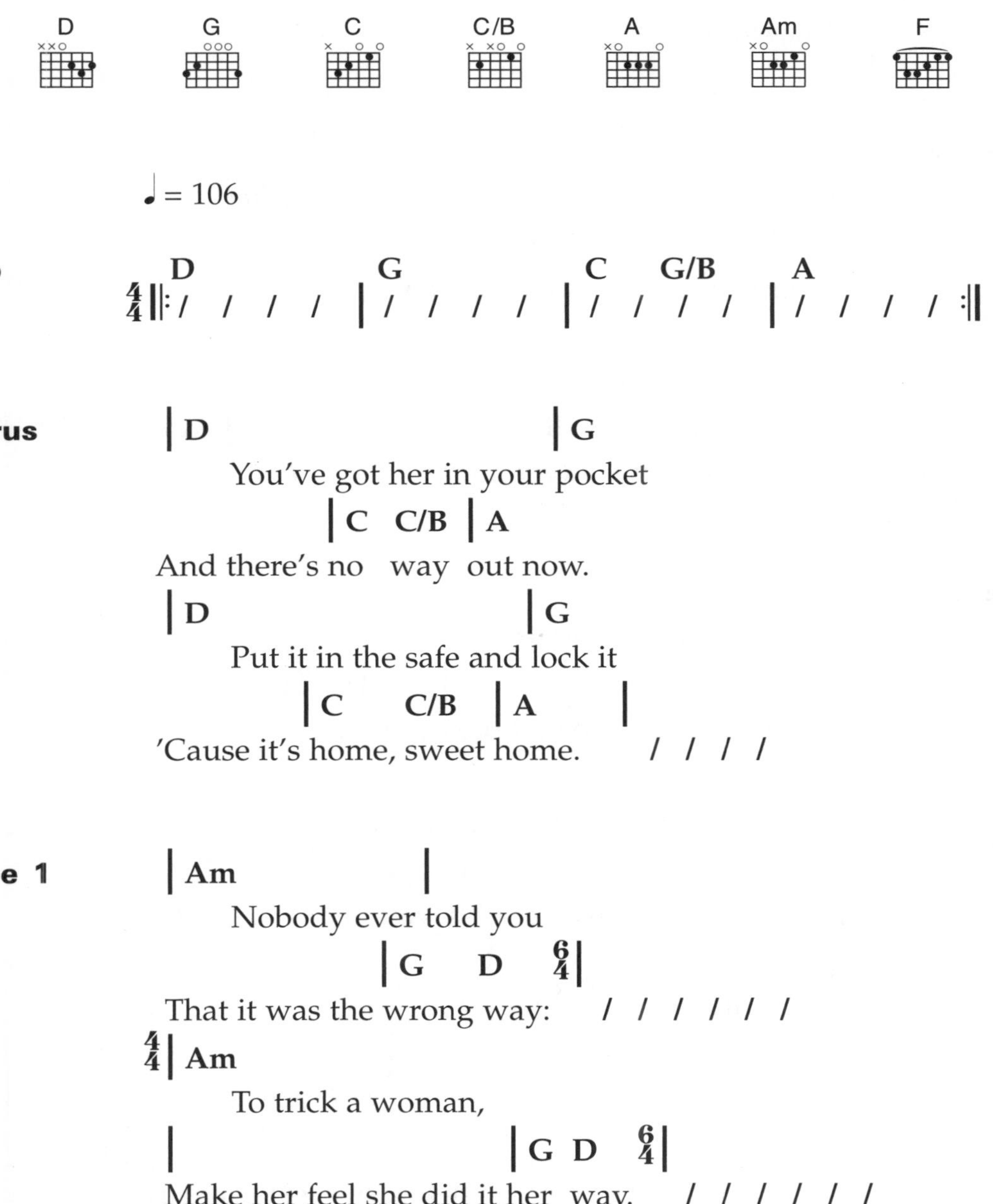

```
4/4| C                      |    | G               |
        And you'll be there if she ever feels blue.
   | C                      |                          | F
        And you'll be there when she finds someone new –
          | A
What to do?
```

Chorus 2

```
          | D                          | G
Well you know you keep her in your pocket
               | C  C/B | A
Where there's no   way  out now.
   | D                        | G
        Put it in the safe and lock it
          | C     C/B | A       |         | Am      |
'Cause it's home, sweet home.    / / / /   / / / /   / / /
```

Verse 2

```
   |                          |
        The smile on your face
                                | G   D  6/4|
Made her think she had the right one,    / / / / / /
4/4| Am                         |
        Then she thought she was sure
                              | G  D  6/4|
By the way you two could have fun.   / / / / / /
4/4| C                        |
        But now she might leave
                         | G     |
Like she's threatened before.     / / / /
   | C                      |                          | F
        Grab hold of her fast before her feet leave the floor
               | A
And she's out the door.
```

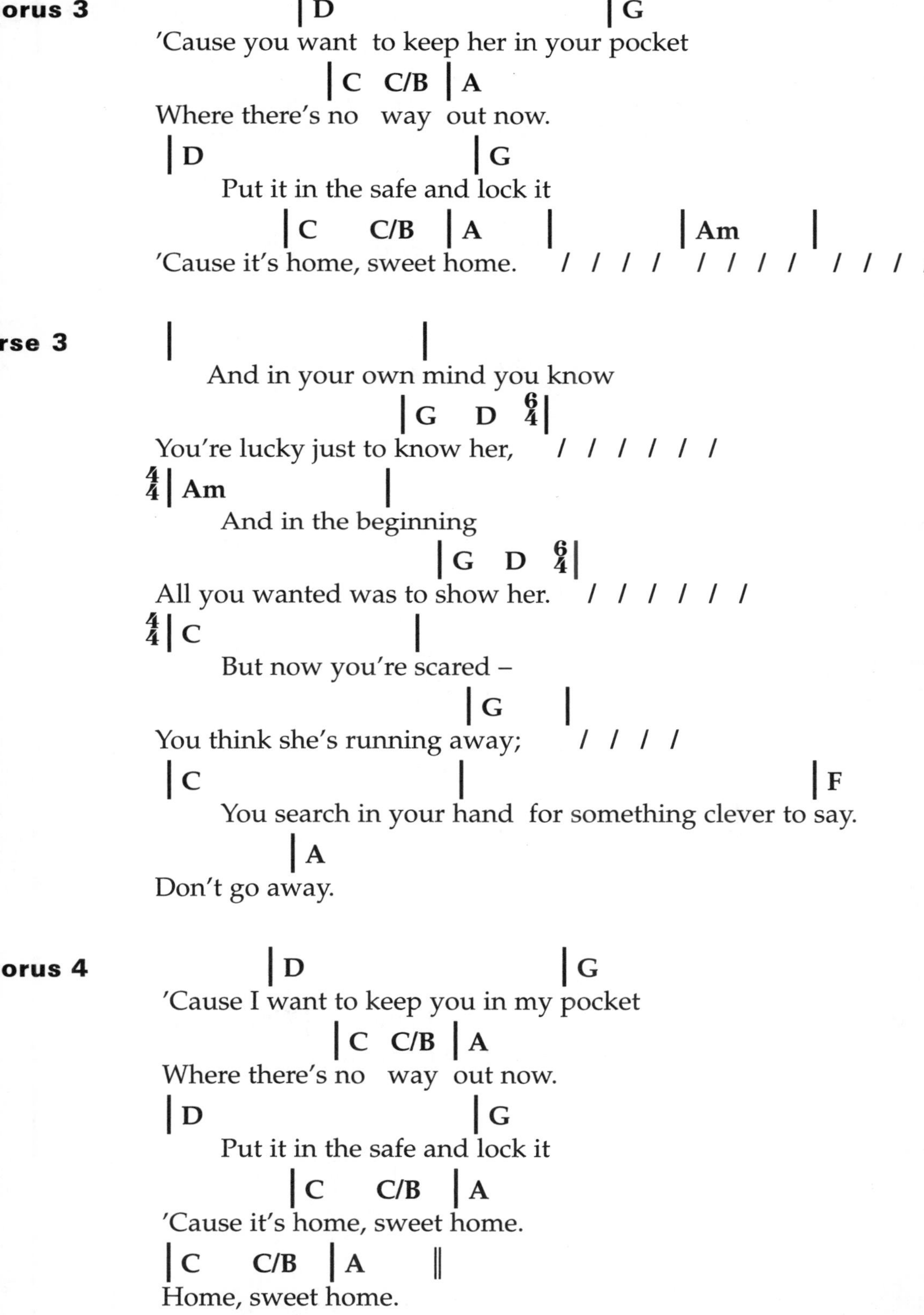

horus 3

```
              | D                     | G
'Cause you want  to keep her in your pocket
                | C  C/B | A
Where there's no   way  out now.
| D                       | G
     Put it in the safe and lock it
             | C    C/B  | A      |          | Am       |
'Cause it's home, sweet home.    / / / /   / / / /   / / / /
```

erse 3

```
|                         |
    And in your own mind you know
                       | G   D  6/4 |
You're lucky just to know her,    / / / / / /
4/4 | Am                  |
     And in the beginning
                          | G   D  6/4 |
All you wanted was to show her.   / / / / / /
4/4 | C                      |
     But now you're scared –
                            | G      |
You think she's running away;      / / / /
| C                        |                          | F
     You search in your hand  for something clever to say.
            | A
Don't go away.
```

horus 4

```
            | D                     | G
'Cause I want to keep you in my pocket
                | C  C/B | A
Where there's no   way  out now.
| D                       | G
     Put it in the safe and lock it
             | C    C/B  | A
'Cause it's home, sweet home.
| C    C/B  | A      ||
Home, sweet home.
```

You're So Pretty – We're So Pretty

Words and Music by
TIMOTHY BURGESS, JON BROOKES, MARTIN BLUNT,
MARK COLLINS AND ANTHONY ROGERS

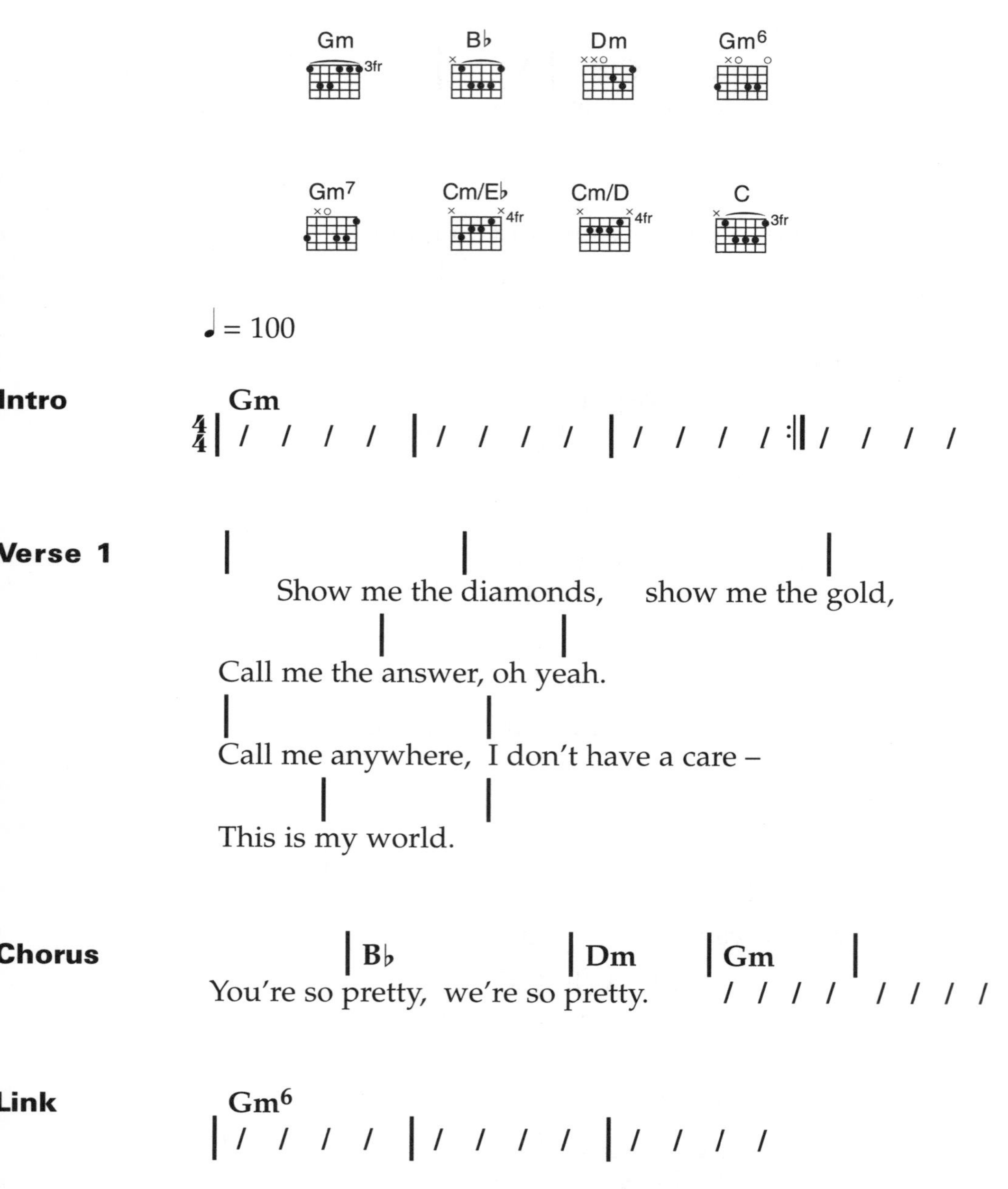
Gm
B♭
Dm
Gm6
Gm7
Cm/E♭
Cm/D
C
♩ = 100
Intro
Gm
Verse 1
Show me the diamonds, show me the gold,
Call me the answer, oh yeah.
Call me anywhere, I don't have a care –
This is my world.
Chorus
B♭ Dm Gm
You're so pretty, we're so pretty.
Link
Gm6

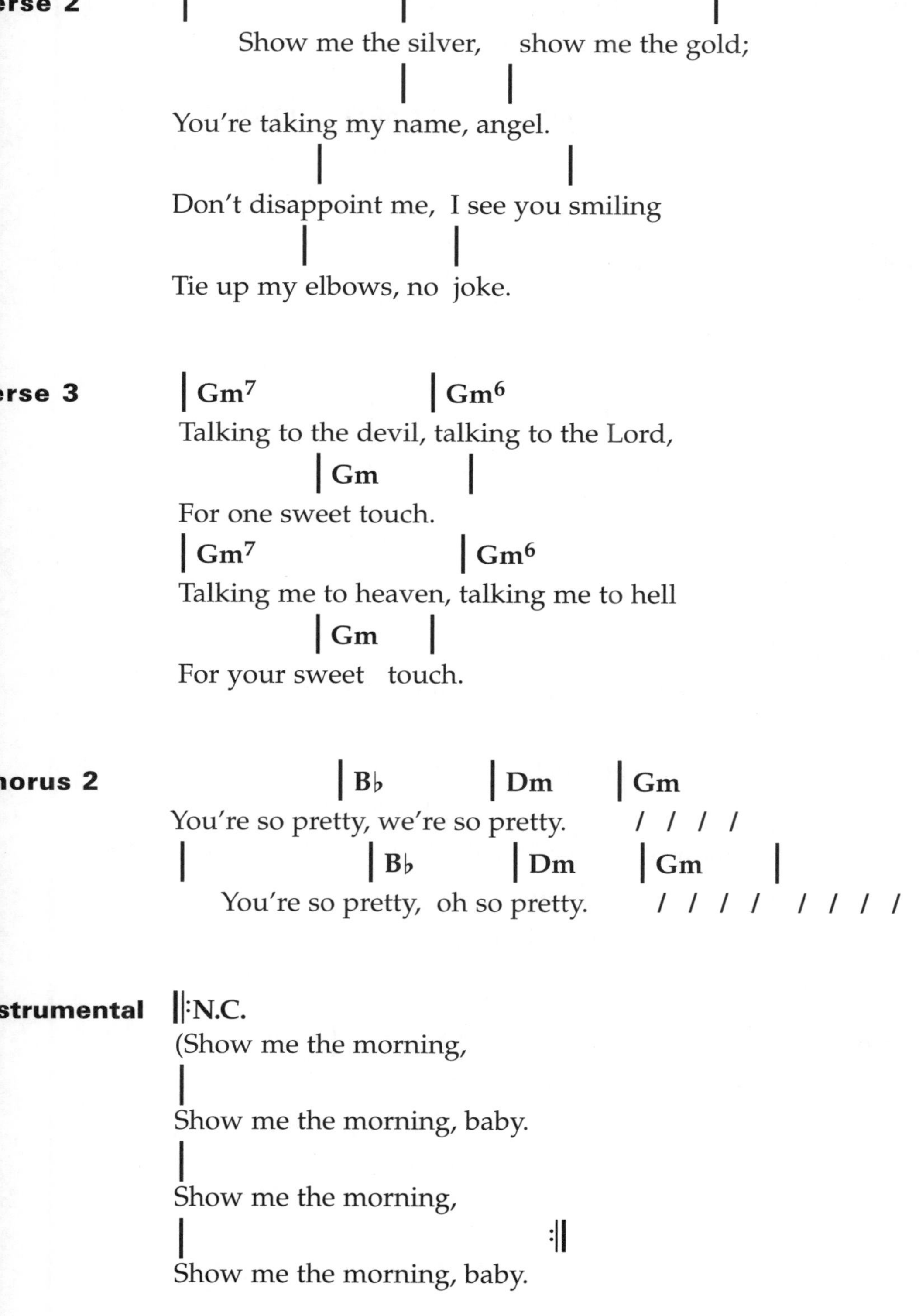

rse 2

| | |
Show me the silver, show me the gold;
| |
You're taking my name, angel.
| |
Don't disappoint me, I see you smiling
| |
Tie up my elbows, no joke.

rse 3

| Gm⁷ | Gm⁶
Talking to the devil, talking to the Lord,
| Gm |
For one sweet touch.
| Gm⁷ | Gm⁶
Talking me to heaven, talking me to hell
| Gm |
For your sweet touch.

orus 2

| B♭ | Dm | Gm
You're so pretty, we're so pretty. / / / /
| | B♭ | Dm | Gm |
You're so pretty, oh so pretty. / / / / / / / /

strumental

‖: N.C.
(Show me the morning,
|
Show me the morning, baby.
|
Show me the morning,
| :‖
Show me the morning, baby.

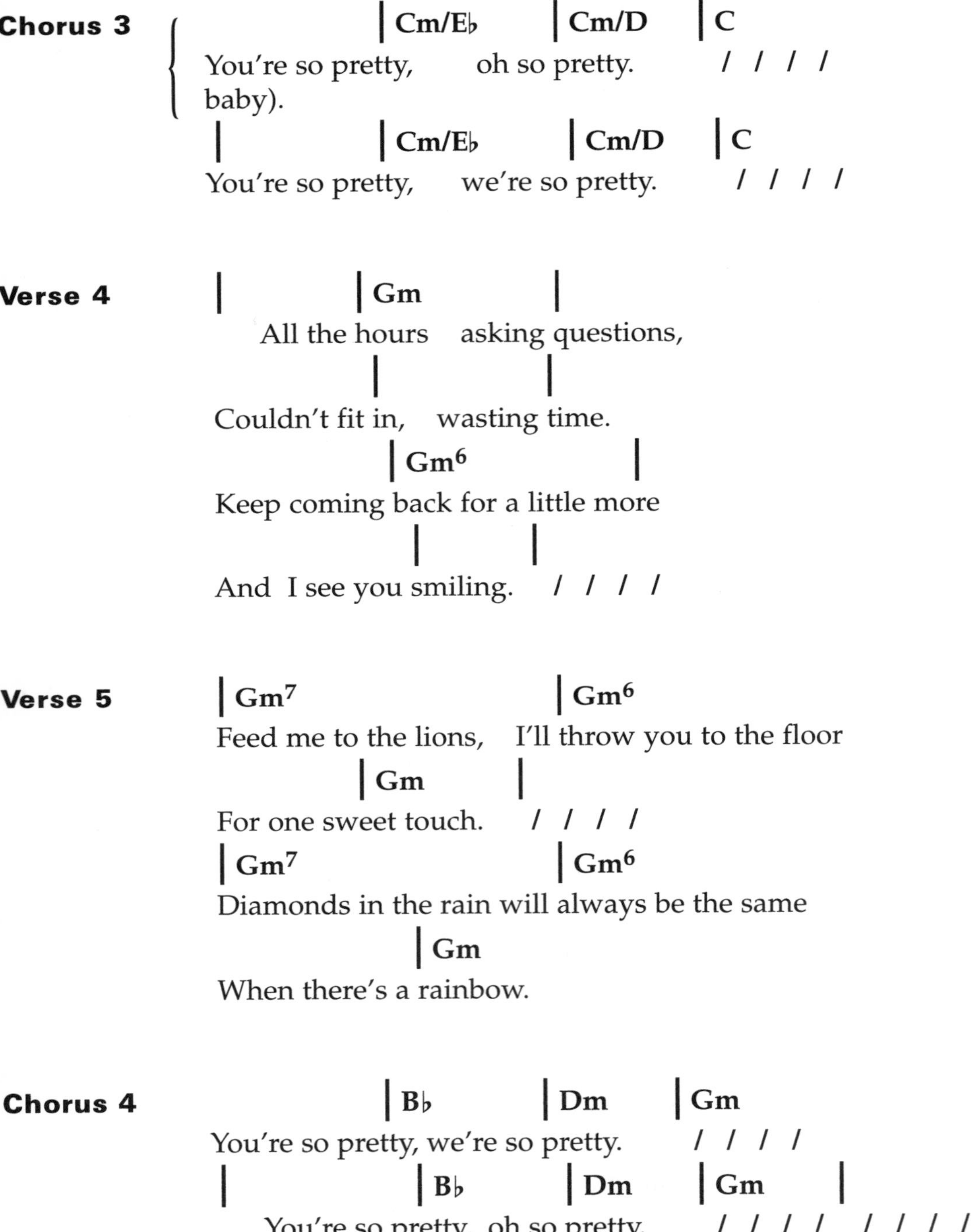

Chorus 3

| Cm/E♭ | Cm/D | C
You're so pretty, oh so pretty. / / / /
baby).
| | Cm/E♭ | Cm/D | C
You're so pretty, we're so pretty. / / / /

Verse 4

| | Gm |
All the hours asking questions,
| |
Couldn't fit in, wasting time.
| Gm6 |
Keep coming back for a little more
| |
And I see you smiling. / / / /

Verse 5

| Gm7 | Gm6
Feed me to the lions, I'll throw you to the floor
| Gm |
For one sweet touch. / / / /
| Gm7 | Gm6
Diamonds in the rain will always be the same
| Gm
When there's a rainbow.

Chorus 4

| B♭ | Dm | Gm
You're so pretty, we're so pretty. / / / /
| | B♭ | Dm | Gm |
You're so pretty, oh so pretty. / / / / / / / /

oda

| **Gm6**
(Show me the morning,
|
Show me the morning, baby.
|
Show me the morning,
|
Show me the morning, baby.
| **Cm/E♭**
Show me the morning,
| **Cm/D**
Show me the morning, baby.
| **C**
Show me the morning,
|
Show me the morning, baby).
‖: **Gm6** | / / / / :‖
Ooh,_________ ooh._________ *Repeat ad lib. to fade*

Also Available

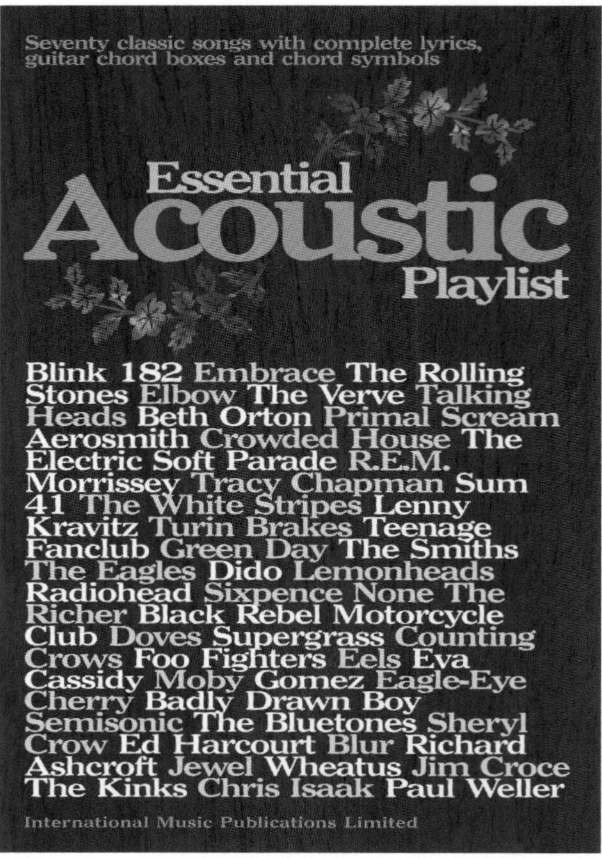

Seventy classic songs with complete lyrics, guitar chord boxes and chord symbols
Essential
Acoustic
Playlist
Blink 182 Embrace The Rolling Stones Elbow The Verve Talking Heads Beth Orton Primal Scream Aerosmith Crowded House The Electric Soft Parade R.E.M. Morrissey Tracy Chapman Sum 41 The White Stripes Lenny Kravitz Turin Brakes Teenage Fanclub Green Day The Smiths The Eagles Dido Lemonheads Radiohead Sixpence None The Richer Black Rebel Motorcycle Club Doves Supergrass Counting Crows Foo Fighters Eels Eva Cassidy Moby Gomez Eagle-Eye Cherry Badly Drawn Boy Semisonic The Bluetones Sheryl Crow Ed Harcourt Blur Richard Ashcroft Jewel Wheatus Jim Croce The Kinks Chris Isaak Paul Weller
International Music Publications Limited

Essential Acoustic Playlist
9701A VC ISBN: 1-84328-207-0

All The Small Things (Blink 182) – All You Good Good People (Embrace) – Angie (The Rolling Stones) – Any Day Now (Elbow) – Bittersweet Symphony (The Verve) – Buddy (Lemonheads) – Burning Down The House (Talking Heads) – Central Reservation (Beth Orton) – Come Together (Primal Scream) – Cryin' (Aerosmith) – Don't Dream It's Over (Crowded House) – The Drugs Don't Work (The Verve) – Empty At The End (Electric Soft Parade) – Everybody Hurts (R.E.M.) – Everyday Is Like Sunday (Morrissey) – Fast Car (Tracy Chapman) – Fat Lip (Sum 41) – Fell In Love With A Girl (The White Stripes) – Fireworks (Embrace) – Fly Away (Lenny Kravitz) – Future Boy (Turin Brakes) – Going Places (Teenage Fanclub) – Good Riddance (Green Day) – Heaven Knows I'm Miserable Now (The Smiths) – Hotel California (The Eagles) – Hotel Yorba (The White Stripes) – Hunter (Dido) – It's A Shame About Ray (Lemonheads) – Karma Police (Radiohead) – Kiss Me (Sixpence None The Richer) – Losing My Religion (R.E.M.) – Love Burns (Black Rebel Motorcycle Club) – The Man Who Told Everything (Doves) – Mansize Rooster (Supergrass) – Mellow Doubt (Teenage Fanclub) – Movin' On Up (Primal Scream) – Moving (Supergrass) – Mr. Jones (Counting Crows) – Next Year (Foo Fighters) – Novocaine For The Soul (Eels) – Over The Rainbow (Eva Cassidy) – Panic (The Smiths) – Porcelain (Moby) – Pounding (Doves) – Powder Blue (Elbow) – Rhythm & Blues Alibi (Gomez) – Save Tonight (Eagle Eye Cherry) – Secret Smile (Semisonic) – Shot Shot (Gomez) – Silent Sigh (Badly Drawn Boy) – Silent To The Dark (Electric Soft Parade) – Slight Return (The Bluetones) – Soak Up The Sun (Sheryl Crow) – Something In My Eye (Ed Harcourt) – Something To Talk About (Badly Drawn Boy) – Song 2 (Blur) – Song For The Lovers (Richard Ashcroft) – Standing Still (Jewel) – Street Spirit (Fade Out) (Radiohead) – Teenage Dirtbag (Wheatus) – Tender (Blur) – There Goes The Fear (Doves) – Time In A Bottle (Jim Croce) – Underdog (Save Me) (Turin Brakes) – Walking After You (Foo Fighters) – Warning (Green Day) – Waterloo Sunset (The Kinks) – Weather With You (Crowded House) – Wicked Game (Chris Isaak) – Wild Wood (Paul Weller)

Also Available

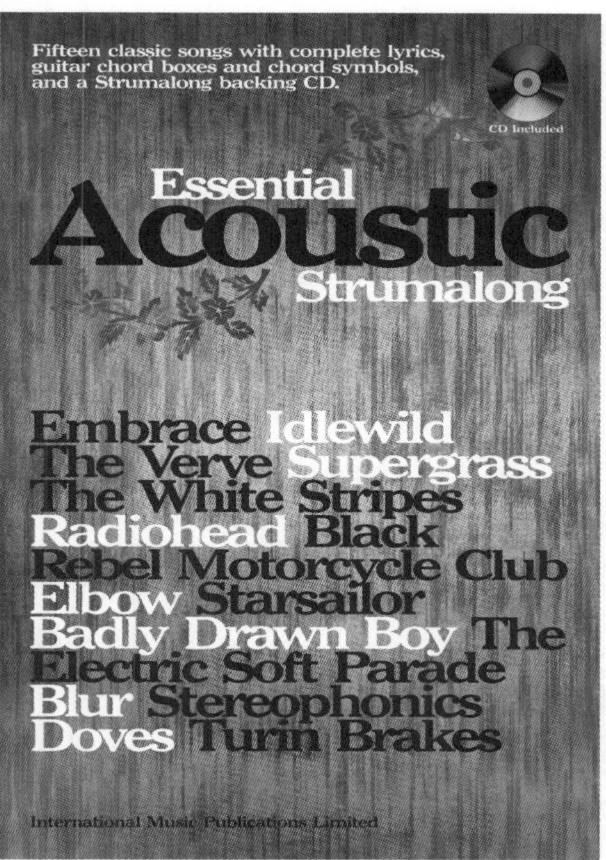

Fifteen classic songs with complete lyrics, guitar chord boxes and chord symbols, and a Strumalong backing CD.
CD Included
Essential
Acoustic
Strumalong
Embrace Idlewild
The Verve Supergrass
The White Stripes
Radiohead Black
Rebel Motorcycle Club
Elbow Starsailor
Badly Drawn Boy The
Electric Soft Parade
Blur Stereophonics
Doves Turin Brakes
International Music Publications Limited

Essential Acoustic Strumalong
9808A BK/CD ISBN: 1-84328-335-2

All You Good Good People (Embrace) - American English (Idlewild) – The Drugs Don't Work (The Verve) – Grace (Supergrass) – Handbags And Gladrags (Stereophonics) – Hotel Yorba (The White Stripes) – Karma Police (Radiohead) – Love Burns (Black Rebel Motorcycle Club) – Poor Misguided Fool (Starsailor) – Powder Blue (Elbow) – Silent Sigh (Badly Drawn Boy) – Silent To The Dark (The Electric Soft Parade) – Tender (Blur) – There Goes The Fear (Doves) – Underdog (Save Me) (Turin Brakes)

Also Available

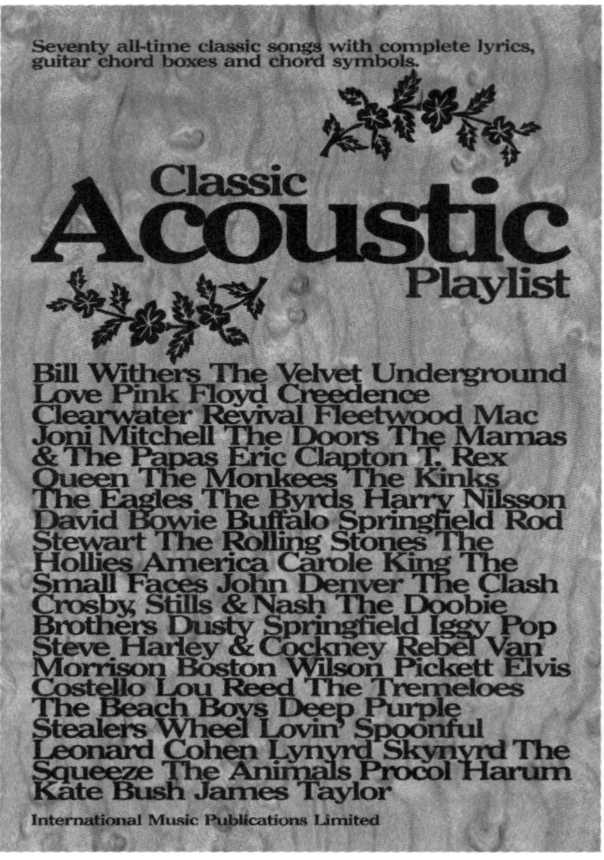

Classic Acoustic Playlist

9806A VC ISBN: 1-84328-332-8

Ain't No Sunshine (Bill Withers) – All Tomorrow's Parties (The Velvet Underground) – Alone Again Or (Love) – Another Brick In The Wall Part II (Pink Floyd) – Bad Moon Risin (Creedence Clearwater Revival) – Black Magic Woman (Fleetwood Mac) – Both Sides Now (Joni Mitchell) – Brain Damage/Eclipse (Pink Floyd) – Break On Through (The Doors) – California Dreamin' (The Mamas & The Papas) – Cocaine (Eric Clapton) – Cosmic Dancer (T. Rex) – Crazy Little Thing Called Love (Queen) – Daydream Believer (The Monkees) – Days (The Kinks) – Desperado (The Eagles) – Eight Miles High (The Byrds) – Everybody's Talkin' (Harry Nilsson) – Five Years (David Bowie) – For What It's Worth (Buffalo Springfield) – Fortunate Son (Creedence Clearwater Revival) – Get It On (T. Rex) – Handbags & Gladrags (Rod Stewart) – Happy (The Rolling Stones) – He Ain't Heavy, He's My Brother (The Hollies) – Heroin (The Velvet Underground) – A Horse With No Name (America) – I Feel The Earth Move (Carole King) – It's Only Rock And Roll (The Rolling Stones) – It's Too Late (Carole King) – Itchycoo Park (The Small Faces) – Layla (Eric Clapton) – Leaving On A Jet Plane (John Denver) – Life On Mars (David Bowie) – Light My Fire (The Doors) – London Calling (The Clash) – Long Time Gone (Crosby, Stills & Nash) – Long Train Runnin' (The Doobie Brothers) – The Look Of Love (Dusty Springfield) – Lust For Life (Iggy Pop) – Maggie May (Rod Stewart) – Make Me Smile (Come Up And See Me) (Steve Harley & Cockney Rebel) – Miss You (The Rolling Stones) – Moondance (Van Morrison) – More Than A Feeling (Boston) – Mustang Sally (Wilson Pickett) – New Kid In Town (The Eagles) – Oliver's Army (Elvis Costello) – Pale Blue Eyes (The Velvet Underground) – Perfect Day (Lou Reed) – Silence Is Golden (The Tremeloes) – Sloop John (The Beach Boys) – Smoke On The Water (Deep Purple) – Space Oddity (David Bowie) – Start Me Up (The Rolling Stones) – Strange Kind Of Woman (Deep Purple) – Stuck In The Middle With You (Stealers Wheel) – Summer In The City (Lovin' Spoonful) – Sunny Afternoon (The Kinks) – Suzanne (Leonard Cohen) – Sweet Home Alabama (Lynyrd Skynyrd) – Tempted (The Squeeze) – Tequila Sunrise (The Eagles) – Turn Turn Turn (The Byrds) – Venus In Furs (The Velvet Underground) – We Gotta Get Out Of This Place (The Animals) – Whiter Shade Of Pale (Procol Harum) – Wuthering Heights (Kate Bush) – You're My Best Friend (Queen) - You've Got A Friend (James Taylor)

Also Available

Classic Acoustic Strumalong

9844A BK/CD **ISBN: 1-84328-397-2**

Alone Again Or (Love) – Another Brick In The Wall Part II (Pink Floyd) – Cocaine (Eric Clapton) – Get It On (T. Rex) – Handbags And Gladrags (Rod Stewart) – London Calling (The Clash) – Lust For Life (Iggy Pop) – Make Me Smile (Come Up And See Me) (Steve Harley & Cockney Rebel) – Mustang Sally (Wilson Pickett) – Perfect Day (Lou Reed) – Start Me Up (The Rolling Stones) – Stuck In The Middle With You (Stealers Wheel) – Sunny Afternoon (The Kinks) – Venus In Furs (Velvet Underground) – Whiter Shade Of Pale (Procol Harum)

Essential Acoustic Playlist 2